MOEWIG
SCIENCE FICTION

Algis Budrys
EINIGE WERDEN ÜBERLEBEN

Herausgegeben und mit einem Nachwort
von Hans Joachim Alpers

MOEWIG
Deutsche Erstausgabe

Titel der Originalausgabe: Some Will Not Die
Aus dem Amerikanischen von Wolfgang Crass
Copyright © 1961, 1978 by Algis Budrys, Teile des Buches basieren
auf Material mit dem Copyright © 1954 by Galaxy Publishing Inc.,
© 1954 by Algis Budrys und © 1957 by Royal Publications, Inc.
Copyright © der deutschen Übersetzung 1981
by Moewig Verlag, München
Umschlagillustration: Selecciones Illustradas
Umschlagentwurf und -gestaltung: Franz Wöllzenmüller, München
Redaktion: Hans Joachim Alpers
Verkaufspreis inkl. gesetzl. Mehrwertsteuer
Auslieferung in Österreich:
Pressegroßvertrieb Salzburg, Niederalm 300, A-5081 Anif
Printed in Germany 1981
Druck und Bindung: Mohndruck Graphische Betriebe GmbH, Gütersloh
ISBN 3-8118-3517-3

Schreiben ist eine Kunst. Dafür, daß sie mir das meiste, was ich davon weiß, beigebracht haben, und mich dabei gehalten haben, und mich meine Verpflichtungen ihr gegenüber nie vergessen lassen haben, widme ich dieses Buch

Lester del Rey und
Evvie
sowie meiner Frau Edna.

Wir beschäftigen uns nicht mit einem Mann. Wir beschäftigen uns mit Menschen; wenn in einer Welt von fast vier Milliarden Menschen niemand eine Insel ist, wie kann dann ein Mensch unabhängig von den anderen sein, wenn die Bevölkerungszahl nur ein Zehntel dessen ist? Menschen, die vor der Seuche verloren und unbedeutend waren, wurde der kleinste Impuls, jede Laune um das Zehnfache vergrößert. Die Wellen, die die Persönlichkeit eines Menschen schlägt, schlugen zehnmal so weit, zehnmal so hoch. Ein Mensch, der neunzehn Nachbarn hat, braucht sich um keinen von ihnen zu sehr zu kümmern. Ein Mensch mit einem Nachbarn hat entweder einen Bruder oder einen Feind oder beides.

Um also die Geschichte der Welt nach der Seuche zu verstehen, müssen wir begreifen, daß niemand – selbst Theodore Berendtsen nicht – der einzige Brennpunkt dieser Zeit sein kann.

Wir studieren einen Mann, ja. Aber wir beschäftigen uns mit Menschen.

Harvey Haggard Drumm,
*Eine Untersuchung zur Auswirkung
extremer Entvölkerung
auf das herkömmliche Menschenbild.
Chicago,
vervielfältigt im Jahre 2001 n. Chr.*

ERSTES BUCH

Prolog

Dies alles geschah viele Jahre nach der Seuche, ungefähr zu derselben Zeit, als man davon sprach, den Amerikanischen Zwinger-
Club im Osten und Süden neu zu beleben. Aber dieses hier passierte weiter nordwestlich: Es wurde dunkel auf der riesigen Ebene, die
sich von den Appalachen bis zu den Ausläufern der Rocky Moun-
tains erstreckte. Das hohe Gras flüsterte im Abendwind.

Ein Kettenkampfwagen schob sich klappernd und heulend auf
die untergehende Sonne zu. Hinter ihm lag der eintönige Horizont
aus Gras, fast vollständig eben und ohne ein sichtbares Zeichen
von Leben. Das öde Grasland erstreckte sich auf beiden Seiten.
Vor ihm lagen, schwarz und von der Entfernung verwischt, die
Ausläufer der Berge, ein Pinselstrich in einer kräftigen Linie direkt
unter der Sonne.

Der Kampfwagen, ein geduckter, dunkler, hastender Umriß,
war der Anfang einer immer länger werdenden Spur von zerdrück-
tem Gras. Er bewegte sich mit unaufhaltsamer Geschwindigkeit
vorwärts. Seine Panzerung war rostig und von Schweißstellen ver-
narbt. Die stumpfe dunkelgrüne Farbe blätterte ab. Irgend jemand
hatte auf die Seite des breiten Doppelturms mit geübter Hand das
Wappen der Siebten Nordamerikanischen Republik gemalt. Auch
dort war die Farbe schlecht, obwohl sie viel frischer war. Ein anderes Wappen schimmerte darunter durch, und darunter wieder ein
anderes.

Joe Custis, mit dem angenommenen Dienstgrad eines Haupt-
manns der Siebten Republikanischen Armee, saß auf dem sattel-
förmigen Kommandantensitz. Kopf und Schultern ragten aus der
offenen Luke; die schweren Hände hatte er gegen ihren Rand gestützt. Der Kopfhörer der Gegensprechanlage drückte die Mütze
mit dem breiten Schild, die er tief über die zerkratzte Schutzbrille
der Amerikanischen Optischen Gesellschaft gezogen hatte, eng an
seinen Schädel. Sein massives Kinn war braungebrannt, und die
tiefen Furchen um seinen Mund waren schwarz von zusammenge-
backenem Staub und Schweiß. Sein Kopf drehte sich ständig von
einer Seite zur anderen, und immer wieder wandte er sich um, um
nach hinten zu sehen.

Ein in der Entfernung noch weißer Fleck zur Linken wurde zu einem frischgestrichenen Hinweisschild, das man auf dem Scheitel eines niedrigen Hügels an einen Pfosten genagelt hatte. Er ließ seine Schutzbrille an seinem Hals herabbaumeln und schaute durch das Fernglas. Es war ein handgeschriebenes Schild in Totenkopfform — nicht neu, aber noch in gutem Zustand — auf dem folgendes stand:

KEIN ESSEN
KEIN TREIBSTOFF
KEINE FRAUEN

Custis griff zum Kommandantenmikrophon und sagte: „Lew, siehst du das Ding da? Gut, fahr langsam darauf zu. Paß auf — wenn ich es dir sage, hältst du ganz an."

Er stellte den Kommandantensitz so ein, daß sein Gesicht die Höhe der Okulare des Kuppelperiskops erreicht hatte. Dann hob er das Periskop an, bis es in seiner ganzen Länge dünn und biegsam über der Kuppel ausgefahren war. Es sah mit seinen vielen Gelenken wie die erhobene zitternde Antenne eines Wesens aus, das auf den roten Ebenen des Mars lebte und sich in unerhörte Kämpfe stürzte.

„Langsam jetzt, Lew ... langsam ... halt."

Der Kampfwagen hielt mit laufendem Motor an, und das Periskop suchte den Hügel ab. Joe Custis griff nach oben und verschloß das Turmluk über seinem Kopf. Er beugte sich ungelenk nach unten und sah durch die Optik.

Auf der anderen Seite des Höhenzugs lag ein Tal, oder vielmehr das, was vor langer Zeit einmal ein Tal gewesen war. Jetzt war es eine breite, flache Senke, in die zehntausend Jahrhunderte Regen die fetteste Krume hineingespült hatten. In dem Tal gab es Felder und verstreut niedrige, bucklige, grasbewachsene Erhebungen. Kein Licht war zu sehen. Auf den Feldern war keine Bewegung auszumachen, aber eines von ihnen war halb geeggt. Der Boden war frisch aufgebrochen, die Oberfläche schimmerte noch schwer und fett bis zu einem Punkt, an dem die Spuren der Spitzegge von ihrem vorherigen Kurs abwichen und auf eine der Erhebungen zuführten, die in Wirklichkeit eine Grashütte war. Ein Bauer hatte seine Arbeit unterbrochen und sein Pferd und die wertvolle handgefertigte Egge in Sicherheit gebracht.

Die Stimme des Fahrers hallte im Kopfhörer von Joe Custis wider. „Soll ich näher ranfahren, damit wir es uns genauer ansehen können?"

„Nein. Nein, fahre um die Sache hier herum, und dann nimm wieder den alten Kurs. Näher will ich nicht rangehen. Es könnte dort Fallen oder Minen geben."

Custis senkte das Periskop, und der Wagen stieß bis zu der Stelle zurück, an der sie zuvor vom Kurs abgewichen waren. Hier schwenkte er herum und begann wieder vorwärts zu rollen. Das Heulen der Koboldmotoren nahm wieder das vertraute Geräusch an. Der Wagen ließ das Schild langsam in der Ferne entschwinden.

Das Luk des Flakkanoniers hinten auf dem Turm öffnete sich mit einem Schlag. Custis drehte sich herum und sah hinunter. Major Henley, der politische Offizier, zog sich nach oben und rief laut, um das Geräusch des Motors zu übertönen, der wie der Bohrer eines Zahnarztes heulte.

„Custis! Warum haben wir angehalten?"

Joe hielt sich eine Hand hinter das Ohr. Nach einem kurzen Moment strampelte sich Henley in dem Luk höher, zog sich über die Umrandung und krabbelte über die Turmkuppel nach vorn. Er stemmte einen Fuß gegen die linke Kettenabdeckung und hielt sich an dem Griff fest, der auf der Seite des Turms angeschweißt war. Custis überlegte sich, wie lange es wohl dauern würde, bis er ausrutschen und sich am Turm die Zähne ausschlagen würde.

„Warum haben Sie angehalten?"

„Befestigte Stadt. Unabhängig. Wollte ich mir mal ansehen. Gibt in letzter Zeit einige davon hier oben. Interessant."

„Wie meinen Sie das, unabhängig?"

„Die kümmern sich einen Dreck um irgend jemanden. Man wird nur hineingelassen, wenn man dort geboren ist. Oder wenn man etwas hat, das nur mit einer Kanone aufzuhalten ist. Ich glaube nicht, daß sie Kanonen haben. Sonst hätten sie uns angegriffen und sich nicht so eingeigelt."

„Ich dachte, Sie hätten gesagt, das Gebiet hier werde von den Gesetzlosen beherrscht."

Custis nickte. „Wird es auch, wenn man von diesen Städten absieht. Sie sehen doch keine offenen Städte mehr, oder?"

„Gesetzlose sehe ich aber auch nicht."

Custis zeigte in Richtung der Berge. „Die beobachten uns, wie wir auf sie zu kommen."

Henleys Blick glitt nach Westen. „Woher wissen Sie das?"

„An ihrer Stelle würde ich dort sein", erklärte Custis geduldig. „Hier draußen auf der Prärie bin ich ihnen haushoch überlegen, und das wissen sie auch. Dort oben jedoch hätten sie mich auf dem Präsentierteller. Also sind sie dort."

„Das ist ganz schön schlau von ihnen. Ich nehme an, ein kleines Vögelchen hat ihnen verraten, daß wir kommen?"

„Hören Sie mal zu, Henley, wir sind seit einer ganzen Woche in dieser Richtung unterwegs."

„Und sie haben ein Nachrichtennetz, das sie rechtzeitig warnt? Ich nehme an, irgendwer überbringt die Nachrichten zu Fuß?"

„Richtig."

„Unsinn."

„Gehen Sie in Ihre Kirche, ich gehe in meine." Custis spuckte nach Steuerbord über die Seite. „Ich bin schon mein ganzes Leben in der Prärie und verkaufe meine Dienste an diese oder jene Gruppe. Wenn Sie sagen, daß Sie das Land besser kennen, so werden Sie wohl recht haben, denn Sie sind ja schließlich Major."

„Schon gut, Custis."

„Die Leute hier draußen müssen dämlich sein oder so was. Warum die immer noch am Leben sind, ist mir schleierhaft."

„Ich hab' gesagt, schon gut."

Custis grinste ohne besondere Boshaftigkeit und trieb die Nadel noch ein bißchen tiefer unter Henleys dünne Städter-Haut. „Verdammt noch mal, Mann, wenn *ich* der Meinung wäre, Berendtsen lebe noch und sei irgendwo hier draußen, dann würde ich annehmen, daß alles hier sehr schlau organisiert ist. So schlau, daß es besser gewesen wäre, wenn wir nie von Chicago weggefahren wären."

Henley wurde rot. „Custis, Sie stellen das Fahrzeug, und für das Nachdenken bin ich verantwortlich. Wenn die Regierung annimmt, daß die Wahrscheinlichkeit groß genug ist und eine Nachforschung lohnt, dann reicht das. Wir prüfen es nach."

Custis sah ihn angewidert an. „Berendtsen ist tot. Er wurde vor dreißig Jahren in New York erschossen. Man hat ihn durchlöchert und seine Leiche hinter einem Jeep hergeschleift, die ganze Hauptstraße entlang mit fünfunddreißig Stundenkilometern. Überall an der Strecke haben Leute mit Pflastersteinen nach ihm geworfen. Das ist alles, was von Berendtsen übrig ist, eine dreißig Jahre alte

Blutspur die Broadway Avenue hinunter, oder wie sie auch immer heißt."

„Das ist nur eine von den Geschichten, die man hört. Es gibt auch noch andere."

„Henley, erheblich mehr Leute haben meine Geschichte gehört als solche, in der er noch lebt. Und sogar hier, ganz weit draußen. Vielleicht sollten wir uns auch mal nach Julius Caesar umsehen?"

„Schon gut, Custis, jetzt reicht es aber mit Ihrer Sorte von Weisheit!"

Custis sah unverwandt zu ihm herab. Sein Gesichtsausdruck bewegte sich auf der dünnen Trennungslinie zwischen einem Grinsen und etwas völlig anderem. Nach einem kurzen Augenblick blinzelte Henley und wechselte das Thema. „Wie lange dauert es noch, bis wir zu den Bergen kommen?"

„Heute abend sind wir dort. Noch ein paar Stunden, dann bekommen Sie die Chance, ein paar Gesetzlose zu sehen." Jetzt lächelte Custis.

„Also, lassen Sie es mich wissen, wenn wir auf irgend etwas stoßen", sagte Henley und kroch behutsam zu dem Flak-Luk zurück. Er verschwand im Wagen. Einen Moment später fiel ihm das Versäumte ein. Er griff nach oben und zog das Luk zu.

Custis wandte sich wieder seinem Beobachterposten zu. Sein entspanntes Gesicht wirkte gelassen. Seine Hände hielten unbeweglich das dicke Metall der Panzerung fest. Dann und wann aber runzelte er die Stirn, wenn sein Blick beim Absuchen des Horizonts auf die Berge traf. In diesen Augenblicken streckte er seine Finger, als müsse er sich wieder mit der Struktur von Gußeisen vertraut machen.

Custis glaubte nicht an die Hoffnungen Henleys. Berendtsens Name wurde dazu benutzt, um Kindern Angst zu machen – wirklichen Kindern und Politikern. Es war dasselbe in der ganzen Republik, und in allen vorausgegangenen Republiken war es dasselbe gewesen. Ständig wurde die silberblaue Fahne geschwenkt oder mit ihr gedroht. Eine Handvoll falscher Berendtsen waren aufgetaucht, die hier und da im gesamten Chicagoer Herrschaftsbereich in den vergangenen dreißig Jahren aus der Legende eines Toten Kapital geschlagen hatten. Manche von ihnen hatte man lächerlich gemacht oder war sonstwie mit ihnen fertig geworden, bevor sie überhaupt richtig angefangen hatten. Mit manchen nicht. Die Vierte

Republik nahm ihren Anfang, während die Dritte alle Hände voll damit zu tun hatte, gegen einen Mann zu kämpfen, der sich zum Schluß nur als ein besserer Lügner denn die meisten entpuppt hatte. Im Laufe der Jahre war aus der ganzen Angelegenheit ein bitterer Dauerwitz geworden.

Tatsache war, die Politiker oben in Chicago konnten es sich nicht leisten, daß ein Geist ihre Grenzen oder das, was sie für ihre Grenzen hielten, abschritt, obwohl niemand genau sagen konnte, wessen Wort südlich von Gary Gesetz war. Tatsache war, daß irgendwie, auf irgendeine Art und Weise, die Sage von Berendtsen über die Berge im Osten gewandert war und die Menschen mit Ungeduld verseucht hatte. Tatsache war, daß Berendtsen ein Mann gewesen war, dem es gelungen war, sich festzusetzen, nachdem die Seuche innerhalb von sechs chaotischen Monaten neunzig Prozent der Erdbevölkerung ausgelöscht hatte. So zumindest hieß es in der Legende. Custis glaubte auch daran nicht so recht.

Die Tatsache jedenfalls, mit der man leben mußte, war, daß Berendtsen etwas zusammengeschweißt hatte, das sich die Zweite Freie Amerikanische Republik nannte. Damit waren wahrscheinlich der alte amerikanische Osten und die östliche Hälfte des alten Kanada gemeint. Er hatte sie zehn Jahre zusammengehalten, bevor es ihn erwischte. Und niemand hatte es geschafft, genauso erfolgreich zu sein, zumindest hier nicht, wo die großen Seen und die Appalachen Berendtsen davon abhielten, mehr als ein Name oder manchmal eine Fahne zu sein. Es gab Zeiten, als sein Name ihnen Angst machte — und das mit ihm verbundene Versprechen, eines Tages würden bewaffnete Männer über die Berge kommen und ihnen die Befehle eines Fremden aufzwingen. Dazwischen aber lagen Zeiten, in denen die Menschen noch immer an jene vollen zehn Jahre dachten, in denen in den Städten nicht gekämpft worden war. Diese Gedanken ließen sie jedesmal dann vor Zorn grollen, wenn die Lokalpolitiker etwas anstellten, das den Leuten mißfiel. Sie wurden unruhig; und in den Gedanken der Politiker konnte sich keine Ruhe einstellen, wenn sie sich gegenseitig davon zu überzeugen versuchten, daß die Zustände in den Städten beinahe wieder normal seien, die Städte und die Bevölkerung der Ebenen jetzt schon bald wieder Teil einer blühenden Zivilisation sein würden und die Narben der Seuche verheilt seien.

Es war kein angenehmes Gefühl, von dem Geist eines Mannes

heimgesucht zu werden, den niemand kannte. Man konnte mit Sicherheit davon ausgehen, daß Berendtsen hinter jedem Mob stand, der sich auf das Regierungsgebäude zuwälzte und die Männer darin an den dunklen Laternen aufhängte.

Es hieß, Berendtsen sei seit dreißig Jahren tot. Wer für die Schießerei damals verantwortlich gewesen war, das Volk oder die Politiker, das wußte keiner so recht. Fest stand nur, daß das Volk seinen Leichnam verstümmelt hatte. Und sechs Monate später hatten die Massen jene Männer umgebracht, die nach ihrer Ansicht Berendtsen umgebracht hatten. So sah die Sache also aus – man konnte nur versuchen, dem Ganzen einen Sinn abzugewinnen in einer Welt, in der Kleinstädte ohne Maschinen und Großstädte mit kaum mehr als dem allernotwendigsten Lebensmittelnachschub auskommen mußten. In einer Welt, in der es den Städter sein Leben kostete, wenn er sich allein in das Farmgebiet vorwagte.

Einen Sinn gab es nicht. Der Name dieses Mannes war einfach ein Zauberwort, und das war alles.

Custis schüttelte in seiner Kuppel den Kopf. Wenn es ihm nicht gelingen würde, diesen Geist für Henley zu finden, würde er aller Wahrscheinlichkeit nach nie sein Geld bekommen, ganz gleich, ob er einen Vertrag hatte oder nicht. Seinen Kampfwagen wenigstens hatte er für den Auftrag überholt bekommen. Custis überlegte sich mürrisch, ob er dem politischen Offizier gleich hier die Kehle durchschneiden und dieses Vorkommnis als Folge eines Angriffs von Gesetzlosen melden sollte. Oder vielleicht sollte er ihm die Kehle durchschneiden und sich überhaupt nicht zurückmelden.

Der Kampfwagen befand sich jetzt an einem Ort, der von Chicago weit entfernt war. Das einzige Trinkwasser an Bord war eine Schlammbrühe, die sie aus einem Bach geschöpft hatten, der im Verlauf des Sommers zu einem Rinnsal geworden war. Der Proviant bestand aus Dosen aus Armeebeständen, von denen manche, mit neuer Beschriftung, aus der Zeit vor der Seuche stammten. In dem Wagen stank es nach ihren Kleidern. Sie hatten sie seit drei Wochen nicht mehr ausgezogen. Die Sommersonne brannte den ganzen langen Tag erbarmungslos auf sie herab, und die Hitze, die der komplizierte Antriebsprozeß von dem Atomreaktor über die Dampfturbinen bis zu den Elektromotoren abstrahlte, die Treibräder und Zahnkränze drehten, war nahezu unerträglich.

Henley konnte sich gerade noch auf den Beinen halten. Für Custis und seine Besatzung lag ein anderes Leben zu weit in der Vergangenheit, um es überhaupt in Betracht zu ziehen. Eine lange Fahrt war es trotzdem gewesen. Sie hatten sich schon anstrengen müssen, um es von den erbeuteten Gebieten am Stadtrand von Chicago, die spärlich und ungeübt bebaut wurden, bis hierher zu schaffen, und der schlimmste Teil des Auftrags lag noch vor ihnen. Vielleicht wäre es leichter, selbst Bandit zu werden.

Aber das würde heißen, daß er von der Stadt abgeschnitten wäre, oder zumindest so lange, bis die nächste Republik den Kampfwagen brauchte. Das wäre Custis gleichgültig gewesen, wenn nur Öl, Munition, Ersatzrohre für seine Geschütze, Brennstäbe für den Reaktor und Verpflegung für seine Mannschaft auf der Ebene so dicht wie das Gras wachsen würden.

„Kurs 340, Lew", wies er seinen Fahrer durch das Kommandantenmikrophon an. Der Wagen schlug einen leichten Haken auf seinen Ketten und nahm einen direkteren Kurs auf die nächsten der dunklen Gebirgsausläufer.

Da kann man eben nichts machen, dachte Joe Custis. Was auch immer man lieber machen würde – man mußte hinter einem Geist herjagen.

Er sah über das Gras zurück, das sich in Schwaden zerdrückter, verfilzter Halme endlos hinter dem Wagen erstreckte. Er wußte, daß es hier und da Klümpchen aus Öl und getrocknetem Schlamm gab, die von der Unterseite des Kampfwagens abgefallen waren. Da und dort lagen leere Konservendosen, die sie weggeworfen hatten. Ihre groben Papieretiketten lösten sich schon von dem fleckigen Zinkblech oder der Emaillierung ab. Auf dem Weg zurück lagen die Halteplätze entlang der Spur, jeder mit seinen Gräben für die aus dem Wagen ausgebauten Maschinengewehre, mit denen der Umkreis abgesichert wurde. Die Asche der Feuer war kalt. Der Regen verwandelte sie langsam in dunklere Flecken auf der schwarzen Erde. Die MG-Nester verfielen. Wer würde kommen, um diese Stellen zu untersuchen? Welche geduldigen Männer würden aus ihren Verstecken kommen, um nachzusehen, ob irgend etwas Nützliches zurückgelassen worden war, oder um vielleicht einen Hinweis auf das Ziel des Wagens zu finden?

Solche Männer gab es sogar außerhalb der unabhängigen Kleinstädte und der Grenzen der Großstädte. Verlorene, einsame Jäger, Einzelgänger in irgendeiner Art und Weise, Männer wie Joe Custis, aber ohne seine Hilfsmittel, zur Hälfte Banditen, doch ohne Organisation und auch kaum fähig, sich zu organisieren. Sie suchten allein ihre Beute, isolierter als jedes andere Wesen, das die Ebene durchstreifte, denn die Banditen hatten wenigstens ihre Organisation und die kleinen Städte die Sicherheit ihrer Inzucht.

Und die Großstädte ... Woanders sah es nicht so aus. Die Berendtsen-Legende zum Beispiel erzählte von dem dicht besiedelten Osten. Hier konnte eine Armee von einer Großstadt zur anderen marschieren und alle unter ein gemeinsames Gesetz stellen. Außerdem gab es noch ein beharrliches Gerücht von dem hohen Lebensstandard der südlichen Agrargebiete.

Im Osten jedoch konnten die Großstädte ihren Arm ausstrecken und die Farmgebiete beherrschen. Sie konnten ihre Bürger ausschicken und sie Nahrungspflanzen anbauen lassen, oder sie konnten Werkzeug und Maschinen mit den Bauern tauschen. Sie konnten so allmählich wieder eine Gesellschaft zusammenschweißen.

Hier draußen war das nicht möglich. Zumindest hatte es keiner geschafft, weder nach Berendtsens Art noch nach der des mittleren Südens, welche das auch immer sein mochte. Die erste Flüchtlingswelle, die nach der Seuche aus Chicago kam, hatte eine Form eingeführt, an der sich seitdem nichts geändert hatte. Die überlebenden Bauern hatten es schnell gelernt, erst zu schießen und dann zu fragen, weil Treibstoff schwer zu bekommen war und es keine Ersatzteile für ihre Maschinen und keine Arbeiter für Aussaat und Ernte gab. Die Alternative dazu war es, ausgeraubt zu werden und dann zu verhungern. Die Landwirtschaft war wieder an einem Punkt angelangt, wo ein Mann und seine Familie gerade soviel anbauen konnten, um einen Mann und seine Familie zu ernähren.

Manche von den Flüchtlingen aus den Großstädten hatten sich in Banden organisiert, die sich so eben noch durchschlugen. Sie töteten und plünderten, und sie raubten Frauen; kein Mann will ohne Söhne sterben.

Die meisten der überlebenden Stadtflüchtlinge gingen in die Städte zurück. Es gab dort zehnmal soviel Platz, wie sie brauchten. Aber selbst in allen Lagerhäusern der Stadt zusammen gab es nicht zehnmal soviel Nahrung.

Die Städte schlugen sich mühsam durch. Kurzlebige Regierungen unterwarfen hier und dort ein Stück Ackerland. Mit den verschiedensten Maßnahmen wurden unterschiedliche Arten von Lebensmittelrationierungen eingeführt und der Proteinnachschub auf immer wieder andere Art geregelt. In Chicago wurden unter anderem Ratten gezüchtet.

Auf die eine oder andere Art schlug sich Chicago durch. Aber man träumte von Legenden.

Custis starrte zu den Bergen hinüber. Er fragte sich, ob er jemals wieder hierherkommen würde. Er überlegte, wie viele Männer vor ihm sich auf den Weg zu Berendtsen gemacht hatten.

Sieben Republiken in Chicago. In den Bergen Banditen, die die Ebenen plünderten und die überlebenden Bauern in einen ständigen Belagerungszustand zwangen.

Es wurde Nacht. In manchen Teilen der Welt stand die Sonne hoch am Himmel, oder die ersten Vorboten des Morgens griffen nach dem Sternenteppich. Aber hier wurde es Nacht, und Joe Custis musterte die Grenzen seiner Welt.

Erstes Kapitel

1

Matthew Garvin war ein junger, grobknochiger Mann, der noch nicht zu seiner ganzen Größe ausgewachsen war. Das automatische Schrotgewehr lag nicht ganz sicher in seiner Hand. Seit zwei Tagen aber hatte er sich seinen Weg durch die Innenstadt von New York gesucht, war dem Abfall und anderen Hindernissen ausgewichen, die die Seuche auf den Straßen zurückgelassen hatte, und das Schrotgewehr gab ihm ein weit sichereres Gefühl. Trotz all dem erwartete er immer noch halb und halb, daß ein New Yorker Polizist hinter einem der verlassenen Autos hervorkommen würde, die kreuz und quer herumstanden, oder aus einem der verbarrikadierten Hauseingänge treten würde, um ihn wegen Verstoßes gegen das Sullivan-Gesetz zu verhaften.

Sein Bild vom Zustand der Welt war äußerst lückenhaft. Das meiste hatte er sich aus Fragmenten von Nachrichtensendungen zusammengereimt, die immer sporadischer vom Fernsehen ausgestrahlt wurden. Er hatte sie im Delirium gehört, als er auf einer Liege neben dem Zimmer lag, in dem sein sterbender Vater für die anderen Familienmitglieder die Totenwache hielt. Erst lange nachdem sein Vater gestorben und der Fernseher, obwohl noch immer angeschaltet, endgültig verstummt war, war er wieder ganz zu sich gekommen.

Das einzige, woran er sich noch erinnerte, war, daß sein Vater ihm während dieser ganzen Tage immer wieder gesagt hatte: „Wenn du überlebst, dann vergiß nicht, nur bewaffnet auf die Straße zu gehen." Er war sich jetzt sicher, daß sein Vater, wahrscheinlich selbst im Delirium, das immer wieder wiederholt hatte. Er hatte sich an seinem Arm festgehalten und Worte verschluckt, wie ein Mann, dessen Vernunft eine Botschaft erzwingen will, obwohl er die Kontrolle über sein Bewußtsein fast vollständig verloren hat.

Als er dann endlich erwacht war und gewußt hatte, daß er überleben würde, hatte er die Browning auf dem Boden neben seiner Liege gefunden. Daneben lag eine Schachtel Patronen, die noch stark nach verbranntem Holz roch, und eine Flasche Reinigungsflüssigkeit. Auch der alte Jagdrucksack seines Vaters lag dort. Er war mit Proviant in Büchsen, wasserdichten Streichhölzern, einer Taschenlampe, einem Jagdmesser und einem Kompaß gepackt, fast so, als wollten er und Matthew zusammen auf die Jagd im Nordforst gehen, wie sie es in den letzten vier Jahren in jeder Jagdzeit für Rehe getan hatten. Diesmal aber würde Matthew den Rucksack und die Ausrüstung seines Vaters tragen und die große Browning statt des Kleinkalibergewehrs mitnehmen.

Er hatte das Urteil seines Vaters nicht angezweifelt. Er hatte sich den Rucksack umgeschnallt, das Schrotgewehr an sich genommen und das Apartment hinter sich gelassen. Er hätte sowieso nicht bleiben können, hatte aber sein Bestes getan, seine Familie wenigstens einigermaßen würdig aufgebahrt zurückzulassen.

Er hatte zuerst nicht gewußt, was er tun sollte. Wenn er aus dem Fenster sah, konnte er auf der Straße keine Bewegung entdecken. Ein Schleier von grauem Dunst hing über Manhatten, teils Nebel, teils Rauch, wo etwas brannte und nicht gelöscht worden war. Er hatte das große Fernglas aus dem Schrank seines Vaters geholt und sich die beiden Flüsse genau angesehen. An ihrer Oberfläche trieb so gut wie nichts mehr. Daraus schloß er, daß die große Woge des Todes verebbt war. Wer jetzt noch lebte, würde überleben. Wahrscheinlich war er einer der letzten gewesen, der krank geworden war.

Die Straßen und Hafenanlagen waren ein Chaos aus verlassenen und zerstörten Gerätschaften. Autos, Lastwagen, Boote und Kähne lagen noch so herum, wie er sie das letzte Mal gesehen hatte, als ihm klar geworden war, daß jetzt auch er Fieber bekam und sein Mund trocken wurde. Zu dieser Zeit hatte die Regierung ihre ständigen Bemühungen aufgegeben, die Straßen zu räumen und die Bevölkerung dazu zu bewegen, zu Hause zu bleiben.

Hier und da waren manche von den großen Straßen passierbar gemacht worden. Die Autos und Busse, die abgeschleppt worden waren, lagen noch dort auf den Bürgersteigen, wo man sie abgestellt oder herabfallen lassen hatte. Er konnte einen Kranwagen erkennen. Es war ein Abschleppfahrzeug der städtischen Verkehrsgesellschaft. Ein leuchtend blauer MG-Sportwagen hing noch immer an seinem Abschlepphaken. Nachdem er krank geworden war, hatte offensichtlich niemand mehr Gelegenheit gehabt, die geräumten Straßen neu zu verstopfen.

Er versuchte das Radio anzuschalten. Er hatte zwar viele Katastrophenromane gelesen und wußte, daß es nutzlos war, und eine Zeitlang war er unentschlossen gewesen, aber zum Schluß hatte doch seine menschliche Veranlagung den Sieg davongetragen. Es war nutzlos gewesen. Er hatte nach dem Brummen gelauscht, das er mit dem Begriff „Leitfrequenz" verband, und auch das war fort. Als er zu den Fußleisten herabsah bemerkte er, daß jemand – wahrscheinlich sein Vater – das Kabel so brutal aus der Wand gerissen hatte, daß die blanken Kabelenden auf dem Boden schleiften und nur noch der leere Stecker in der Dose steckte.

Er hatte es aber nicht repariert. Der stumme Fernsehapparat reichte. Die letzte Regierungsmitteilung war zum Schluß recht deutlich geworden, wie er sich erinnerte. Die näselnde, gemessene Stimme des Präsidenten hatte sich von Satz zu Satz gequält und ruhig erklärt, daß sicherlich einige überleben würden, daß keine Krankheit, wie tödlich sie auch sein mochte, überall das Ende für alle Menschen bedeuten könne, daß aber die Überlebenden nicht damit rechnen könnten, die menschliche Zivilisation würde ebenfalls überleben. Wörtlich hatte der Präsident gesagt: „Mein einziges Versprechen an jene, die überleben werden, um die Welt wieder aufzubauen, lautet: Mit Mut, Erfindungsgeist, Entschlossenheit und vor allem mit den moralischen Prinzipien, die den Menschen vom Tier unterscheiden, können wir hoffnungsvoll in die Zukunft sehen. Die Anstrengung wird groß sein. Aber die Zukunft wird Wirklichkeit werden, und mit Gottes Hilfe wird, nein, muß sie Wirklichkeit werden."

Das aber war als Ausgangspunkt nicht viel gewesen. Er hatte das Fernglas wieder weggepackt. Wenn ihn jemand gefragt hätte, so hätte er zur Antwort gegeben, daß er mit Sicherheit wieder in das Apartment zurückkehren werde. Er hätte sich das nicht lange überlegt; er hätte die Worte ausgesprochen und wäre sich ihrer Bedeutung erst anschließend bewußt geworden. Dann war er Stockwerk um Stockwerk herabgestiegen und fortgegangen.

An einem bestimmten Punkt seines Weges war ihm klar geworden, daß er zu Larry Ruarks Apartment unterwegs war. Larry wohnte ungefähr fünfzig Blocks in Richtung Stadtrand entfernt, was wirklich kein langer Fußmarsch war. Seit sie die ersten beiden Jahre zusammen auf dem College gewesen waren, bevor Larry Medizin studiert hatte, waren sie eng befreundet. Er hatte keine Ahnung, ob Larry noch lebte oder nicht. Die Chancen schienen ihm aber gut zu stehen. Teilweise, weil er mit dem Begriff „Arzt" Immunität verband, und weil er einen Freund brauchte, der noch lebte. Er verlieh einem Medizinstudenten einen Titel, der ihm nicht zukam, weil er dadurch die Wahrscheinlichkeit vergrößerte, daß sein Freund überlebt hatte. Er wußte aber, daß seine Überlegungen zum Teil durchaus vernünftig waren. Larry war jung und bei bester Gesundheit. Das hatte seine Chancen ganz sicher verbessert.

Matthew Garvin hatte angenommen, daß er sicher auf seinem Weg zu Larry mehr über den Zustand der Welt herausfinden würde. Er hatte erwartet, daß er noch mehr Überlebende finden und mit ihnen sprechen würde.

Er hatte erwartet, daß er zusammen mit den anderen jungen Leuten, die allgemein in guter Verfassung waren, eine genauere Vorstellung vom allgemeinen Zustand der Welt bekommen könnte. Von dem Kontakt miteinander war schließlich nichts zu befürchten. Entweder waren sie infiziert und würden sterben, oder sie hatten die Seuche mit Erfolg überstanden und würden überleben. Vorbei war die Zeit der Ansteckungspanik, die geherrscht hatte, bevor bewiesen worden war, daß der Erreger, was er auch sein mochte, nicht auf direkten Kontakt angewiesen war. Es war eine schreckliche Zeit gewesen.

Er hatte jedoch langsam damit begonnen, sich zu überlegen, ob das die anderen ebenfalls wußten. Er hörte zwar manchmal eilige Schritte, vom Echo verzerrt und nicht lokalisierbar, aber gesehen hatte er noch niemanden. Wenn er stehenblieb und rief, erhielt er keine Antwort. Er wußte, daß ihn die unentrinnbare Krankheit spät erwischt hatte. Er fragte sich, was die erfahreneren Überlebenden wohl hinter sich hatten, daß sie sich derart benahmen.

Einmal allerdings bog er um eine Ecke und traf jemanden, der die Seuche überlebt hatte. Ein junger Mann stand schief an ein U-Bahn-Geländer angelehnt. Er war tot. Die Stichwunden in seiner Brust waren mit frischgeronnenem Blut verkrustet. Zu seinen Füßen lag, zertrampelt und zerrissen, eine leere Einkaufstüte.

Die Straßen waren an manchen Stellen nur sehr schwer passierbar. Die gleiche Vorsicht, die ihn dazu gebracht hatte, sich abends in einer LKW-Fahrerkabine einzuschließen, ließ seine Bewegungen immer langsamer werden. So kam es, daß er die Schilder erst am nächsten Tag sah.

24

Er war nur noch ein paar Straßen von Larrys Wohnung entfernt. Die Plakate stammten vom Zivilen Katastrophenschutz. Jemand hatte sie herumgedreht, auf die unbedruckte Rückseite mit der Hand „Lebendiger Arzt" geschrieben und einen Pfeil in Richtung Innenstadt dazugemalt.

Danach beeilte sich Matthew Garvin. Er war sich jetzt sicher, daß Larry Ruark überlebt hatte. Außerdem waren die Plakate die ersten Anzeichen für eine Art Organisation. Er hatte schon angefangen, sich wie in einem leeren Museum zu fühlen, das nachts abgeschlossen wird — wenn nicht in der Ferne immer wieder Geräusche zu hören gewesen wären, die sich nur zu genau wie vereinzelte Gewehrschüsse anhörten. Während der Ansteckungspanik hatte er das Knattern von Maschinengewehren der Polizei gehört und, ganz zu Anfang, die dumpfen Explosionen der Sprengkommandos, als die Isolierungsbrigaden die befallenen Gebiete abriegeln wollten. Aber dies war anders. Es hörte sich eher so an, als sei er im Wald von Indianern umringt, unter deren Füßen Zweige zerbrachen.

Die Reihe von Schildern führte zu dem Haus, in dem sich Larrys Apartment befand. Die Barrikade am Eingang war weggeräumt, und die Haustür stand offen.

Obwohl er manchmal hinter den Fenstern verbarrikadierter Häuser Spuren von Bewegungen gesehen hatte, war das die erste offene Barrikade, die er seit Beginn seines Ausflugs gesehen hatte. Er fragte sich, ob die Leute in dem Haus sich zum erstenmal herausgewagt hatten oder schon häufiger draußen gewesen waren. Sie hatten vielleicht die Barrikaden weggeräumt und nach einem Tag oder so wieder aufgestellt. Sie waren natürlich eine Verteidigungsmaßnahme. In den letzten Tagen der Seuche hatten Banden von Kranken, Betrunkenen und Hysterikern die Straßen unsicher gemacht, wann immer die dahinsiechende Polizei nichts mehr gegen sie unternehmen konnte. Matthew Garvin selbst war ebenfalls hysterisch geworden. Er hatte immer wieder gelacht und gerufen: „Jetzt gibt es keinen Krieg mehr!" Er war von einem Zwang besessen gewesen, auf die Straße zu gehen, sich zu betrinken, etwas zu zerschlagen, auszubrechen und all das zu zerstören, was die Gesellschaft in der Erwartung eines Kriegs aufgebaut hatte: die Hinweisschilder für Luftschutzbunker, die Zeitungsstände, die Fernsehläden, die Kinos, all die Dinge, die jetzt wie Symbole der Verzweiflung wirkten. Auch er wollte jetzt zeigen, daß er die Angst unter der scheinbaren Ruhe erkannt hatte. All das hatte in ihm gebrodelt; wäre er nur ein klein wenig anders gewesen, hätte er ebenfalls die brennende Stadt durchstreift, und man hätte sich auch gegen ihn verbarrikadieren müssen.

Er ging zögernd die Stufen hinauf, die zur Halle des Apartmenthauses führten, in dem Larry Ruark wohnte. Die Halle und die Treppe waren sauber. Jemand hatte gefegt, gewischt und abgestaubt. Sogar der Messinggriff der Haustür war poliert. In der Halle hing noch ein weiteres Plakat: „Lebendiger Arzt im ersten Stock."

Sonst gab es nichts zu sehen und zu hören.

Er ging leise die Treppe hoch und benutzte nur die Zehenspitzen, um die Stufen zu berühren. Gestern hätte er das nicht getan. Er verstand nicht so recht, warum er es jetzt tat, aber es war der Umgebung angemessen. Er war jung genug, um ein feines Gefühl für seine Umwelt zu entwickeln.

Larrys Apartment lag direkt oben an der Treppe. Auf einem Schild an der Tür stand: „Arzt – Klopfen und eintreten."

Es war tatsächlich Larry. Matthew klopfte an den Türrahmen und stieß die Tür mit derselben Bewegung auf. „Lar..."

Der dünne, sehnige Arm schlang sich von hinten um seine Kehle. Es war ihm klar, daß es noch einen Augenblick dauern würde, bis ihn sein Feind nach hinten ziehen würde. Dann wäre er hilflos, weil er seine Balance verloren hätte. Er sprang nach oben und durchbrach den Würgegriff zumindest soweit, daß er sich umdrehen konnte, wenn er auch noch von dem Arm umschlungen war. Larry Ruark und er starrten einander an.

„Ach, du großer Gott!" flüsterte Larry. Er ließ die Hand mit dem Schlachtermesser sinken.

Matthew Garvin keuchte. Der Arm hielt ihn noch immer umklammert. Als dann Larry seinen anderen Arm auch noch herabließ, trat Matthew schnell einen Schritt zurück.

„Matt ... du lieber Gott ... Mensch, Matt!" Larry stützte sich gegen die Tür ab und sank dagegen. Er sagte mit runden Augen: „Ich habe jemanden kommen sehen, und da habe ich gedacht – und dann warst du es!"

Er war völlig ausgemergelt. Sein Haar, schon früher graumeliert, war wirr und struppig. Seine Augenhöhlen sahen aus wie schmutziger blauer Samt, und seine Kleider baumelten verdreckt an seinem knochigen Körper. In Matts Nase wirkte noch immer ihr alter, schimmliger Geruch nach.

„Larry, was, zum Teufel, ist hier eigentlich los?"

Larry rieb sich das Gesicht. Das Schlachtermesser hing schief zwischen seinen Fingern.

„Hör mal, Matt, tut mir leid. Ich habe nicht gewußt, daß du es bist."

„... nicht gewußt, daß ich es bin."

„Ach, verdammte Scheiße, ich kann nicht reden. Setz dich doch bitte irgendwo hin, Matt. Ich habe ... ich brauche nur eine Minute."

„In Ordnung", sagte Matt, aber er setzte sich nicht hin. Das Zimmer war mit einem alten Ledersofa, zwei abgestoßenen Sesseln und einem Kaffeetischchen möbliert, auf dem schmierige Magazine in peinlicher Ordnung ausgelegt waren. Die Spalte zwischen den Vorhängen ließen nur sehr wenig Licht in das Zimmer.

„Sag mal, Matt, hast du was zu essen in deinem Rucksack?"

„Ein bißchen. Hast du Hunger?"

„Ja. Nein. – Egal, das kann warten. Ich hätte dich beinahe umgebracht – ist das vielleicht der Augenblick, von Essen zu reden? Wir müssen uns das überlegen ... du mußt ... sieh mal, wußtest du, daß ich die Washington-Brücke von meinem Fenster aus sehen kann?"

Matt neigte den Kopf und runzelte die Stirn.

„Ich meine, ich habe den Leuten zugesehen, wie sie über die Brücke die Stadt verlassen haben. Das ging tagelang so, nachdem die Seuche zu Ende ging. Sie sind über die alten Straßensperren geklettert, die von der Isolierbrigade, und überall die Autos und Leichen. Ich habe die Zeit gestoppt. So um zwanzig bis dreißig in der Stunde. Sie sind aber nicht in Gruppen gegangen. Zwanzig oder dreißig Leute in der Stunde haben in Manhattan den Entschluß gefaßt, aufs Land abzuhauen.

Sie hatten Hunger, Matt. Viele habe ich auch zurückkommen sehen – manche sind gekrochen. Die hatten sicher Schrotschüsse abgekriegt. Irgendwas da drüben schickt sie zurück. Weißt du, was das sein muß? Das können nur die Überlebenden auf der Jersey-Seite sein. Die haben auch kein Essen übrig. Und das heißt, daß die überlebenden Bauern auf sie schießen, wenn sie sich Essen holen wollen."

„Larry ..."

„Hör mal zu – seit sieben Wochen sind keine Lebensmittellieferungen nach Manhattan reingekommen!"

„Lagerhäuser", sagte Matt wie ein Mann, der im tiefsten Alptraum eine wichtige Nachricht zu überbringen hat. Er beobachtete das Messer, das zwischen Larrys Fingern hin und her schwang.

„Da sind Leute drin, die sich während der Seuche verschanzt haben. Um die Zeit bin ich gerade wieder rausgekommen. Die Treppen konnte ich noch nicht wieder herunter, aber da gab es noch ein bißchen was im Radio, auf der Polizeifunk-Frequenz – und die Lagerhäuser waren voll von ihnen. Tote, Sterbende, Lebendige. Die lassen niemanden rein. Überleg doch mal. Manhattan ist voll von Waffen und Munition. Du kannst sie dir überall holen, brauchst sie nur Toten abzunehmen. Jetzt ist natürlich alles weg, die Leute haben sie sich geholt! Jeder, der was zu essen hat, ist bewaffnet. Muß er sein. Wenn nicht, dann hat ihn in der Zwischenzeit ein Bewaffneter umgebracht."

„Da muß doch noch Nahrung vorhanden sein. Auf der Insel hier haben zwei Millionen Leute gewohnt! An jeder Ecke hat es einen Lebensmittelladen gegeben. Die müssen doch so was wie direkten Nachschub gehabt haben. Das kannst du mir einfach nicht erzählen, daß nicht genügend Lebensmittel vorhanden sind, um die Leute wenigstens eine Zeitlang zu ernähren. Wie viele sind denn noch übrig?"

Larry schüttelte den Kopf. „Vielleicht zweihunderttausend. Wenn der nationale Durchschnittswert in der Stadt ebenfalls gilt. Glaube ich aber nicht. Ich glaube, in Wirklichkeit sind hier vielleicht noch hundertfünfzigtausend." Larry schüttelte erschöpft seinen Kopf und ging in unbeholfenem steifem Gang von der Tür weg. Er sank in einen der Sessel und ließ das Messer auf den abgetretenen Teppich neben sich fallen.

„Sieh doch mal, dir geht es gut." Er deutete auf Matts Gewehr. „Du bist doch hier auf die Füße gefallen. Aber was ist mit mir? Denk mal darüber nach. Sicher muß es hier noch irgendwo Nahrung geben. Aber wo? Die Leute, die es wissen, behalten ihr Wissen für sich. Die Stellen, an die man zuerst denkt, werden längst geplündert sein. Und wenn du etwas gefunden hast, mußt du es noch nach Hause schaffen. Und wenn du es nach Hause geschafft hast – wie lange dauert es dann, bis du wieder los mußt. Es gibt ja noch nicht einmal Wasser, wenn du es dir nicht holst!"

„Na gut, dann holt man es sich eben." Matt tippte an seine Feldflasche. Er hatte sie aus einem Eiswasserbehälter in einem verlassenen Büro am Morgen gefüllt und das Wasser mit einer Halazonta-
blette aus seinem Rucksack keimfrei gemacht. „Man muß sich seine Nahrung suchen, weil es keine Botenjungen mehr gibt. Na und?
Man hat doch jeden Tag genug Zeit. Weißt du, wie man das nennt,
was du zur Schau stellst? Das heißt Panik."

„Dann ist es eben Panik. Wenn ein gefangenes Tier das Bein, mit
dem es in der Falle hängt, abbeißt, dann ist das auch Panik. Willst
du mir jetzt erzählen, das sei nicht nötig gewesen?"

„Larry, wir sind keine Tiere!"

Larry Ruark lachte.

Matt sah ihn genau an. Langsam beruhigte er sich, obwohl es in
seinem Ohr noch immer rauschte, als hörte er eine Brandung. Er
wußte, daß er sich später an diese Unterhaltung erinnern würde,
und zwar genauer, als sie jetzt in sein Bewußtsein eindrang. Er
wußte, daß er sich für sein jetziges Verhalten später bessere Alternativen überlegen würde. Im Augenblick aber mußte er Larry und
sein Messer ständig beobachten. Er mußte die ganze Sache jetzt
klarstellen, bevor sie ganz und gar unerträglich wurde.

„Du kannst mir einfach nicht erzählen, daß irgend jemand, der
sich noch frei bewegen kann, in absehbarer Zeit in Manhattan Gefahr läuft zu verhungern. Das dauert noch Jahre, bis die letzten
Nahrungsmittel aufgebraucht sind."

„Das ist mir völlig gleich, wenn ich nicht rankomme. Ich muß
nach meinen eigenen Vorstellungen planen." Larrys Blick wander-
te zu dem Messer, das in der Nähe seines herunterbaumelnden
Arms auf dem Boden neben der Sessellehne lag. „Du ... du kannst
danach jagen. Hör mal zu, weißt du, was die mit mir machen würden, wenn ich rausginge? Wenn die rauskriegen würden, daß ich
Medizinstudent war? Weißt du, warum ich hier in der ganzen
Nachbarschaft die Schilder aufgestellt habe? Für die Leute mit
Schußverletzungen oder Blinddarmentzündungen oder vereiterten
Zähnen bestimmt nicht. Sicher, kann sein, daß manche von denen
verzweifelt genug sind und sich hier Hilfe holen wollen. Aber weißt
du, wie ich den größten Teil meines Proteinbedarfs decke? Ich
kriege es von den Leuten, die hier heraufkommen, weil sie mich
umbringen wollen. Weißt du, warum? Weil wir sie angelogen haben. Die ganze Medizinerschaft hat sie angelogen. Sie hat ihnen er-

zählt, daß sie mit der Seuche fertig werden würde. Sie hat ihnen erzählt, daß all die Scharen von Medizinwissenschaftlern einfach irgendwie die Lösung finden müßten.

Und was ist passiert? Kannst du dich noch an die letzten Tage der Seuche erinnern? Die Isolierungsbrigaden, die Straßensperren, die Maschinengewehre und Flammenwerfer um die Krankenhäuser herum? Natürlich haben wir ihnen erzählt, wir wollten nur die Labors vor dem Pöbel schützen, als wir die Krankenhäuser befestigten. Aber die wissen es besser. Die wissen genau, daß ihre Mütter und Frauen und Kinder gestorben sind, weil wir sie nicht reingelassen haben. Was kümmert sie eine Seuche, die die ganze Welt von einem Ende zum anderen in drei Tagen überschwemmt? Eine Seuche, der keiner entgeht. Eine Seuche, von der man Fieber und Delirium bekommt. Man kann in kein Mikroskop hineinsehen und kein Reagenzglas ruhig halten. Alles, was die sahen, war, daß die größten Leichenhaufen um die Erste-Hilfe-Stationen und die Forschungslaboratorien herumlagen. Ich war ja selbst dabei. Mit meiner Ausbildung konnte ich nicht viel helfen, und da haben sie mir eben eine Thompson-Maschinenpistole gegeben. Das war mein Beitrag, bis die Waffe unbrauchbar geworden war. Zu der Zeit hat sich niemand mehr groß darum gekümmert, daß ich nach Hause ging. War ja kaum noch jemand da, den es hätte kümmern können.

Ich weiß, was die wollen, wenn sie hierherkommen. Sie wollen den verrückten Mediziner, der blöde genug ist, auch noch herumzuposaunen, daß er da ist. Sie kriegen ihn aber nicht. So komme ich zu meinem Protein. Weißt du, das alles ist Protein. Ich meine, du würdest doch keine Maus fressen oder einen Regenwurm, Matt, oder? Das ist aber alles Protein. Deinem Körper ist es egal, wo es herkommt. Der würde es nehmen und zum Überleben benutzen und dankbar dafür sein. Worauf es deinem Körper ankommt, ist doch nur, noch einen Tag zu leben.

Aber in der letzten Zeit läuft es nicht mehr gut. Sie sind mir auf die Schliche gekommen in der Nachbarschaft. Da kommen nur noch Durchreisende. Ich muß mir bald was Neues überlegen."

Larrys Augen blitzten Matt an. „Du und ich, wir könnten es schaffen. Du kannst weggehen und Essen holen, und ich bleibe hier und passe auf, daß es sich niemand holt. Wie wäre das?"

Matt Garvin ging einen Schritt auf die Tür zu.

Larrys Hand bewegte sich wie zufällig auf das Messer zu. Er tat so, als bemerkte er selbst nicht, was seine Hand machte.

„Bitte, Larry", sagte Matt. „Ich will nur gehen."

„Hör mal, du kannst jetzt nicht gehen. Wir müssen Pläne machen. Du bist der einzige, dem ich vertrauen kann!"

„Larry, ich will nur aus der Tür dort rausgehen. Ich und mein Schrotgewehr."

„Auf der Treppe werfe ich dir mein Messer in den Rücken. Ehrlich."

„Ich gehe rückwärts herunter."

„Das ist nicht so leicht. Wenn du ausrutschst, bist du verloren."

„Kann schon sein."

Matt Garvin öffnete die Tür und ging langsam rückwärts hinaus. Er ging, ohne zu stolpern, die ganze Treppe rückwärts hinunter und beobachtete die stille, regungslose Tür, die zu Larry Ruarks Apartment führte. Unten auf der Straße rannte er los, dabei jedes Geräusch vermeidend. Die Plakate auf seinem Weg riß er ab.

2

Die Vierzehnte Straße lag still in der Morgendämmerung. Ohne ein Geräusch lag sie blaugrau zwischen East River und Hudson. Nur ein Schwarm magerer, ruheloser Tauben erhob sich kurz über den Union Square und senkte sich wieder zu Boden. Sonst lag sie wie ein ausgedorrtes Flußbett, bewegungslos und tot. Der Herbstwind blies Abfall die gelähmte Straße hinunter.

Am Rand von Stuyvesant Town, östlich der First Avenue, verrosteten die Reihen der geparkten Autos. Dort bewegte sich endlich etwas. Die Sonne ging langsam auf und warf ihr Licht auf Matt Garvins Augen, der auf dem Rücksitz eines Taxis schlief.

Garvin war sofort hellwach. Zunächst verriet nur ein Zucken seiner Augenlider, daß er nicht mehr schlief. Dann schloß sich seine Hand über dem Kolben seines Schrotgewehrs, und er erhob sich langsam. Er suchte die Straßen und Gebäude um sich herum ab. Befriedigt lächelte er dünn. Im Augenblick war er das einzige lebende Wesen auf der Vierzehnten Straße.

Er glitt mit seinen Beinen von den zurückgelegten Rücksitzen herab und richtete sich auf. Mit geschlossenen Fenstern und verriegelten Türen war das Taxi sicher. Niemand hätte die Türen lautlos aufbrechen können, aber draußen hätten Leute darauf warten können, bis er herauskommen mußte.

Er beugte sich nach vorn, schnallte seinen Rucksack ab und holte seine Feldflasche und eine Büchse Rindfleisch heraus. Er öffnete die Rindfleischbüchse und fing an zu essen. Er hob dabei von Zeit zu Zeit seinen Kopf, um sicherzugehen, daß sich niemand an den geparkten Autos entlang anschlich. Er aß mit sparsamen Bewegungen und trank dazu dann und wann einen Schluck von dem zwar abgestandenen, aber sicheren Sodawasser aus seiner Feldflasche. Das Halazon war ihm schon lange ausgegangen. Nachdem er sein Rindfleisch aufgegessen hatte, packte er wieder seinen Rucksack, schnallte ihn um und warf noch einen letzten Blick in die Runde. Dann hob er den Riegel der Taxitür und glitt lautlos auf eine der gepflasterten Verkehrsinseln, die in einer Reihe die Vierzehnte Straße von der Umgehungsstraße um Stuyvesant Town trennten.

Auf beiden Seiten der schmalen Verkehrsinsel waren Autos praktisch Stoßstange an Stoßstange geparkt. Auf seiner linken Seite ragten die roten Gebäude der Neubausiedlung empor, an deren Grenze er sich nach Osten in Bewegung setzte, aber die Autos dieser Seite schützten ihn vor dem gezielten Gewehrfeuer aus den unteren Geschossen. Wenn jemand aus den oberen Stockwerken auf ihn schießen wollte, hätte er sich weit aus dem Fenster lehnen müssen und sich so dem Feuer von der anderen Straßenseite ausgesetzt. Garvin selbst war von der Vierzehnten Straße durch die Autoreihe rechts gedeckt. Außerdem war inzwischen ein einzelner Mann mit einem Rucksack im allgemeinen kein lohnendes Ziel mehr.

Dennoch, lohnendes Ziel oder nicht, suchte er sich seine Route sorgfältig aus und bewegte sich niedergebückt vorwärts. Sein Schrotgewehr hielt er im Anschlag. Er bewegte sich schnell zwischen den beiden Autoreihen in östlicher Richtung. Seine Augen waren nie ruhig, seine Füße in den Tennisschuhen lautloser als der Wind, und er drehte ständig seinen Kopf hin und her, um das zu hören, was seinen Augen entgehen mochte.

Seine Ohren warnten ihn tatsächlich an der Ecke zur Avenue A. Er hörte das leise Geräusch eines Schnappschlosses an einer Ladentür, das, wie vorsichtig es auch zugezogen wird, immer zu hören ist, und dann das Schaben von Ledersohlen auf dem Trottoir.

Er hielt im Schutz einer geschwungenen Autokarosserie an. Der Lauf seines Schrotgewehrs schwang fast automatisch in Richtung der Geräuschquelle. Er richtete sich vorsichtig auf und sah durch die Seitenfenster des Autos über die Straße. Bei ihrem Anblick zog er scharf die Luft ein.

Es war ein schlankes Mädchen; sie rannte in nervösen, abgehackten Schritten aus der Drogerie über das Trottoir. Ihr Gesicht war blaß, und ihre Augen waren vor Angst geweitet. Sie rannte blindlings zu dem Platz, an dem Garvin kauerte, offensichtlich in Panik, weil sie bei Tageslicht auf der Straße war. Sie versuchte die vergleichsweise sicher erscheinende Verkehrsinsel zu erreichen, bevor sie gesehen wurde.

Schon bevor es ihm klargeworden war, daß er sich nirgends verstecken konnte, hatte er zwei schnelle Schritte rückwärts gemacht, und bevor er sich etwas anderes überlegen konnte, war das Mädchen schon über die Straße geeilt. Dann hatte sie die Verkehrsinsel erreicht, und zum Nachdenken war keine Zeit mehr.

Sie hatte ihn noch nicht gesehen. Sie war zu sehr auf ihre Sicherheit bedacht, um die Gefahr zu erkennen, bis er sich aus seinem instinktiven Kauern aufrichtete und sein Schrotgewehr gesenkt hatte. Ihr Mund öffnete sich, ihre Augen wurden verzweifelt, und er sah die unerwartete Pistole in ihrer andren Hand.

„He!"

Er brüllte vor Überraschung los, als er mit ausgestrecktem Arm nach vorn sprang. Er spürte den Schlag auf seinen Unterarm, als er ihr Handgelenk nach oben wegschlug, und dann hüpfte die Pistole aus ihrer Hand. Das Echo des Schusses klapperte wie die Schuhe eines Steptänzers die leere Straße hinunter. Sein Sprung warf die beiden Körper gegeneinander. Sein Arm krümmte sich wie eine Peitschenschnur und schob den bewaffneten Arm aus dem Weg. Gerade noch rechtzeitig, um ihren Kniestoß aufzufangen, riß er seine Knie zusammen. Zum Schutz gegen die Hand, die Ohr und Hals zerkratzten, konnte er nur sein Gesicht an die Seite ihres Kopfes drücken und sein Kinn an ihre Schulter pressen. Dann brachte seine Bewegung sie aus dem Gleichgewicht, und sie fielen auf die Pflastersteine der Verkehrsinsel. Sie waren in Sicherheit.

„Unten bleiben!" stieß er hastig hervor. Er schwang herum und schlug ihr die Pistole aus der Hand. Er fing sie auf, bevor sie auf dem Steinboden beschädigt werden konnte. Sie schluchzte eine zusammenhanglose Antwort, und noch einmal zogen ihre Fingernägel eine blutige Spur durch sein Gesicht. Er fiel nach hinten, konnte aber gerade noch rechtzeitig seine Schulter in ihre Magengrube stoßen, bevor sie sich wieder aufgerichtet hatte.

„Bist du noch bei Trost?" fluchte er heiser, als sie versuchte wegzurennen. Er warf seinen Arm nach oben, um ihre suchenden Finger von seinen Augen abzuwehren. „Jede Kanone in der Nachbarschaft wartet nur darauf, daß wir aufstehen und sie uns endlich kriegen kann."

„Oh!" Sie hörte sofort auf, sich zu wehren. Diese unerwartete Bereitschaft, ihm zu glauben, überraschte ihn noch mehr als ihr erster Anblick. Als sie ihre Arme sinken ließ, rollte er weg und wischte sich das Blut aus seinem brennenden Gesicht.

„Himmeldonnerwetter noch mal!" keuchte er. „Was hast du denn von mir erwartet?"

Sie wurde rot. „Ich ..."

„Sei nicht albern!" unterbrach er sie barsch. „Hast du vielleicht eine Ahnung, wie viele Frauen dieser verdammte Virus, oder was es auch war, noch übriggelassen hat?" Sie überraschte ihn erneut und zuckte vom Klang seiner Stimme zurück. Wie konnte sie nur so naiv und sensibel sein und trotzdem überleben? „Wenn man eine Frau vergewaltigt, verpatzt man sich irgendwie die Chancen für eine dauerhafte Bekanntschaft", redete er in sanfterer Stimme weiter und war seltsam erfreut, ein leises Lächeln auf ihrem Gesicht zu sehen.

„Da." Er warf ihr die Pistole in den Schoß. „Nachladen."

„Was?" Sie starrte darauf herunter.

„Nachladen, verdammt noch mal", wiederholte er mit rauher Beharrlichkeit. „Da fehlt jetzt eine Patrone." Sie nahm die Waffe zögernd auf, klappte die Trommel aber heraus, als würde sie sich auskennen, und für den Augenblick war er zufrieden.

Er zog seine Beine unter sich hoch und kauerte sich hin, drehte seinen Oberkörper hin und her und versuchte, den Heckenschützen ausfindig zu machen, den der Knall ihres Schusses ganz sicher herbeigelockt hatte. Eine Person war ein unsicheres Ziel, aber zwei Personen waren sicherlich für irgend jemanden der Aufmerksamkeit wert, und für die Sicherheit des Mädchens hatte er nicht genug Vertrauen in die Sehkraft dieses Unbekannten.

Die Fenster der Vierzehnten Straße sahen leer herab. Aus einem unbekannten Grund schüttelte er sich leicht.

„Siehst du jemanden?" fragte das Mädchen leise. Sie überraschte ihn erneut, denn als Person hatte er sie vergessen, während er sie als weiteren Faktor zu dem Sicherheitsproblem zählte.

Er schüttelte seinen Kopf. „Nein. Gerade das macht mir Sorgen. Jemand hätte aus Neugier aus dem Fenster sehen müssen. Wahrscheinlich hat das auch jemand getan – und jetzt hat er sich sein Gewehr geholt."

Besorgnis überschattete ihr Gesicht. „Was machen wir denn jetzt? Ich muß nach Hause." Sie suchte in den Taschen ihrer Jacke herum, bis sie die Tube Schwefelsalbe gefunden hatte. „Mein Vater ist verletzt."

Er nickte kurz. Das erklärte wenigstens, warum sie draußen gewesen war. Dann verzog er sein Gesicht. „Schußwunde?"

„Ja."

„Dachte ich mir. Das Zeug taugt nichts. Jetzt nicht mehr."

„In der Apotheke waren so viele Sachen", sagte sie unsicher. „Das hier war das einzige, bei dem ich mir sicher war. Ist es zu alt?"

Er zuckte die Achseln. „Das Verfallsdatum ist auf jeden Fall schon lange überschritten. Und ich habe so das Gefühl, daß wir es mit einem ganzen Haufen Bakterien zu tun haben, die über das Zeug nur lachen. Jedes Scheiß-Antibiotikum in der ganzen Welt haben sie ausprobiert, und jetzt müssen wir uns mit den Dingern herumschlagen, die das alles überstanden haben. Ich setze inzwischen auf Seife und Karbol."

„Schlimm?" fragte er plötzlich.

„Was?"

„Ist er schlimm verletzt?"

Ihre Lippen zitterten. „Sie haben ihn vor drei Tagen durch die Brust geschossen."

Er grunzte und sah wieder nach den leeren Fenstern. „Sag mal, bleibst du hier, bis ich wieder zurück bin? Ich will dich noch heimbringen. – Du hast es nötig", fügte er unverblümt hinzu.

„Wo gehst du hin?"

„Zur Apotheke."

Ihr Mund öffnete sich verwundert. Ihre Unschuld gehörte nicht auf diese tödliche Straße. Sie nahm einfach alles an, was er sagte. Das – und sogar die Tatsache, daß sie ihn nicht erschossen hatte, als er ihr die Pistole zurückgab – erfüllte ihn mit einem zwar grundlosen, aber heftigen plötzlichen Ärger.

„Zum Telefonieren", fügte er mit brutalem Sarkasmus hinzu. Dann bekam er seine Stimme wieder unter Kontrolle. „Wenn etwas passiert, dann unternimm nichts, sondern dreh dich um und geh heim", sagte er mit sanfterer Stimme.

Sein Ärger ließ nach, war aber noch immer heftig. Er sprang auf und lief los, ohne auf eine Antwort zu warten.

Dumme Göre, dachte er, als er im Zickzack über die Straße rannte. Die sollte einfach nicht frei herumlaufen. Er überquerte den weißen Mittelstreifen, und immer noch hatte niemand geschossen.

Wenn die Heckenschützen ein bißchen nachdenken würden, dann würden sie warten, bis er wieder hervorkam. Dann konnten sie beurteilen, ob seine Beute überhaupt der Mühe wert war.

Wie hatte sie so lange überleben können? Seine Schuhsohle knallte gegen den Bordstein, und er warf sich über den Bürgersteig.

Ich mit meinem Glück muß ausgerechnet von irgendeinem Idioten erschossen werden.

Er riß die Tür auf und stürzte in die Apotheke. Am Tresen hielt er abrupt inne und griff nach einem der Hocker, um sein Gleichgewicht wiederzufinden. Er stützte sich einen Moment darauf ab und wartete, bis er wieder ruhig atmete.

Sie rechneten sich wahrscheinlich gerade aus, wie am meisten herauszuholen war. Bei einem Mann mit einem Rucksack war die Versuchung wahrscheinlich nicht groß genug. Wenn er mit dem Mädchen wieder zusammen war, sah die Sache ganz anders aus. Ein Überraschungsangriff im Schutz der Dunkelheit hätte gute Chancen. Das Mädchen allein allerdings war sicher vor jedem, der einigermaßen gut sehen konnte. Solange er von ihr getrennt war, war auch er relativ sicher. Wenn er allerdings mit ein paar Paketen aus der Apotheke herauskam, würde sich das ändern. Es sei denn, der Fremde überlegte sich, daß es für ihn die beste Politik war, wenn er wartete, bis er wieder bei dem Mädchen war. Wenn dann der mögliche Heckenschütze schon eine Frau hatte ...

Er hatte die komplizierten Überlegungen satt, schlug seine Hand gegen die Kunststoffbeschichtung des Tresens und schob sich davon weg.

Er fand eine Flasche Desinfektionsmittel, Verbandswatte und elastische Binden in den umgeworfenen Gestellen. Er verstaute sie sorgfältig in seinem Rucksack und ärgerte sich über sich selbst, daß er nicht gefragt hatte, ob das Geschoß noch in der Wunde steckte. Er zuckte die Achseln und sagte sich, daß er hier sowieso keine chirurgische Pinzette gefunden hätte, Apotheke hin, Apotheke her. Dann wendete er sich wieder der Eingangstür zu, die sich hell gegen den dunklen Laden abzeichnete. Er hielt inne.

Der Laden war sicher, überlegte er sich. Das hatte ihm das Mädchen dadurch bewiesen, daß sie lebendig wieder herausgekommen war. Er hatte es geschafft hineinzukommen. Jetzt, wo er einmal drinnen war, war das eine leicht zu verteidigende Stelle.

Draußen lag die Vierzehnte Straße, das graue Band des Trottoirs, das der Wind fast sauber gefegt hatte, und das staubige Blaugrau des Asphalts. Dahinter drohten die kahlen Backsteingebäude mit ihren leeren Fenstern. Darüber erhob sich der eisblaue Himmel. Wartende Gewehre gab es nicht – zumindest nicht, wo er sie sehen konnte.

Er sah sich um. Da war doch sicher noch etwas, was er gebrauchen konnte. Wenn er sich umsah, würde er bestimmt noch etwas finden. Wenn er sich lange genug umsah. Wenn er noch wartete.

Er lachte einmal kurz über sich selbst und trat auf die Straße. Er rannte ebenso hektisch los wie das Mädchen. Sein Brustkasten hob und senkte sich rasend, sein Schritt wurde von dem Rucksack aus dem Gleichgewicht gebracht, und auf seinem Gesicht brach der Schweiß aus und verdunstete eisig.

Es wurde ihm klar, daß er Angst hatte, aber da war er schon über die Straße gerannt, lag flach auf dem Bauch auf der Verkehrsinsel zwischen den Autos. Er sah zu dem Mädchen hoch und verstand mit einmal, daß er Angst davor gehabt hatte, die Zukunft zu verlieren.

Er wartete eine kurze Zeit, bis sich sein Atem beruhigt hatte. Das Mädchen sah ihn an. Ein unerklärlicher Ausdruck glänzte auf seinem Gesicht.

Endlich sagte er: „Jetzt wollen wir dich mal nach Hause bringen. Geh du vor, ich gebe dir Deckung von hinten."

Das Mädchen verschluckte, was auch immer es hatte sagen wollen, und nickte wortlos. Es drehte sich auf der Verkehrsinsel in die Richtung herum, aus der er gekommen war, und er folgte ihm. Sie arbeiteten sich zurück in die Richtung First Avenue. Bis auf ein kurzes Knurren, das immer dann von ihm kam, wenn sie sich nicht tief genug bückte, sagte keiner von ihnen ein Wort.

Sie erreichten auf ihrem lautlosen Marsch einen Punkt gegenüber dem Stuyvesant-Gebäude an der Ecke der First Avenue. Das Mädchen hielt an, und Garvin schloß die Lücke von zehn Metern, die zwischen ihnen lag. Er kauerte sich neben ihr nieder.

Er fühlte, wie die Finger seiner linken Hand zuckten. Die unentschiedene Rastlosigkeit seiner Muskeln verschaffte sich ein Ventil. Das Mädchen könnte ihn jetzt einfach stehenlassen. Es könnte Jahre dauern, bis er wieder eine Frau sah, besonders eine ohne Anhang. Er nahm jedenfalls an, daß sie frei war. Was wäre das denn für ein Mann, der seine Frau allein weggehen lassen würde? Wenn sie einen hätte, dann würde er es nicht verdienen, sie zu behalten.

Garvin lachte wieder über sich selbst. Ihr Erstaunen über das kurze, scharfe Bellen beachtete er nicht.

„Als ich zu der Apotheke aufgebrochen bin, war es noch dunkel", sagte sie. Ihre Stimme verriet ihre Hilflosigkeit. „Ich habe aber so furchtbar lange gebraucht, bis ich etwas fand. Wie kommen wir denn jetzt wieder über die Straße zurück zu dem Haus?"

Garvins auf Mißtrauen trainierte Sinne lehnten sich erneut gegen ihre Torheit auf. Jetzt hatte sie sogar die Tatsache verraten, daß ihre Wohnung praktisch nicht verteidigt wurde. Sie hatte fraglos angenommen, daß er mit ihr nach Hause gehen würde.

Er schüttelte seinen Kopf und verachtete sich zu gleicher Zeit dafür, daß er empört über das Mädchen war, weil es genau das tat, von dem er gefürchtet hatte, es würde es nicht tun.

Das Mädchen sah ihn fragend an. Wieder schwang in ihrem Blick noch etwas mit, das er nicht vollständig verstand. Ein kurzer Anfall von Ärger darüber huschte über sein Gesicht.

Noch einmal schüttelte er den Kopf. „Wir müssen rennen. Ist aber leichter bei zwei Leuten", sagte er. „Geh du zuerst. Ich gebe dir Deckung, und dann paßt du auf, wenn ich es versuche. Wenn du irgendwas siehst, dann schieß darauf." Er hob sein Schrotgewehr mit einer Grimasse. Es war eine gute Verteidigungswaffe, in einem Raum oder für den Straßenkampf hervorragend geeignet, aber die Reichweite war erbärmlich kurz. Jetzt wünschte er sich ein Gewehr mit größerem Aktionsradius.

Er zuckte die Achseln und überprüfte, ob der Sicherungshebel des Schrotgewehrs umgelegt war. Er zeigte mit einem Kopfnicken auf das Gebäude. „Los."

„In Ordnung", antwortete sie mit belegter Stimme. Sie drehte sich herum, glitt zwischen zwei Autos, senkte den Kopf und rannte blindlings über Fahrbahn und Bürgersteig in die Eingangstür des Hauses. Dort hielt sie an und wartete auf Garvin.

Er sah sich schnell um. Er konnte nichts entdecken und folgte ihr. Mit verkrampften Rückenmuskeln, im vollen Bewußtsein seiner Ungeschütztheit, rannte er los, die Schritte lang und in hektischem Zick-Zack-Kurs.

Als er die Stufen erreichte, trug ihn seine Geschwindigkeit auf die Seite, und er mußte sich am Geländer festhalten. Plötzlich schlug ein Kugelhagel, der von der gegenüberliegenden Straßenseite kam, in die Betonstufen ein. Die Geschosse gaben zu dem flachen, hölzernen Klang des Gewehrfeuers ein Echo wie Hammerschläge. Bleispuren erschienen auf dem Beton, und Staubwölkchen zogen langsam ab.

Dann lag er unter dem Geländer im Schutz der niedrigen Terrasse. Die Hecke hatte ihn zerkratzt, und sein Gesicht und die Hände bluteten. Er keuchte, den Mund voller Dreck. Sein Herz schlug laut und schnell.

Das Mädchen begann zurückzuschießen.

Er riß sich von den Tausenden von Zähnen los, die die Hecke in seine Kleider versenkt hatte, und drehte sich heftig um. Er starrte gebannt zu dem Mädchen in der Eingangstür hinüber. Sie kniete auf einem Bein, das zweite hielt sie angewinkelt vor sich ausgestreckt. Mit der linken Hand hatte sie ihr Knie ergriffen und den Revolverlauf auf dem linken Ellbogen abgestützt, als würde sie auf eine Zielscheibe auf dem gegenüberliegenden Dach schießen. Sie gab zwei Schüsse ab und wartete.

„Aus der Tür raus!" brüllte er. „In das Gebäude hinein!"

Das Mädchen sah zum Dach hoch und schüttelte leicht den Kopf. Sie biß mit ausdruckslosem Gesicht auf ihre Unterlippe.

„Ich sehe ihn nicht mehr", rief sie. „Er muß hinter den Kamin gesprungen sein."

Garvin brachte seine Beine in Startposition. Er war naßgeschwitzt. „Sieh zu, daß du ihn unten hältst", rief er über den Balkon. Er sprang auf und rannte in gerader Linie auf den Eingang zu, weil er die Entfernung so schnell wie möglich hinter sich bringen wollte. Er warf einen Blick über die Straße, sah keine Bewegung auf dem Dach und hob das Mädchen mit einer Armbewegung auf die Füße. Er stieß die Eingangstür auf, und die beiden stolperten zusammen in die Sicherheit.

Er sank gegen die Tür der Eingangshalle. Der Schweiß lief ihm in Strömen von seinem Oberkörper herab. Im Schutz der dunklen Halle sah er das Mädchen an, während sich sein keuchender Atem langsam normalisierte. Wieder unterließ sie es, ihre Waffe nachzuladen. Trotzdem hatte sie sich an der Tür hingekauert und genau das Richtige getan, um sie beide vor dem Tod zu retten. Sie hatte es natürlich in ihrer eigenen, charakteristischen Art getan. Sie hatte sich dabei nicht nur dem Angreifer als unbewegliches Ziel ausgesetzt, sondern jedem anderen ebenso. Irgendwie hatte sie den Feuerschutz theoretisch verstanden und den Mut gehabt, dieses Wissen trotz ihres kläglichen Mangels an Praxis anzuwenden.

Er hatte bisher einfach gedacht, sie sei auf der Straße völlig fehl am Platz. Nun ertappte er sich bei dem Gedanken, daß sie mit ein wenig Training doch nicht ganz so hilflos sein würde.

Sie sah plötzlich auf und bemerkte seinen Blick. Statt weiter wortlos dazustehen, mußte er nun etwas sagen.

„Danke. Das war riskant, aber trotzdem − danke."

„Ich konnte ihn doch nicht einfach ..." Sie sprach den Satz nicht zu Ende, fing aber auch keinen neuen an.

„Ganz schön dummer Bursche, wer auch immer das war", sagte Garvin.

„Ja." Sie starrte ins Leere. Sie wollte offensichtlich nur die Zeit überbrücken, und Garvin kam plötzlich auf die Idee, daß sie auf etwas wartete.

„Ich verstehe ihn einfach nicht", sagte sie abrupt.

„Ich auch nicht", erwiderte Garvin lahm. Vielleicht wollte sie ihn gar nicht in das Apartment hineinlassen. Es war eigentlich normal und auch logisch, daß sie ihn bat, ihr dabei zu helfen, in das Haus hineinzukommen, ihn nun aber verlassen würde. Wartete sie vielleicht darauf, daß er ihr die Sachen gab, und wollte sie dann verschwinden? Oder wußte sie vielleicht nicht, was sie jetzt machen sollte, wo der Heckenschütze draußen wartete? Er verfluchte sich selbst, weil er nicht die Initiative ergriff, so oder so. Hastig redete er weiter. „Sich auf dem Dach derart hervorzuwagen. Irgend jemand knallt ihn bestimmt bald ab."

„Das habe ich nicht gemeint ... Aber du hast recht. Das war tatsächlich dumm."

Nein, natürlich hatte sie nicht dasselbe wie er gemeint. Garvin war erneut wütend über sich selbst. Für das Mädchen war es unbegreiflich, daß jemand einen anderen töten wollte. Er hatte sie völlig mißverstanden. Für ihn war es nur dumm, mögliches Gewehrfeuer auf sich zu ziehen. Er war ein Raubtier, das jede Bewegung daraufhin überprüfte, ob sie ihn zur Beute machen konnte. Sie hingegen war ein Küken, das aus seinem Nest in eine hungrige Welt gefallen war.

Er zwang sich, seine Überlegungen abzubrechen. Aber sentimental oder nicht – allein und ohne Schutz wollte er sie doch nicht verlassen.

„Du kannst da nicht wieder hinausgehen", sagte sie schließlich mit deutlichem Zögern.

„Nein. Stimmt, das kann ich nicht." Er versuchte, seiner Stimme einen unbeteiligten Klang zu geben.

„Also, ich ... Du kannst einfach nicht rausgehen. Du mußt hierbleiben."

„Ja."

Das war es also. Seine Finger verkrampften sich in seine feuchte Handfläche zu einer nervösen Faust. „Na los. Gehen wir. Wir müssen uns um deinen Vater kümmern."

Ihr Gesichtsausdruck veränderte sich, als sei eine geheime Furcht von ihr gewichen. Es war, als hätte sie ihrerseits befürchtet, er würde nicht tun, was sie von ihm erhoffte. Auch ihre Stimme war jetzt fester, und ein sanftes Lächeln spielte auf ihren Lippen.

„Ich muß dich vorstellen. Wie heißt du?"

Zu seiner eigenen Überraschung wurde er rot. Eine sanfte Stimme aus der Vergangenheit schalt ihn: „Matthew, du warst unhöflich."

„Matt ... Matt Garvin", stieß er hervor.

Sie lächelte wieder. „Ich heiße Margaret Cottrell. Freut mich."

Er ergriff ihre ausgestreckte Hand linkisch und drückte sie mit abruptem Ungeschick.

Er fragte sich, ob er recht gehabt hatte, daß sie sein Fortgehen nicht gewollt hatte und nicht gewußt hätte, was sie dann hätte tun sollen. Der Gedanke machte ihn unruhig, weil er sich hier keine Klarheit verschaffen oder eine Entscheidung treffen konnte. Als sie zu der Treppe hinter dem leblosen Fahrstuhl ging, folgte er ihr vorsichtig. Kurz bevor sie sich in einen dunklen Schatten in der Dämmerung des Treppenhauses verwandelte, konnte er noch einmal das Lächeln auf ihren Lippen erkennen.

Das Apartment befand sich im dritten Stock. Sie ging zur nächsten Tür, als sie aus dem Treppenhaus kamen, klopfte und schloß sie auf.

Garvin war einen Meter hinter ihr stehengeblieben. Sie drehte sich nach ihm um.

„Komm doch bitte herein", sagte sie.

Er ging unruhig auf sie zu. Er vertraute dem Mädchen zwar weitgehend, sicherlich mehr, als er sonst irgend jemandem vertraute, aber er hatte seit zweieinhalb Jahren keine Tür mehr geöffnet, ohne daß er ganz sicher war, daß dahinter nichts Gefährliches wartete.

Er konnte es sich auf der anderen Seite nicht leisten, daß das Mädchen sein Mißtrauen bemerkte. In ihren Augen würde das wahrscheinlich dumm aussehen, und er wollte in ihren Augen nicht wie ein Dummkopf dastehen.

Er versuchte, sein Schrotgewehr unauffällig zu halten, als er durch die Tür trat.

„Margaret?" kam es mit dünner und angestrengter Stimme aus der Wohnung. Das Gesicht des Mädchens füllte sich mit Besorgnis.

„Ich komme sofort, Vater. Ich habe noch jemanden mitgebracht." Sie berührte leicht Garvins Arm. „Bitte."

Die zweite Einladung entschied seine Unsicherheit, und er trat ein.

„Er ist im hinteren Schlafzimmer", flüsterte sie. Er nickte.

Er bemerkte zu seiner Überraschung, daß die Wohnung geheizt war. Der Gasofen in der Küche war durch einen Benzinbrenner neben der Wohnungstür ersetzt worden, und im Wohnzimmer stand ein Heizkörper. Beide Ofenrohre waren sorgfältig in den Entlüftungsschacht des Apartments geführt worden. Das Heizungsgitter auf dem Flur hatten sie abgedichtet, um einen Zug zu vermeiden. Garvin spitzte seine Lippen. Die Wohnung war in besserem Zustand, als er angenommen hatte.

Sie kamen zu der Schlafzimmertür. Matt sah einen dürren Mann, der halb aufgerichtet im Bett saß. Das gleiche Fieber, das seine Lippen erblassen ließ, hatte seinen Augen einen durchdringenden Blick verliehen. Seine Brust war bandagiert. Neben dem Bett stand ein Korb voll roter Papiertücher. Garvin merkte, wie sich sein Mund verzog. Der Mann hatte innere Blutungen.

„Vater", sagte Margaret, „das ist Matt Garvin. Matt – mein Vater, John Cottrell."

„Freut mich, Sie kennenzulernen", sagte Garvin.

„Ich habe den starken Verdacht, daß auch ich erfreut bin, Sie kennenzulernen", sagte Cottrell und lächelte wehmütig. Er wandte seine wäßrigen Augen, die tief in die dunklen Augenhöhlen gesunken waren, Margaret zu. „Wart ihr der Anlaß für die Schießerei dort draußen?"

„Auf einem Dach auf der anderen Straßenseite ist ein Mann. Er hat versucht, Matt umzubringen, als er mich heimbrachte."

„Sie hat mir aus einer echten Klemme geholfen", unterbrach Matt.

„Aber nachdem ich ihn getroffen und ihm erzählt hatte, daß du verletzt bist, ist Matt nochmals in die Apotheke zurückgegangen", sagte Margaret.

Cottrells Blick ging zwischen den beiden hin und her, und sein Lächeln wurde breiter. „So, so, nachdem er dich getroffen hat." Er hustete einen Augenblick und wischte seinen Mund ab. „Davon möchte ich gern noch mehr hören, während Matt sich mal das hier anschaut." Er machte eine Geste zu seiner Brust und zuckte von der Muskelanspannung zusammen. „Margaret, ich glaube, in der Zwischenzeit bin ich hungrig geworden. Könntest du vielleicht Frühstück machen?"

Das Mädchen nickte und ging hinaus in die Küche. Garvin schnallte seinen Rucksack ab und holte die Sachen aus der Apotheke heraus. Er fing Cottrells Blick auf, als er auf das Bett zuging. Der Mann war zu krank, um hungrig zu sein, und Matt hatte schon gegessen, aber keiner der beiden wollte das Mädchen dabeihaben, während sie sich gegenseitig einzuschätzen versuchten.

„Ein typischer Tag in unserer schönen Stadt", sagte Cottrell, nachdem Matt ihm von den Ereignissen des Morgens berichtet hatte.

Matt grummelte nur. Er hatte das verkrustete Blut von Cottrells

Brust abgewaschen und die Wunde abgetupft. Sie wies Anzeichen einer leichten Entzündung auf, die an sich aber unbedeutend war.

Das Geschoß saß tief in Cottrells Brust, zu tief, um danach suchen zu können. Außerdem war im Mund des alten Mannes ein ständiger dünner Blutfilm. Matt verband ihn neu und warf die schmutzigen Bandagen und Tupfer weg. Neben das Bett stellte er die Flasche mit dem Desinfektionsmittel und das übrige Material. Er schnallte seinen Rucksack wieder zu und prüfte mit der Hand, ob er richtig gepackt war. Dann nahm er sein Schrotgewehr und holte die Patronen heraus.

„Beschäftigungstherapie nützt nicht viel, Matt", sagte Cottrell ruhig.

Matt sah von dem Gewehr auf. Er ließ seinen Atem mit einem müden Seufzer aus seinen Lungen. Das Blut in Cottrells Kehle und Bronchien brachte ihn zum Husten. Wenn er hustete, riß die Wunde in seinen Lungen ein wenig weiter auf. In seine Lungen lief noch mehr Blut und verstärkte den Husten.

„Von Medizin habe ich nicht viel Ahnung", sagte Garvin. „Ich habe nur mal einen Erste-Hilfe-Führer gelesen. Aber ich glaube nicht, daß Ihnen noch viel Zeit bleibt."

Cottrell nickte. Er hustete noch einmal und lächelte wehmütig. „Ich fürchte, da haben Sie recht." Er warf das Papiertuch, das voll frischem Blut war, in den Papierkorb. „Also, was haben Sie für Pläne?"

Die beiden Männer sahen sich an. Es hatte keinen Sinn, um den heißen Brei herumzureden. Cottrell würde bald sterben, und wenn er tot war, würde Margaret schutzlos zurück bleiben. Garvin war in der Wohnung. Er hätte sie ohne Margaret nie erreicht, und Margaret könnte jetzt ohne ihn nicht überleben. Auf der Ebene reiner Logik waren sowohl das Problem als auch die Antwort einfach.

„Ich weiß nicht genau", gab Garvin langsam zur Antwort. „Bevor ich Margaret getroffen hatte, hatte ich vorgehabt, mir einen Platz zu suchen, an dem ich mich mit Vorräten für zwei Jahre niederlassen kann. In der Stadt hier gibt es mehr, als die meisten Leute annehmen."

„Vorausgesetzt, man ist geübt genug, den anderen Leuten aus dem Weg zu gehen?"

Garvin sah Cottrell mit unpersönlicher Traurigkeit an. „Vielleicht. Ich habe mir meine eigene Lebensphilosophie zurechtgelegt.

Wie auch immer, ich meine jedenfalls, ich kann es lange genug aushalten. Wenn sie erst einmal verzweifelt werden und in Wohnungen einbrechen, dann hoffe ich, daß ich auch dies überstehe. Früher oder später wird irgend jemand kommen und damit anfangen, das Leben wieder zu organisieren. Dem schließe ich mich dann an. Die Leute, die dies überstehen, sind schlau genug, um zu merken, daß es nicht den Hunger löscht, wenn man zum Raubtier wird.

Na ja, jetzt, da ich hier bin, kann ich ja durchführen, was ich vorgehabt habe. Hereintragen, was ich kann, und das Beste hoffen. Viel ist es nicht", schloß er, „aber etwas Besseres weiß ich nicht." Das Hindernis, das ihm am meisten Gedanken machte, erwähnte er nicht, aber auf seine Bewältigung hatte er keinen Einfluß. Nur Margaret selbst konnte sagen, wie sie reagieren würde.

Cottrell nickte nachdenklich. „Nein, viel ist es nicht." Er sah auf. „Ich glaube, theoretisch haben Sie recht, aber ich glaube nicht, daß Sie es auch in die Praxis umsetzen können."

Garvin zuckte die Schultern. „Ehrlich gesagt, warum sollte es mir nicht gelingen? Sie haben doch praktisch das gleiche gemacht."

„Richtig. Aber Sie sind nicht ich." Cottrell verstummte kurz, um sich wieder die Lippen abzuwischen, und redete dann weiter. „Matt, ich gehöre zu einer toten Zivilisation. Ich glaube, in den letzten Voraussagen hieß es, daß ungefähr zehn Prozent der Bevölkerung überleben könnten. Ich schätze, daß hier in Manhattan, unter unseren Bedingungen, nur grob die Hälfte davon am Leben sind. Das sind unter gar keinen Umständen genug Leute, um die Abhängigkeitsverhältnisse aufrechtzuerhalten, auf denen das alte System basierte. Obwohl wir von Produkten umringt sind, die mehr oder weniger unbeschädigt sind und die die Ergebnisse der Technologie des zwanzigsten Jahrhunderts sind, haben wir weder Energie noch laufendes Wasser noch Wärme. Wir sind verkrüppelt."

Garvin nickte. Das war alles nichts Neues. Aber er ließ den alten Mann weiter reden. Er mußte zu seiner Zeit ein harter Brocken gewesen sein, und das mußte man respektieren.

„Wir haben kein Verteilernetz und keine Kommunikation", sprach Cottrell weiter. „Ich habe diesen Platz hier für mich und Margaret ausfindig gemacht, sobald ich konnte, habe ihn eingerichtet und mich bewaffnet. Ich wußte nämlich eines − wenn ich keine Ahnung hatte, wie ich für mich Nahrung und Kleidung herstellen sollte, dann wußten das die anderen Überlebenden auch nicht. Und die Leute, die damit vertraut waren, die Bauern auf dem Land nämlich, mußten lernen, nur für sich selbst zu sorgen, oder sie würden sterben.

Da habe ich mich eben in meine Höhlenfestung zurückgezogen. Wenn man nicht weiß, wie man das Lebensnotwendigste herstellen soll, dann muß man es sich besorgen. Wenn es knapp wird, muß man es sich mit Gewalt holen. Wenn du keinen Laib Brot hast und dein Nachbar hat zwei, dann nimm sie dir beide. Morgen wirst du nämlich wieder Hunger haben.

Richtig, ich bin ein Sammler", sagte er. „Ich habe hier soviel Nahrung hereingeschleppt, wie ich konnte. Ich habe ständig neue Sachen herangeschafft, und den Platz hier hätte ich mit meinem Leben verteidigt. Ich habe die Benzinöfen hereingeschleppt und den alten Gasherd und den Kühlschrank in den Fahrstuhlschacht geworfen, damit niemand wußte, aus welchem Apartment sie stammten. Ich habe das alles getan, weil mir klargeworden war, daß ich und alle anderen plötzlich wieder zu Höhlenmenschen geworden sind. Wir waren dazu verurteilt, in unseren kleinen Höhlen zu hocken und Angst vor dem Säbelzahntiger zu haben, der draußen umherstreift. Wenn unser Essen knapp wurde, nahmen wir unsere Waffen und streiften selbst draußen herum. Wir wurden zeitweise selbst zu Säbelzahntigern."

„Ganz richtig", sagte Matt höflich. Er konnte nicht einsehen, was diese alten Geschichten mit ihm und seinen Plänen zu tun hatten.

Cottrell lächelte und nickte. „Ich weiß, ich weiß, Matt ... Worum es mir geht, wie ich schon sagte, ist, daß Sie nicht ich sind. Meine Zivilisation ist zu Ende. Ihre nicht."

„Wie meinen Sie das?"

„Als die Seuche ausbrach, waren Sie noch jung genug, sich dieser Welt voll und ganz anzupassen. Sie sind nicht wie ich ein durchschnittlicher Amerikaner, der zum Höhlenmenschen geworden ist. Sie sind ein durchschnittlicher Höhlenmensch, aus dem bis jetzt noch nichts geworden ist. Aber aus Ihnen wird etwas werden. Sie können dem nicht ausweichen. Menschen bleiben nicht ihr ganzes Leben gleich, wenn auch manche sich fast umbringen, um es zu versuchen. Sie schaffen es nicht. Es gibt noch andere Menschen auf der Welt, und wenn auch jeder einzelne noch so sehr versucht, zu einer Insel zu werden, so funktioniert dies dennoch nicht. Er sieht, wie sein Nachbar etwas versucht, um sein Leben erträglicher zu machen, sagen wir mal, nagelt sich Fliegengitter an das Fenster. Dann muß er sich entweder ebenfalls Fliegengitter an das Fenster nageln, oder er läuft voller Mückenstiche herum, und sein Nachbar lacht ihn aus. Oder ..." Cottrell lächelte seltsam, „seine Frau nörgelt so lange herum, bis er es macht."

Cottrell hustete heftig, wischte sich ungeduldig den Mund ab und sprach weiter. „In ganz kurzer Zeit wird jeder Fliegengitter haben wollen. Irgendein tüchtiger junger Mann, der geschickt darin ist, solche Gitter anzufertigen, ist auf einmal keine Insel mehr, sondern ein Zimmermann. Schon sehr bald erhält der Zimmermann mehr Aufträge, als er allein erledigen kann, und jemand anders wird ein Zimmermannslehrling. Verstehen Sie?"

Matt nickte langsam. „Ich denke schon."

„Gut, Matt. Meine Zivilisation ist erledigt. Sie haben eine ganz neue. Sie fängt gerade erst an, aber eine Zivilisation ist sie trotzdem. In der ganzen Welt gibt es Tausende von jungen Leuten wie Sie. Manche von ihnen bleiben in ihren Höhlen sitzen, und vielleicht malen sie ein paar Bilder an die Wände, bis ihre Nachbarn sie überfallen und töten. Aber der Rest wird aktiv werden, Matt. Ich weiß nicht, was genau Sie tun werden. Aber effektiv wird es sein."

Cottrell unterbrach sich, weil ein Hustenanfall ihn schüttelte. Matt biß sich auf die Lippen, als der alte Mann in seine Kissen zurücksank. Cottrell aber nahm den Faden seiner Erklärung wieder auf, und jetzt verstand Matt, daß er etwas hinterlassen wollte, bevor er zu schwach war, es zu sagen. Cottrell hatte länger gelebt und mehr gesehen als der Mann, dem er seine Tochter zur Frau geben wollte. Dieser Versuch, die Früchte seiner Erfahrung weiterzugeben, war die letzte Verpflichtung, die er für Margaret erfüllte.

„Matt, ich bin überzeugt davon", fuhr Cottrell fort, „daß das, was Sie und die anderen jungen Menschen tun werden — was auch immer es sein mag —, eine neue Zivilisation hervorbringen wird, und zwar eine ausgereiftere Zivilisation. Und daß jede Generation junger Menschen nach Ihnen das aufnehmen wird, was Sie ihnen hinterlassen haben. Und sie werden darauf aufbauen, wenn sie auch viel lieber ruhig sitzen bleiben würden, um das zu genießen, was sie haben — und zwar deshalb, weil immer irgend jemand Fliegengitter haben will. Das wurde uns in die Wiege gelegt. Aber noch etwas wurde uns in die Wiege gelegt: daß nämlich manche Leute sich nicht die Mühe machen wollen, selbst Fliegengitter zu bauen, wenn sie sehen, daß der Nachbar welche hat. Manche werden versuchen, den Nachbarn auf die alte Stufe herunterzuziehen, indem sie ihn töten und seine Verbesserungen zerstören.

Aber das geht nicht. Bringt einer einen Menschen um, kann er auch noch weitere Menschen umbringen. Deshalb werden sich die anderen Leute in seiner Nähe aus Angst zusammenschließen und den Mörder töten. Und irgendwann, wenn es klar bewiesen worden ist, daß es auf Dauer leichter ist aufzubauen, statt zu zerstören, wenn jeder Fliegengitter hat, dann wird irgendein tüchtiger junger Mann DDT erfinden, und ein ganz neuer Kreislauf beginnt."

Cottrell lachte kurz auf. „Das wird ein harter Tag für die Hersteller von Fliegengittern werden! Aber jene Leute, die wissen, wie man eine Sprühpistole baut, die werden sehr beschäftigt sein."

Plötzlich wechselte er das Thema. „Die Seuche war eine Katastrophe, Matt. Aber Katastrophen sind für die menschliche Rasse nichts Neues. Der Mensch weiß eine Antwort auf jedes Naturereignis. Er holt sie sich aus den Antworten, die er auf Naturereignisse in der Vergangenheit gefunden hat. Es liegt in seiner Natur, Dämme gegen die Flut zu bauen, nach dem Erdbeben wieder aufzuräumen, Fliegengitter aufzustellen. Er scheint mit dem, was der Planet ihm gibt, unzufrieden zu sein. Er will es verbessern, es sich noch ein wenig gemütlicher machen. Vielleicht auch nur, weil er genervt ist und hofft, die Frau würde endlich mal ruhig sein und ihn ein paar Minuten in Frieden lassen.

Was wissen wir davon? Der Mensch hat sich einst seinen Weg nach oben mit der Keule erjagt. Sie fangen mit einem Gewehr an. Vielleicht wird die Welt, schon bevor Ihre Söhne sterben, wieder eine Zivilisation tragen, in der ein junger Mann in seiner Höhle sitzen und Bilder malen kann, weil er sich darauf verlassen darf, daß andere ihn bekleiden und schützen."

„Aber noch ist es nicht soweit", sagte Cottrell. „Hier und jetzt, würde ich meine Tochter nur einem Jäger anvertrauen. Und aus dir mache ich einen Jäger, Matt. Ich hinterlasse dir diese Mitgift: Verantwortung dafür, daß meine Tochter bekommt, was sie benötigt, um glücklich zu sein. Zusätzlich dazu hinterlasse ich dir die Wohnung mit dem Ofen, dem Wasserdestilliergerät, dem Heizöl als Operationsbasis. Die U-Bahn-Eingänge der Canarsis-Linie sind an der Ecke der First Avenue. Der Tunnel dort ist mit allen anderen Tunnels unter der Stadt verbunden. Die werden in dem Dschungel, zu dem unsere Stadt geworden ist, relativ sichere Wege sein. Außerdem gibt es dort Sickerwasser. Destilliertem Wasser kann man leicht seinen natürlichen Geschmack dadurch zurückgeben, indem man mit einem Schaumschläger für Sauerstoffanreicherung sorgt.

Ganz zum Schluß, Matt – du findest mein Gewehr neben der Tür. Es ist eine Großwildbüchse. In dem Schrank in der Eingangshalle ist Munition.

Das ist deine Umwelt, Matt. Verändere sie."

Er hörte auf zu sprechen und seufzte. „Das ist alles."

Garvin saß still da und sah dem Alten beim Atmen zu.

Was hätte Cottrell getan, wenn seine Tochter nicht einen Mann mit nach Hause gebracht hätte? Er hätte wahrscheinlich Trost in dem Gedanken gefunden, daß es auf der Welt Tausende junger Männer und Frauen gab. Seine eigene Tragödie wäre in diesem Maßstab unbedeutend gewesen.

Ja, ohne Zweifel. Aber hätte das sein persönliches Scheitern weniger schmerzhaft gemacht? Cottrells Logik war schon in sich schlüssig, aber Logik allein war im Angesicht der nackten Realität nicht genug. Genauso wie jetzt, wo nach Entwicklung der ganzen Philosophie immer noch das Problem von Margarets Reaktion blieb.

Kalter Schweiß lief an Garvins Brust herab.

„Übrigens, Matt", sagte Cottrell trocken „für einen jungen Mann, der sich ohne Zweifel nicht für einen Höhlenbewohner hält, hast du offensichtlich große Schwierigkeiten, die Symptome junger Liebe – im Stil eines jungen amerikanischen Mädchens – zu erkennen."

Garvin starrte den alten Mann an, der weitersprach, als würde er nicht merken, wie Matt rot wurde. Er grinste breit und genoß offensichtlich den versteckten Witz, den er in den ersten Blicken bemerkt hatte, die Margaret und Matt tauschten.

„Und wenn du jetzt bitte Margaret hereinrufen würdest? Ich glaube, es ist Zeit, sie mit den Neuigkeiten vertraut zu machen." Er hustete wieder heftig und verzog sein Gesicht zu dieser Ermahnung, aber als er das blutige Tuch in den Papierkorb warf, war es eine Geste des Siegers.

Fünf Monate später schlich Garvin lautlos mit der Magnum-Flinte im Anschlag durch das dunkle Macy. Er bewegte sich mit Leichtigkeit, denn sein Rucksack war nicht schwer, wenn er auch mit Kleidern vollgestopft war, die er für Margaret geholt hatte.

Obwohl er kein Geräusch von sich gab, lachte er in sich hinein. Zuerst hatte Margaret dieses gebraucht, dann jenes, bis seine Ausflüge schließlich immer weiter von ihrer Operationsbasis fort führte. Na ja, so lagen die Dinge eben, und niemand konnte etwas daran ändern.

Ein Schatten huschte durch ein besser erleuchtetes Stück bei der Tür. Er hielt abrupt an und wünschte sich, daß sein Atem nicht so laut wäre. Verdammt noch mal, er mußte einfach eine Art Atemtechnik entwickeln! Dann duchquerte der Mann wieder den hellen Fleck, und Garvin bewegte sich nach vorn. Er hatte natürlich eine Patrone in der Kammer der Magnum, und er konnte sofort schießen. Er wollte aber nicht schießen, wenn es sich irgendwie vermeiden ließ, weil mit einiger Sicherheit noch jemand dort unten die Gestelle absuchte.

Wenn er andererseits noch viel länger wartete, könnte er den Mann vor sich verfehlen.

Mit einem innerlichen Achselzucken hob er das Gewehr an die Schulter, schoß den Mann nieder und ließ sich sofort zu Boden fallen. Das Echo hallte durch die Dunkelheit.

Ein zweiter Mann, der hinter einem Schaukasten gestanden hatte, schoß auf ihn und sprang ihn mit einem Grunzen an. Matt sprang auf, schwang die Magnum und brach ihm mit dem Kolben das Genick. Er blieb regungslos stehen und lauschte, nach allen Seiten feuerbereit, aber nichts war zu hören. Er lächelte kalt.

Bevor er in der Dunkelheit verschwand, hielt er sich noch lange genug auf, um beiden Leichen die Rucksäcke abzunehmen. Nicht zum erstenmal sagte er sich selbst, daß das Gewehr für den direkten Kampf Mann gegen Mann zu schwerfällig war. Wenn der zweite Mann in der Lage gewesen wäre, den Schlag mit der Magnum abzublocken, hätte die Sache leicht ganz anders ausgehen können. In einer solchen Situation brauchte man einfach eine Pistole.

Er sah sich jedoch noch immer ungern in der Rolle eines Mannes, der oft in einer solchen Verlegenheit war.

Zweites Kapitel

Drei Jahre vergingen.

Mit den Stiefeln voller Wasser suchte sich Matt Garvin einen Pfad durch den Abfall, der den Abflußkanal zwischen den Gleisen der U-Bahn blockierte. Sein Gewehr war sicher auf dem Rücken festgeschnallt. Hundert Meter vor ihm spendete die Öffnung eines Lichtschachtes ein trübes Licht. Er fuhr mit dem Daumen über den Sicherungshebel der 9-mm-Mauser, die er in der Schublade eines geplünderten Pfandhauses auf der Eighth Avenue gefunden hatte. Er hielt einen Augenblick an, um das Geräusch seines Atems zu beruhigen. Er lauschte.

Von einem Träger des Bahnsteiges vor ihm tropfte Wasser auf den Beton. Hinter ihm im Tunnel, ungefähr in der Höhe des Aufgangs zur Third Avenue, schätzte er, bewegte sich jemand. Das machte nichts. Zwischen ihnen lagen zwei lange Blocks, und bevor der andere in gefährliche Entfernung kam, war er schon längst aus dem Tunnel.

Er lauschte noch einmal. Um das leise Plätschern auf dem Bahnsteig und das ebenso unwichtige Planschen in dem Tunnel kümmerte er sich nicht.

Er hörte nichts. Er versuchte durch den Tunnel zu der Station zu sehen, erkannte aber nichts als das düstere Grau, das von den zusammenlaufenden Linien von Bahnsteig und Dach und von den senkrechten Linien der Träger begrenzt wurde.

Er ging vorsichtig weiter, bis er einen Punkt am Anfang der nördlichen Bahnsteigkante erreicht hatte. Hier hielt er wieder an und lauschte. Nichts bewegte sich.

Er zog sich auf den Bahnsteig hoch und legte sich mit der Mauser in der Hand auf den Boden. Kein verräterisches Scharren war zu hören, weder auf seinem Bahnsteig noch auf dem gegenüberliegenden. Keiner der undeutlichen Schatten veränderte unter seiner Beobachtung seine Gestalt. Als eine letzte, wenn auch unsichere Probe, hörte er sich jedoch die Wassertropfen, die von den Trägern auf den Bahnsteig fielen, genau an. Manchmal wurde jemand unvorsichtig und unterbrach den Rhythmus der Tropfen, weil er zuließ, daß einer der Tropfen auf ihn herabfiel.

Es war aber nichts da. Er richtete sich auf, ging in die Hocke und schlich ohne ein Geräusch zu der gekachelten Wand neben dem Treppenaufgang.

Vor ein paar Monaten hatte er versucht, dort einen Spiegel aufzuhängen, um die Treppen hinaufsehen zu können, ohne sich selbst zu zeigen. Der Spiegel war innerhalb von wenigen Tagen zerschlagen worden. Danach war er eine Zeitlang besonders vorsichtig gewesen, aber niemand hatte oben an der Treppe auf ihn gewartet. Er war schließlich zu der Überzeugung gekommen, daß schon vor ihm jemand das Problem für ihn gelöst hatte. Eine frische Leiche am Ausgang zur Straße schien dies zu bestätigen. Die Möglichkeit, daß sie nur ein Köder gewesen war, hatte er als zu kompliziert verworfen.

Der Gedanke, daß er einen Verbündeten hatte, selbst auf diese vage, umständliche Art, war schön gewesen. Es gab keinen Anlaß für einen Zweifel daran, daß genau dieser Mann vielleicht morgen sein Mörder sein könnte, aber Garvin hatte noch immer genug Idealismus in sich, darüber eine gewisse Befriedigung zu empfinden, daß es hier irgendwo in der Nähe wenigstens einen Mann gab, für den die Grenze zwischen Selbsterhaltung und vorsätzlicher Falle noch vorhanden war. Er hatte aber nie versucht, den Spiegel zu ersetzen.

Er lauschte routinemäßig noch einmal, hörte nichts und wartete. Als nach zehn Minuten noch immer kein Geräusch zu hören war, sprang er mit schußbereitem Gewehr zu der gegenüberliegenden Wand, da er wußte, daß er selbst kein Geräusch von sich gegeben hatte.

Niemand war oben an der Treppe. Er schlich sich vorsichtig nach oben, fand niemanden am Drehkreuz und erreichte das Ende der Treppe am Straßenausgang.

Daß dort oben im hellen Tageslicht jemand wartete, war sehr unwahrscheinlich. Außerdem hätte er wahrscheinlich keine Probleme, wenn er den kurzen Weg in das Haus schnell genug schaffte. In der letzten Zeit hatte es kaum noch Heckenschützen von den Fenstern gegeben. Die Munition wurde langsam knapp, und in der Regel lohnte es sich kaum noch, nachts Leichen auszuplündern.

Er schnallte sich die Riemen seines Rucksacks enger und ging vorsichtig die Treppe hinauf. Noch einmal sah er die ausgestorbene Vierzehnte Straße hinunter und rannte dann im Zickzack über den

Bürgersteig. Der Klang seiner Schritte unterbrach plötzlich die Stille, die wieder einkehrte, als er den Hauseingang erreicht hatte und hineingeschlüpft war.

In der dunklen Eingangshalle quietschten Garvins Schuhe auf der abgetretenen Gummimatte, die dort lag, weil es am letzten Tag, an dem das Gebäudepersonal noch im Hause gewesen war, geregnet hatte. Die Feuertür des Treppenhauses ging langsam auf und zu. Als er die Treppe hinaufging, waren die Ledersohlen seiner Schuhe als regelmäßiges Geräusch zu hören. Er war immer noch nicht völlig entspannt. Er versuchte, neben dem Geräusch seiner Schritte Laute zu identifizieren, die von einer weiteren Person im Treppenhaus stammen könnten. Bisher hatte allerdings in dem Haus selbst kein Angriff stattgefunden, obwohl in den über fünfzig Apartments des Hauses noch andere Leute wohnten. Es mußte wohl zwischen den Familien eine Art gegenseitiger Respekt vorhanden sein. Die Vorstellung, in den verwinkelten Korridoren kämpfen zu müssen, in dem jede geschlossene Tür eine tödliche Falle sein konnte, war nicht gerade anziehend. Besonders das Treppenhaus war die einzige Verbindung mit der Außenwelt. Nur ein Psychopath hätte es riskiert, diesen Weg zu blockieren. Er erreichte sein Stockwerk und betrat den Flur nur noch mit einem Mindestmaß an Vorsicht. Er überquerte den Flur zu seiner Wohnung, schloß die Tür auf, steckte seine Pistole in das Halfter und ging hinein.

Der Schuß krachte aus dem Gang bei den Schlafzimmern und peitschte gegen den Türrahmen aus Metall neben ihm.

Garvin sprang zur Seite und landete mit einem dumpfen Aufprall auf dem Küchenboden. Seine Finger schlugen gegen den Griff seiner Pistole, schlossen sich darum, und die Waffe lag in seiner Hand. Er zog seine Beine blitzschnell zur Seite, und er rollte und zog sich hinter den Herd. Sein Atem pfiff in unregelmäßigen Zügen durch Nase und Mund.

In der Wohnung war kein Laut zu hören. Er drehte seinen Kopf von einer Seite zur anderen, um ein Geräusch aufzufangen, eine Hand auf einem Türgriff, einen Schritt auf dem Linoleum, irgend etwas, das ihm verraten würde, wo sein Angreifer war.

Er hörte nichts.

Die Küche lag neben der Eingangstür zu der Wohnung. Dahinter lagen die Eßnische und das Wohnzimmer und dahinter zwei

Schlafzimmer, deren Türen sich zu dem Gang öffneten, der durch das ganze restliche Apartment verlief. Das Bad befand sich am Ende dieses Ganges. Seine Tür lag der Wohnungstür direkt gegenüber. Der Mann konnte aus beiden Schlafzimmern oder dem Bad selbst geschossen haben.

Wo war der Mann, und wo war Margaret? Garvins Hand umfaßte den Pistolengriff so fest, daß seine Knöchel knackten. Sein Gesicht wirkte in seiner völligen Ausdruckslosigkeit beinahe intelligenzlos.

Garvin bewegte sich mit schußbereiter Pistole vorwärts, bis er von der Küchentür kaum noch gedeckt war. Er dachte angestrengt nach, um seine Eindrücke von dem Angriff zu rekonstruieren.

Der Schuß war im Gang abgefeuert worden. Hatte der Mann sich danach bewegt? Es war unmöglich zu entscheiden, wie weit zurück er gestanden hatte. Er versuchte, sich zu erinnern, ob da noch ein Geräusch gewesen war. Nein, entschied er sich. Von wo aus der Mann auch geschossen hatte — er war auch jetzt noch dort.

Was war mit Margaret passiert? Sein Kiefer verkrampfte sich, als er sich die Möglichkeiten vorstellte.

Sie hatte vielleicht versucht, ihn zu erschießen, als er hereinkam, falls sie die Pistole in Reichweite gehabt hatte. Wenn nicht, dann war sie vielleicht noch irgendwo in der Wohnung versteckt und wartete darauf, daß Garvin heimkam. Wenn der Mann aber in die Wohnung eingedrungen war, ohne daß sie es gemerkt hatte ...

Die Möglichkeiten waren nicht abzusehen, sagte er sich wild. Ganz gleich, was geschehen war, jetzt konnte er auf jeden Fall nichts mehr daran ändern. Wenn sie sich noch versteckt hielt, mußte sie selbst entscheiden, wie sie sich verhalten sollte.

In der Wohnung war noch immer kein Laut zu hören.

Wie lange war der Mann schon hier? Wenn Margaret noch am Leben war und der Mann sie nicht gefunden hatte, würde er dann auf sie stoßen, wenn er aus seinem Versteck in ein anderes Zimmer wechseln mußte? Ihre Pistole war wahrscheinlich in dem größeren Schlafzimmer. War sie vielleicht dort und wartete darauf, daß sie die Chance für einen Schuß bekam?

Er konnte sich auf nichts verlassen, das ihm helfen könnte. Er hatte mit Margaret zusammen all die Tricks gelernt, die man zum Leben in New York brauchte. Er mußte sich so verhalten, als könne er sich darauf verlassen, daß sie wußte, was sie zu tun hatte. Aber er war sich nicht sicher.

Immer noch herrschte Ruhe. Er mußte den Mann dazu bringen, sich zu bewegen, damit er eine Ahnung bekam, wo er war. Außerdem brauchte er seine Bewegungsfreiheit. Er nahm die Magnum von der Schulter und stellte sie sorgfältig weg.

Garvin ging lautlos zurück und griff hinter sich, um das Küchenfenster zu öffnen. Er drückte langsam gegen den Rahmen. Der Riegel glitt mit einem gedämpften Geräusch aus seiner Führung.

„Bitte."

Das Echo im Flur verzerrte die Stimme. Sie war verängstigt und eindringlich. Hastig zog Garvin seine Hand von dem Fenster weg.

Er war wieder ruhig. Der Mann sagte nichts mehr, aber der zitternde Klang seiner Stimme klang noch in Garvins Gedanken nach.

Plötzlich verstand er, wie er sich fühlen würde, wenn er unerwartet in einer fremden Wohnung gefangen wäre. Hinter jeder Ecke könnte der versteckte Tod lauern, jeder Schritt mochte seine drastischen Konsequenzen haben. War die erbärmliche Hoffnung auf mögliche Beute, die man wegschleppen könnte, das Grauen vor unbekannten tödlichen Gefahren wirklich wert?

Er öffnete das Fenster ein wenig weiter.

„Bitte! Nicht! Ich ..." Die Worte sprudelten hastig aus dem halbdunklen Gang. „Ich ... es tut mir leid! Ich hatte Angst ..."

Garvins Mund verzog sich zu einem reflexartigen Grinsen. Wenn der Mann tatsächlich annahm, daß Garvin irgendwie außen aus dem Haus an der glatten Mauer von Fenstersims zu Fenstersims klettern wollte, dann mußte er in einem Zimmer sein, in dem er für einen solchen Angriff verletzlich war.

Im Bad konnte er demnach nicht sein. Das große Schlafzimmer lag an der Ecke der Wohnung. In der Zeit, die jemand brauchte, um an der Außenmauer des Hauses entlangzuklettern, könnte man leicht zahlreiche Gegenmaßnahmen treffen, um mit der Situation fertig zu werden. Der Mann mußte in dem kleinen Schlafzimmer neben dem Wohnzimmer sein. Und er mußte sich außerdem in der Nähe der Tür aufhalten.

Die Tür zu dem kleinen Schlafzimmer saß glatt in der Wand und ging nach links auf. Wenn das Zimmer verteidigt werden sollte oder wenn man in den Flur schießen wollte, mußte die Tür ganz geöffnet sein. Darum waren Hand und Arm, wahrscheinlich auch das Gesicht des Mannes, ungedeckt.

Der Mann mußte seine Stellung halten, in der er den Gang kontrollieren konnte. Wenn es Garvin schaffen könnte, im Flur freies Schußfeld zu bekommen, dann war der andere Mann in einem Raum ohne Ausgang gefangen.

Aber der Flur war dunkel, während das Wohnzimmer ein großes Fenster hatte. Es wäre für Garvin Selbstmord gewesen, in sein Licht hinauszutreten.

Er dachte noch einmal an Margaret. Er unterdrückte den dringlichen Wunsch, nach ihr zu rufen. Wenn der andere Mann nicht wußte, daß sie da war, dann war das ein Vorteil für Garvin.

Mit grimmigem Gesicht ließ Garvin so laut wie möglich den Verschluß der Mauser schnappen. Das Geräusch sollte wie das Gleitgeräusch des Fensterriegels seinen unbekannten Gegner noch weiter in Panik bringen. Er hatte schon eine Patrone in der Kammer gehabt. Er warf sie sorgfältig in seine Hand aus und steckte sie in seine Tasche. Er stieß das Fenster ganz auf und knallte den Riegel gegen den Anschlag.

„Bitte! Hör mir zu!" Die panikerfüllte Stimme begann wieder. „Ich will dein Freund werden."

Garvin hörte auf.

„Hörst du zu?" fragte der Mann zögernd.

Aus dem Schlafzimmer war kein Geräusch einer Bewegung zu hören. Der Mann hielt seine Stellung an der Tür. Garvin fluchte lautlos und gab keine Antwort.

„Ich habe seit Jahren mit niemandem mehr gesprochen. Noch nicht einmal jemanden angebrüllt oder auf jemanden geflucht. Seit sechs Jahren mache ich nichts anderes, als gegen Leute zu kämpfen. Schießen, laufen. Ich habe mich nicht bei Tag auf die Straße getraut.

Das ist es einfach nicht wert. Es ist es einfach nicht wert, am Leben zu bleiben. Nachts Läden durchwühlen. Wie ein Tier Mülleimer durchwühlt." Die zitternde Stimme war voll verzweifelter Abscheu.

„Hörst du zu?"

Garvins Gesicht in seinem Versteck verdüsterte sich, und er nickte. Er dachte an die seltsame Nähe, in der er sich zu jenem Mann gefühlt hatte, der den Heckenschützen in der U-Bahn getötet hatte. Der Spiegel an der Ecke der Treppe war ein Versuch gewesen, wenigstens einen kleinen Teil seiner Umgebung ein bißchen weniger gefährlich zu machen. Als der Heckenschütze ihn zerschlagen hatte, bedeutete das, daß es immer noch Leute gab, die bereit waren, wegen eines Rucksacks, in dem vielleicht etwas zu essen war, jemanden umzubringen.

„Bitte", sagte der Mann im Schlafzimmer. „Du mußt das verstehen, warum ich ... warum ich hergekommen bin. Ich mußte jemanden finden, mit dem ich reden kann. Ich habe mir aus der Verwaltung der Stuyvesant-Siedlung einen Nachschlüssel geholt. Ich wollte mir eine Wohnung für mich selber suchen. Ich wollte mich mit meinen Nachbarn anfreunden."

Garvin zuckte mit den Mundwinkeln. Er konnte sich einen Versuch vorstellen, mit der tödlichen Stille und bewaffneten Isolation vor den Wänden dieser Wohnung Kontakt anzuknüpfen.

„Kannst du nicht irgend etwas sagen?" fragte der Mann in Panik.

Garvin schabte mit dem Lauf seiner Mauser am Fensterrahmen, als würde ein bewaffneter Mann anfangen, auf eines der nichtexistenten Fensterbretter hinauszuklettern.

„Nein! Denk doch mal nach! Wie viele Nahrungsmittel, an die man herankommt, sind denn noch da? In den Lagerhäusern sind doch ganze Banden, die niemanden heranlassen. Gewehrmunition wird schon knapp. Wie lange können wir denn noch so weitermachen? Wir kämpfen um eine Büchse Erbsen, und für ein neues Hemd bringen wir uns um. Wir müssen uns organisieren, System in die Sache bringen, versuchen, eine Art Regierung aufzurichten. Seit der Seuche sind jetzt sechs Jahre vergangen, und seitdem ist nichts getan worden."

Der Mann hörte einen Augenblick auf zu sprechen. Garvin lauschte nach dem Geräusch einer Bewegung, aber es kam keines.

„Es ... es tut mir leid, daß ich auf dich geschossen habe. Ich hatte Angst. Jeder hat Angst. Keinem vertraut man. Wie denn auch?"

Reden, reden, reden! Was hast du mit Margaret angestellt, verdammt noch mal?

„Aber bitte ... bitte vertrau mir." Die unsichere Stimme war nahe daran zu brechen. „Ich will dein Freund sein."

Der Mann hatte trotz seiner Angst offensichtlich nicht vor, sich von seinem Standort fortzubewegen, bis er völlig sicher war, daß Garvin auf den Fenstersims hinausgeklettert war. Und selbst dann ... Garvin stellte sich den Mann vor, wie er sich zitternd an die Tür lehnte, unsicher, ob er fliehen oder bleiben sollte, wie er den Flur beobachtete, ständig auf dem Sprung, bei dem Geräusch von zerbrechendem Glas herumzufahren.

Jetzt hatte er Angst. War das vorher aber auch schon so? Hatte das Grauen erst dann seine Stimme zum Zittern gebracht, nachdem der eine Schuß daneben gegangen war und die Falle, die er sich selbst gestellt hatte, zugeschnappt war? Was war mit Margaret geschehen?

Garvin ging zurück zur Küchentür.

„Komm raus!" sagte er.

Von der Schlafzimmertür kam ein Seufzer, ein rauhes Ausatmen, das vielleicht Erleichterung bedeutete. Die Schuhe des Mannes schlurften auf dem Linoleum des Schlafzimmerbodens, und sein Absatz stieß gegen die Türschwelle. Er kam in die Halle hinaus. Er war sehr dünn, und seine eingesunkenen Augen hoben sich gegen sein blasses Gesicht dunkel ab.

Garvin zielte mit der Mauser auf seine Brust und schoß zweimal. Der Mann drückte seine Hände gegen den Körper und fiel in das Wohnzimmer.

Garvin sprang vor und sah auf ihn herab. Er war tot.

„Matt!" Die Tür des Flurschranks schlug gegen die Wand, und Margaret schlug ihre Arme um Garvin. Einen Augenblick lang biß sie ihm in die Schulter. „Ich habe gehört, wie er mit dem Schlüssel herumgefummelt hat. Ich wußte gleich, daß du es nicht bist, und zum Schlafzimmer war es zu weit."

Garvin steckte seine Pistole in das Halfter zurück und drückte sie an sich. Sie weinte, und er spürte das verkrampfte Zucken ihres Körpers. Der Flurschrank stand fast direkt gegenüber der kleinen Schlafzimmertür. Sie hatte sich nicht einmal getraut, ihn zu warnen, als er hereinkam.

Über Margarets Schulter sah er noch einmal auf den Mann herab. Er hielt in einer Hand einen Colt umklammert, den er sich von der Leiche eines Polizisten geholt haben mußte.

„Du armer Teufel!" sagte Garvin zu der Leiche. „Du hast mir zu sehr vertraut."

Margaret sah auf. Ihr Gesicht war ebenso blaß wie das des Mannes, als er in Garvins Schüsse hineingelaufen war. „Matt! Sei ruhig! Du konntest nichts anderes tun."

„Er war ein Mensch — ein Mensch wie ich. Er hatte Angst und bettelte um sein Leben", sagte Garvin. „Er hat sich gewünscht, daß ich ihm vertraue, aber ich hatte zuviel Angst, um ihm zu glauben." Er schüttelte sich heftig. „Ich kann ihm immer noch nicht glauben."

„Du konntest nichts anderes tun, Matt", wiederholte Margaret eindringlich. „Du konntest schließlich nicht wissen, was mit mir los war. Du hast es selbst gesagt. Wir leben so, wie wir müssen, nach Regeln, die wir selbst herausfinden mußten. Er war im Haus eines anderen Mannes. Er hat die Regeln verletzt."

Garvins Mund wurde zu einem dünnen Schlitz. Er konnte seinen Blick nicht von dem Toten losreißen. „Mit Regeln kennen wir uns aus", sagte er. „Das arme Schwein hat jemanden gehört, deshalb hat er auf mich geschossen. Was sollte ich schon machen? Jemand hat in meinem eigenen Heim versucht, mich umzubringen. Danach war es eigentlich egal, was er gesagt oder getan hat oder was ich davon gedacht habe. Ich mußte ihn umbringen. Egal wie."

Er löste sich von Margaret und stand einen Augenblick neben ihr. Er überlegte, was er jetzt tun sollte, und er bewegte seine Arme voller Ungeduld. Dann ging er los, als wollte er aus einer unsichtbaren Schale ausbrechen. Das Echo seiner Schritte klang laut durch den Flur. Er kam aus dem Schlafzimmer zurück. In seiner geballten Faust hielt er ein Bettuch.

„Matt, was machst du denn?" fragte Margaret. Sie flüsterte es fast. Mit fragenden Augen versuchte sie, seine Absicht aus seinem Gesichtsausdruck abzulesen.

Er bückte sich und faßte den Toten unter die Arme. „Ich stelle nur das Schild ,Zutritt verboten' auf." Er schleifte die Leiche zum Wohnzimmerfenster, verknotete das Bettuch an dem Metallfensterrahmen und wickelte den Rest des Bettuches um die Brust der Leiche. Er ließ gerade noch soviel frei, daß man den baumelnden Kopf nicht sehen konnte. Dann hängte er die Leiche aus dem offenen Fenster.

Garvin drehte sich um. Plötzlich schienen sich alle seine Muskeln zu verkrampfen. „Hoffentlich lassen sie sich davon abschrecken. Ich hoffe, so etwas muß ich nie wieder tun." Selbst aus der Entfernung konnte Margaret erkennen, daß er zitterte.

„Wenn ich muß, werde ich es wieder tun", sprach er weiter. „Wenn noch mehr kommen, bringe ich sie um. Mit der Zeit werde ich mich daran gewöhnen. Ich schieße sie nieder, wenn sie Kinder im Arm halten. Ich nehme ihre eigenen weißen Fahnen und hänge sie neben dem da auf. Ich kümmere mich nicht darum, was sie sagen. Weil man ihnen nicht vertrauen kann. Ich weiß genau, daß man ihnen nicht vertrauen kann − weil ich weiß, daß sie mir auch nicht vertrauen können."

Er hörte auf zu reden, drehte sich um und sah Margaret an. „Ist dir klar, was das arme Schwein wollte? Weißt du, an wen er mich erinnerte? An mich, an Matt Garvin, den Mann, der ein Plätzchen haben wollte, an dem er in Frieden leben kann."

„Matt, ich weiß, was er gesagt hat, er ..."

„Hallo, hallo, ihr da drinnen!" Verschwommen drang die Stimme in die Wohnung. Ihr folgten laute Klopfzeichen von der Wand, die das Apartment vom nächsten trennte.

Margaret verstummte und stand still, aber Garvin schlich auf leisen Sohlen zu der Wand.

Das Klopfen fing wieder an. „Ihr da! Nebenan. Was ist das für ein Krach?"

Garvin hörte, daß Margaret etwas sagen wollte. Er erhob seine Hand zu einer beruhigenden Geste und legte sein Ohr an die Wand. Seine rechte Hand senkte sich und berührte das Halfter der Mauser.

„Ich warne euch." Er konnte die Stimme jetzt deutlicher hören. „Sagt etwas, oder ihr kommt da nicht lebend raus. Mit meinen Nachbarn bin ich verdammt wählerisch. Wenn ihr meine alten Nachbarn umgelegt habt, dann könnt ihr sicher sein, daß ihr von der Wohnung nicht lange was habt."

Garvin öffnete seinen Mund. Er hatte natürlich gewußt, daß dort jemand wohnte, aber bis jetzt war noch kein Wort gefallen.

„Na?" Die Stimme wurde ungeduldig. „Ich habe euch in der Hand. Meine Frau steht zur Zeit draußen im Flur und deckt eure Haustür mit einer Pistole. Und ich kann verdammt schnell Dynamit besorgen."

Garvin zögerte. Damit würde der andere Mann einen Vorteil haben.

„Beeilt euch!"

Ihm blieb keine Wahl. „Alles klar!" sagte er endlich. Er sprach laut genug, damit der andere ihn hören konnte. „Hier war jemand drin. Aber wir sind mit ihm fertig geworden."

„So ist es schon besser", sagte der andere Mann, aber seine Stimme klang noch immer mißtrauisch. „Jetzt will ich etwas von deiner Frau hören."

Margaret ging zu der Wand hinüber. Sie sah fragend zu Garvin, der widerwillig nickte. „Na los!" sagte er.

„Hier spricht Margaret Garvin. Wir ... uns geht es gut." Sie hielt kurz inne und schien dann eine Entscheidung zu treffen. Hastig sprach sie weiter. „Mein Mann heißt Matt. Wie heißt ihr?"

Das war nicht recht. Garvin runzelte die Stirn. Das kam zu sehr einer Verletzung der stillen Abgeschlossenheit nahe, die jetzt schon so lange Bestand hatte. Die Menschen waren keine Brüder mehr. Sie waren entfernte Bekannte geworden.

Überraschenderweise zögerte der Mann nicht merklich, bevor er Antwort gab. „Ich heiße Gustav Berendtsen. Meine Frau heißt Carol." Der Klang der Stimme hatte sich geändert. Garvin glaubte jetzt deutlich, die leisen Spuren eines erfreuten Lachens in Berendtsens Stimme ausmachen zu können. „Mit ihm fertig geworden, was? Gut. Hervorragend! Man freut sich, wenn man Nachbarn hat, auf die man sich verlassen kann." Die Stimme verlor etwas von ihrer Klarheit, als Berendtsen offensichtlich seinen Kopf von dieser Wandseite wegdrehte. „Du kannst die Kanone jetzt wegpakken, Mops. Die Leute sind selbst mit der Sache fertig geworden."

Im Gang draußen klickte ein Sicherungshebel, und Schritte, die jetzt nicht mehr vorsichtig waren, entfernten sich von Garvins Haustür. Dann ging die Haustür der Berendtsens auf und zu, und neben Berendtsen meldete sich eine schüchterne Stimme von der anderen Seite der Wand.

„Tag. Ich heiße Carol Berendtsen. Ist ..." Sie hörte auf zu sprechen, als sei sie sich ebenso wie Margaret und Garvin ihrer Sache nicht sicher in dieser seltsamen Situation, die sich hier jenseits der Regeln plötzlich entwickelt hatte. Sie war aber nur einen Augenblick still. „Ist wirklich alles in Ordnung?"

„Klar ist alles in Ordnung, Mops!" unterbrach sie die Stimme Berendtsens hinter der Wand. „Hab' ich dir doch gesagt, daß das verdammt vernünftige Leute sind, die da wohnen. Die mischen sich nicht in die Angelegenheiten von anderen Leuten ein. Leute, die das wissen, kümmern sich darum, daß dies auch sonst niemand tut."

„Schon gut, schon gut, Gus." Garvin und Margaret konnten sie noch deutlich hören. Ihre leise Stimme war klar genug, daß sie auch noch durch das Mauerwerk zu hören war. Dann fügte sie mit noch leiserer Stimme hinzu: „Es ist lange her, daß ich Leute nur reden gehört habe." Garvin drückte Margarets Hand, als sie sie hörten.

„Sicher, Mops, sicher. Aber ich habe dir schon immer gesagt, daß das nicht immer so bleiben wird. Ich ..." Er hob seine Stimme ein wenig. „Hallo, ihr Garvins! Ich habe eine Idee – und außerdem habe ich noch eine Flasche Haig hier in der Wohnung. Wie wäre es mit einem Schluck davon? Wir kommen rüber", fügte er hastig hinzu.

Garvin sah Margarets besorgtes Gesicht und ihre zitternden Lippen an. Er fühlte, wie sich die Muskeln seines eigenen Gesichts verkrampften.

„Bitte, Matt?" fragte Margaret.

Sie hatte recht. Die Chance war zu groß, um sie einfach auszulassen.

„In Ordnung, Schatz", sagte er. „Aber hol mein Gewehr und sichere die Haustür vom Gang aus", fügte er leise hinzu.

„In Ordnung!" sagte er mit lauterer Stimme. „Kommt rüber."

„Wir kommen", gab Berendtsen zur Antwort. „Noch einen Augenblick."

Die Worte hörten sich ziemlich freundlich an, dachte Garvin.

Er hörte, wie Margaret zurück in den Gang ging. Sein Gehör registrierte automatisch das leichte Knarren, das das Leder des Trageriemens machte, als sie das Gewehr aufnahm, um die Haustür zu sichern.

Und dann hörte er leise Carol Berendtsens Stimme durch die Wand.

„Ich … ich weiß nicht", sagte sie zu Gus mit unsicherer Stimme. „Meinst du, das geht in Ordnung? Ich meine, ich habe mit keiner Frau mehr gesprochen seit … Was wird sie denken? Ich habe keine guten Kleider mehr. Da ist auch noch ein fremder Mann drin … Gus, ich sehe so … ich schäme mich!"

Und dann Berendtsens Stimme, unbeholfen aber sanft, deren Kraft in Zärtlichkeit umgeschlagen war. „Ach was, Mops, sieh doch mal. Das sind Leute wie wir. Meinst du vielleicht, die hätten Zeit für Spitzen? Du bist genau richtig angezogen, da könnte ich wetten. Und warum sollst du dich schämen, daß du eine Frau bist?" Dann folgte einen Augenblick Stille. „Ich möchte wetten, daß du hübscher bist als sie."

„Das will auch ich stark hoffen, daß du dieser Ansicht bist!"

Etwas in Garvin löste sich. „Ich glaube, das Gewehr kannst du weglegen, Schatz", sagte er zu Margaret. Er sah ihren unsicheren Ausdruck und nickte, um seine Worte zu bekräftigen. „Ich bin mir ziemlich sicher."

Garvin schenkte sich noch einen Fingerbreit Scotch ein. Er hob sein Glas wortlos zu Berendtsen, der grinste und ebenfalls sein Glas erhob. Gus lachte. Der sanfte, kontrollierte Klang erhob sich weich aus seinem massiven Brustkorb. Das Glas war in seiner Hand, die so groß wie eine Schaufel war und sogar im Vergleich zum Rest seines Körpers groß erschien, fast völlig verschwunden. Er saß locker in dem Stuhl, der eigentlich zu klein für ihn war. Seine entspannte Haltung reflektierte die kontrollierte Kraft seiner Persönlichkeit.

„Eigentlich müßten wir ganz gute Nachbarn abgeben", sagte er. „Jemand von uns bleibt zu Hause und hält die Stellung, und der andere macht die Besorgungen. Wir können uns ja abwechseln. Wir könnten vielleicht auch versuchen, die Wand hier zu durchbrechen. Würde die Sache erleichtern." Er schlug mit der flachen Hand an den Gips.

Garvin nickte. „Gute Idee." Sie lächelten beide, als sie den Klang der Frauenstimmen hörten, der aus einem der Schlafzimmer kam. „Das erleichtert auch dem Babysitter die Arbeit."

„Mein Mädchen hat sich schon ein bißchen Sorgen gemacht", stimmte Berendtsen zu. Er grinste wieder. „Weißt du was, das müssen wir uns mal genau überlegen." Er hob sein Glas wieder. Garvin verstand seinen Gedanken und machte es ebenso. „Auf die Zweite Republik!" sagte Berendtsen.

„Auf ihre ganzen sechseinhalb Zimmer", bestätigte Garvin. Dann fiel sein Blick auf das Wohnzimmerfenster, und er wurde daran erinnert, daß es noch etwas zu tun gab. Er stand auf, um die Knoten des Bettuches zu lösen und die Leiche zu den anderen fallen zu lassen, die dort zwischen den dunklen Gebäuden lagen.

Aber im letzten Moment, bevor er das Tuch berührte, überlegte er es sich anders und blieb stehen. Jetzt würde niemand mehr erfahren, ob und wieviel Ehrlichkeit in der Angst des Eindringlings gewesen war. Aber die Zeit war gekommen, daß im Zweifel für jemanden entschieden wurde. Sie würden ihn hinuntertragen und ihn wie einen Menschen begraben.

Drittes Kapitel

Es war wieder Winter geworden. Sieben Jahre waren seit der Seuche vergangen. Zwischen den Stuyvesant-Gebäuden lag tiefer Dezemberschnee, der in der frostigen Nacht gefallen war. Manhattan erhob seine stumpfen Betonschultern, und hier und da unterbrachen schweigsame Gestalten ihre normalen Plünderungsaktionen und kletterten die rostigen Rolltreppen zu der Spielwarenabteilung hoch.

Eine Gesandtschaft vom nächsten Haus traf zu einem vorsichtigen Gespräch mit Matt Garvin und Gus Berendtsen auf dem zugigen Spielplatz ein.

Garvin beobachtete den Anführer der Gesandtschaft sorgfältig. Er war ein fetter, kleinäugiger, älterer Mann, der sicher auch vor der Seuche etwas dargestellt hatte, wie Garvin vermutete.

Matt wußte, daß es für seine Nervosität keinen konkreten Grund gab. Er hatte es aber nicht gern mit älteren Leuten zu tun. Man konnte nie wissen, wieviel Zeit zum Lernen sie gehabt hatten, und wie viele der kleinen Tricks aus der alten Zeit sie noch kannten.

Der Mann bot ihnen die Hand an und lächelte gewinnend. „Charlie Conner", dröhnte er. „Wie es aussieht, bin ich für den Haufen da drüben verantwortlich", sagte er geringschätzig und zeigte mit dem Daumen zu seinem eigenen Gebäude. Aber seine Begleiter, junge, raubtierhafte Gewehrschützen, ließen sie keinen Moment aus den Augen.

„Matt Garvin – und das ist Gus Berendtsen." Matt bemerkte, daß Gus sich Conner genau ansah, wie er jedes Mitglied jeder Familie angesehen hatte, die sie in den Wohnungen ihres Hauses angetroffen hatten. „Für unser Gebäude sind wir beide das gemeinsame."

Conner grinste. „Es ist hart, nicht? Wie habt ihr es gemacht? Euch allmählich ausgebreitet und den Streß jedesmal wieder durchgestanden, wenn ihr mit einer neuen Familie Kontakt aufgenommen habt?"

„So ähnlich", unterbrach Gus. „Komm zur Sache."

Conner sah zur Seite. „Werdet nur nicht nervös", meinte er beruhigend. „Ich habe mir nur gedacht, wo wir jetzt unsere Gebäude organisiert haben, sei es eigentlich an der Zeit, uns zusammenzutun. Je mehr Leute wir haben, desto besser haben wir die Sache unter Kontrolle. Worum es geht, ist, daß im eigenen Territorium die eigenen Regeln befolgt werden, hab' ich recht? Keiner will sich alles von einem Querkopf verderben lassen. Man muß sich sicher sein, daß alles in Ordnung ist, solange die Regeln befolgt werden, hab' ich recht? Man will sicher sein, daß die Familie geschützt ist, während man da draußen ist. Man will sicher sein, daß immer ein Nahrungsmittelvorrat da ist, hab' ich recht? Also, je größer die Gemeinde ist, desto sicherer ist man, hab' ich recht?"

Garvin nickte. „Genau."

Garvin breitete seine Hände aus. „In Ordnung. Also, ich habe mein Haus ordentlich durchorganisiert. Ist ja wohl klar. War hier fünfzehn Jahre lang Bezirkskommandant. Habe jede Menge Erfahrung. Also, ich meine, daß ihr Burschen euer Haus ganz ordentlich in Schuß habt, aber es gibt da sicher noch ein oder zwei Sachen, die könnten noch besser sein. Also, hier bin ich. Meine Leute sind mit mir voll und ganz zufrieden. Hab' ich recht, Jungs?" fragte er seine Gewehrschützen.

„Klar, Boß."

„Sie meinen, wir sollten uns euch anschließen?"

Conner lachte leise. „Also, hört mal, daß ich mich euch anschließe, das ist doch wohl nicht sehr wahrscheinlich, oder?"

Er lehnte sich lässig gegen das Schild, das im Asphalt des Spielplatzes steckte und dort von Matt und Gus entdeckt worden war. Auf ihm stand in ungelenken Buchstaben: „Trefft mich morgen hier, und wir können uns darüber unterhalten, ob wir uns zusammentun. – Charlie Conner."

Gus und Matt sahen sich an. „Wir überlegen es uns."

„Macht das", sagte Conner. „Hört mal zu, ich weiß, daß ihr glaubt, ihr hättet das alles gut hingekriegt. Habt ihr auch, ganz ohne Zweifel. Aber jetzt seid ihr soweit, euch auf mehr als ein Haus auszubreiten. Und da müßt ihr euch überlegen, ob ihr jemanden mit mehr Erfahrung benötigt, um all das zu verwalten. Das ist doch eine einfache Rechnung. Ihr habt doch wohl nicht angenommen, daß ihr eine ganze Stadt verwalten könnt, oder? Ich meine, ihr wolltet doch wohl nicht einen von euch beiden als Kandidaten für das Bürgermeisteramt aufstellen, oder?" Conner lachte herzhaft.

„Wir überlegen es uns", wiederholte Gus. „Du hörst von uns."
Conners Augen wurden schmal. „Wann?"

Matt sagte: „Wenn wir soweit sind."

Conner sah die beiden nachdenklich an. „Haltet mich nicht zu lange hin."

„Hast du Angst davor, daß du vorher an Altersschwäche stirbst?" fragte Gus. Sie drehten sich um und gingen. Conner sah ihnen nach, fuhr herum und stolzierte zu seinem Gebäude zurück. Die Gewehrschützen der beiden Seiten warteten, bis alle drei verschwunden waren, und zogen sich dann vorsichtig zurück. Schließlich lag der Spielplatz wieder verlassen da.

In der Wohnung stellte Matt das Gewehr leise weg. „Also, jetzt wissen wir es", sagte er. „Ich habe mir doch gleich gedacht, daß wir in letzter Zeit zu oft auf konkurrierende Plünderergruppen gestoßen sind. Die mußten doch von irgendwo in der Nähe kommen."

„Was hältst du von Conner?"

„Ich meine, daß er mehr Leute als wir verloren hat, denn sonst hätte er die Dinge so weiterlaufen lassen, wie sie waren – das heißt, seine und unsere Leute hätten einander in Ruhe gelassen, falls wir nicht gerade Streit über eine bestimmte Beute miteinander bekommen hätten."

„Also – was machen wir jetzt?"

„Ich denke, wir sind im Vorteil. Ich glaube, wir können es länger ohne ihn aushalten, als er ohne uns."

„Und in der Zwischenzeit verlieren wir ständig Leute?"

Garvin sah ihn eindringlich an. „Nicht soviel wie er. Darauf kommt es an. Ihm tut es mehr weh als uns."

„Erzähl das mal den Witwen."

„Unseren Witwen muß ich gar nichts erzählen. Alles, was man heutzutage einer Frau versprechen kann, ist, daß ihr Mann so lange sicher ist, wie er zu Hause bleibt. Natürlich verhungern so alle beide und ihre Kinder auch."

„Sieh mal, wenn wir uns mit Conner einigen, dann stirbt niemand."

„So, da bist du dir sicher? Du bist sicher, daß das einzige, was Conner will, ist, der Hahn auf einem größeren Misthaufen zu sein? Er will nicht etwa zusätzliche Frauen oder mehr Essen für seine Leute. Er hat seine Revolvermänner auch nur dabei, weil er ihnen versprochen hat, daß sie jetzt bald neue Freunde zum Mau-Mau-Spielen bekommen."

„Schon gut. Vielleicht. Sicher können wir nicht sein."

„Wir brauchen überhaupt nicht sicher zu sein. Wir müssen nur irgendwie am Leben bleiben. Hör doch, Gus, ich sage doch gar nicht, daß wir Conner vergessen oder sein Angebot vergessen können. Ich sage nur, daß er sich in zwei oder drei Wochen nicht mehr so aufspielen wird. Wenn wir ein Geschäft mit ihm machen, dann will ich wenigstens eine reelle Chance, daß es ehrlich dabei zugeht. Die haben wir jetzt nicht."

„Also warten wir."

„Wir könnten vielleicht noch versuchen, in sein Haus einzudringen. Was meinst du, wie viele Witwen dabei für uns herauskommen?"

„Schon gut. Wir lassen es so laufen."

Eine Woche später war das Schild auf dem Spielplatz durch ein anderes ersetzt worden, das folgende Nachricht trug:

> ACHTUNG! Jedermann, der nicht Mitglied der East-Side-Gesellschaft für gegenseitigen Schutz ist (Vorsitzender: Charles Conner), wird hiermit zum Gesetzlosen erklärt und den zuständigen Behörden zur Aburteilung überstellt. Dieser Erlaß ergeht aufgrund der Verfügungsgewalt, die mir von der Demokratischen Partei des Staates New York, Vereinigte Staaten von Amerika, übertragen wurde.
>
> Charles G. Conner

„Sonst noch was?" sagte Matt Garvin.

Die kleine Gruppe von Männern kam vom Osten nach Stuyvesant zurück. Sie überquerte den Spielplatz und die Zufahrtswege zu den Höfen. Matt Garvin, der die Führung auf dem Rückmarsch übernommen hatte, schüttelte sich und schlug seinen dicken Kragen hoch, um seine Ohren zu schützen. Der Wind war schwach, gerade noch stark genug, um das leichte Knarren der Fußtritte im Schnee mit seinem Flüstern zu übertönen, aber die Männer und er waren den ganzen Nachmittag draußen gewesen, und langsam setzte sich die Kälte in ihren Knochen fest.

Er sah zu dem mondlosen Himmel hinauf und wünschte sich, daß ein paar Wolken am Himmel das schwache Licht der Sterne dämpfen würden.

Plötzlich erglänzte ein neuer Stern zwischen den Häusern zu gleißendem Licht.

„Ausschwärmen!" rief er. Die Fallschirmleuchtkugel sank langsam zu Boden. Sie warf den Schatten eines jeden Mannes schwarz und gestochen scharf auf den weißen Schnee, und die ersten Gewehrschüsse peitschten in ihre Richtung.

Garvin stolperte hinter eines der Autos, das in dem nächsten Zufahrtsweg stand, und suchte Deckung. Seine Füße rutschten auf dem nassen Schnee. Der plötzliche Lichtblitz hatte ihn fast geblendet, aber trotzdem schlitterte er irgendwie in den Schutz des Bleches. Er prallte heftig gegen das kalte Metall. Reflexartig kniff er seine Augen zu. In seiner Netzhaut drehten sich feurige Räder, aber er zwang sich, die Augen wieder zu öffnen. Er zielte, so gut er konnte, um den Fallschirm der Leuchtkugel zu zerfetzen. Er schoß daneben, aber es war sowieso unwichtig, denn nach einem dreifachen Knall vom gegenüberliegenden Dach baumelten drei weitere Leuchtkugeln am Himmel und fielen langsam zu den Männern, die verzweifelt hin und her rannten, herab.

Er hockte neben dem Auto und fluchte. Immer wieder versuchte er, so gut wie vergeblich, in die Fenster zu schießen, wo die roten Funken glühten.

Seit dem Höhepunkt der Seuche hatte er ein solches Gewehrfeuer nicht mehr gehört. Das stetige Hämmern ließ nie ganz nach. Nach seiner Schätzung saßen dort oben mindestens dreißig Schützen, wenn nicht sogar mehr, und sie alle schossen ihre Magazine leer, so schnell sie konnten. Sie luden in Spitzengeschwindigkeit nach, verschossen ihre Munition in einer Schnelligkeit, die sich niemand mehr erlauben konnte.

Zu seiner Gruppe hatten zwölf Männer gehört, ihn selbst eingeschlossen. Drei von ihnen sah er im Schnee liegen. Zwei waren über ihren Gewehren zusammengebrochen, einfach nach vorn gekippt. Der dritte hatte möglicherweise einmal geschossen. Er hatte zumindest nach oben gesehen, denn sein Oberkörper war nach hinten gefallen. Sein Gewehr lag neben ihm, und sein Körper war mit abgeknickten Beinen im Schnee ausgestreckt. Die übrigen Männer hatten wohl irgendeine Deckung erreicht, denn im Hof bewegte sich nichts mehr. Die meisten schossen nicht einmal zurück, so daß selbst Garvin nicht erkennen konnte, wo sie waren.

Er fluchte ununterbrochen vor sich hin. Sie waren voll in die Falle gelaufen. Ein Mann war mit den Leuchtkugeln auf dem gegenüberliegenden Dach postiert gewesen, und er mußte nur noch die Szene beleuchten, nachdem er die Schatten von Garvins Gruppe ausgemacht hatte. Die Gewehrschützen hatten im Fenster gewartet.

Das Gewehrfeuer hörte plötzlich auf. Ein rauhes Lachen brach kurz aus Garvin hervor, als er den Grund erkannte. Die erste Leuchtkugel hatte fast den Boden erreicht. Die Männer in den Häusern sahen auf sie herunter und waren von ihr ebenso geblendet, wie er es gerade gewesen war.

„Ausbrechen!"

In dem Schnee war jetzt hastiges Rutschen und das Geräusch von rennenden Füßen zu hören, als die übrigen Männer hinter Büschen und Autos herausbrachen. Garvin suchte eine neue Deckung und hastete stockend über den Einfahrtsweg. Er sah jetzt einige der anderen Männer, die wie von einer Explosion fortgeschleuderte Trümmer neben ihm dahinschossen. In dem zitternden Licht und den schwankenden Schatten, die die flackernden Leuchtkugeln unter ihren Fallschirmen warfen, wirkten sie wie Gestalten aus einem Alptraum.

Er warf einen Blick über seine Schulter und hielt abrupt an. Einer seiner Männer war neben einer der Leichen stehengeblieben und versuchte, sie wegzuschleppen.

„Laß ihn liegen!" rief Garvin. Die Leuchtkugel fiel in den Schnee und tauchte den Mann in ein scharfes Licht. „Weiter!"

Die drei restlichen Leuchtkugeln waren immer noch hoch oben in der Luft und sanken langsam nach unten. Sie befanden sich jetzt nur wenig unter der Höhe der Dächer, immer noch weit höher als die meisten Schützen. Der Mann zerrte noch einmal an der Leiche und gab es dann auf, aber er wurde immer noch von der Leuchtkugel auf dem Boden, die trotz des Schnees nicht verlöschte, sondern weiterbrannte, hell angestrahlt.

Der Mann rannte los. Garvin und die sieben anderen Männer, die in den komplizierten Schatten unsichtbar geworden waren, standen wortlos da und beobachteten ihn.

Als er schließlich niedergeschossen wurde, fluchte Garvin und ein weiterer Mann ein einziges Mal, fast im Chor. Dann glitten sie um eine Hausecke, hasteten über den letzten Hof und hinein in ihr eigenes Haus. Währenddessen senkten sich die drei restlichen Leuchtkugeln zu den vier Leichen herab, und von den Heckenschützen kam ein triumphierendes Grölen.

„So schlimm war es noch nie", sagte Berendtsen mit steinernem Gesicht und kalten Augen. Er saß bei Garvin am Tisch des Wohnzimmers. „An Leuchtkugeln habe ich nie gedacht. Jetzt ist Schluß. Es geht hier nicht mehr darum, daß sie eine Konkurrenz beim Plündern sind. Sie schneiden uns die Zufahrtswege ab."

Garvin nickte. „Wir hatten noch Glück; wenn sie nicht mit den Leuchtkugeln gepatzt hätten, wären es mehr als vier Opfer geworden." Er drehte sich in seinem Stuhl um und sah zu den anderen Männern im Wohnzimmer hinüber. Sie vertraten alle Familien in dem Haus. In ihren Gesichtern sah er, was er erwartet hatte: grimmige Konzentration, Ratlosigkeit und Angst, in unterschiedlicher Ausprägung, aber insgesamt durchaus gleichrangig. Ein Mundwinkel zuckte nach oben, als er sich wieder Gus zuwandte. Zwischen diesen Männern und den Heckenschützen gab es keine Unterschiedsmerkmale. Sie hatten in gewisser Weise Angst vor sich selbst. Sie hatten aber auch Grund dazu.

„Gut", sagte Berendtsen rauh, „wir hatten Glück. Aber dabei können wir es nicht bewenden lassen. Das war doch nur ein Anfang. Wenn wir es so weiterlaufen lassen, dann hungern sie uns hier völlig aus."

Garvin fragte die Männer: „Hat jemand einen Vorschlag?"

„Ich kapiere das nicht", sagte einer von ihnen mit weinerlicher Stimme. „Wir haben die doch gar nicht gestört." Garvin setzte ihn in Gedanken auf die Liste der Ängstlichen.

„Erzähl keinen Mist, Howard!" fiel einer der anderen Männer ein, bevor Garvin seine Ungeduld zeigen konnte. Matt erkannte ihn. Er hieß Jack Holland. Sein Vater war einer der Männer gewesen, die am Anfang des Angriffs niedergeschossen worden waren. Als Gewehr trug er ein abgegriffenes, angeschlagenes Spielzeug, das offensichtlich die zweit- oder drittbeste Waffe der Familie war. Es gelang ihm aber trotz seines jugendlichen Gesichts, das lächerliche Kleinkalibergewehr mit einer Aura des Todes zu umgeben. Garvin warf einen kurzen Blick auf Berendtsen.

Gus nickte mit der fast vollkommenen Verständigung, die zwischen den beiden Männern gewachsen war. Solange Holland für sie sprach, waren ihre Worte nicht notwendig.

„Wir sind hier in der Nachbarschaft die fetteste Beute", sprach der Junge weiter. Seine Stimme und seine Augen wirkten älter als er selbst. „Außerdem hungern bei denen sicher etliche Frauen und Kinder, weil wir die ganzen Läden in der Umgebung ausräumen. Wir haben denen ganz schön was getan."

Garvin nickte Berendtsen zu. Dem komplizierten Netz von Urteilen und Entscheidungen, das er in seinem Kopf geknüpft hatte, wurde ein neuer Faktor zugefügt. In ein paar Jahren würden sie einen weiteren guten Mann auf ihrer Seite haben.

Einen Augenblick verlor er sich in Gedanken über die Pläne, die nun in seinem Kopf soweit gediehen waren, aber in den letzten Jahren erst Stück für Stück hatten wachsen müssen. Die Zweite Republik, über die er immer noch lächelte, aber nicht mehr so breit wie früher, war gewachsen. Die Zeit, die nötig war, bis sie das ganze Haus umfaßte, hatte ihm und Gus die Erfahrung verliehen, mit mehr Menschen zusammenzuarbeiten und die ständig wachsenden Pflichten zu verteilen.

Es war seltsam, im Lichte der Vergangenheit für eine Zukunft zu planen. Aber es war eine gute Sache, zu planen, zu gestalten und zu hoffen, das Wissen zu haben, daß auch dann, wenn die Pläne von einem Augenblick zum anderen geändert werden mußten, weil unerwartete Probleme auftauchten, das eigentliche Ziel sich nie ändern würde.

Er unterbrach das Murmeln von Diskussionen, die sich zwischen den Männern entwickelt hatten. „Gut, Holland hat es auf einen Nenner gebracht. Wir sind eine durchorganisierte Gruppe mit einem systematischen Nachschubplan. Für uns ist das prima, für andere, die nicht zu uns gehören, weniger gut. Als es losging, haben wir alle erwartet, daß etwas passieren würde. Manche von uns haben vielleicht gedacht, die Schwierigkeiten, die wir mit Conner auf den letzten paar Plünderungszügen hatten, seien schon alles, was wir zu befürchten hätten. Wir hätten es besser wissen sollen, aber das ist jetzt nicht mehr wichtig. Jetzt haben wir sie, und keiner nimmt sie uns ab. Also noch einmal: Was machen wir jetzt?"

„Wir gehen da drüben rein und machen die Drecksäcke fertig", knurrte jemand.

„Gehst du als erster?" fuhr ihn ein zweiter an.

„Ganz genau, mein Junge", meinte ein dritter. Wen er damit unterstützte, blieb zweifelhaft.

„Das habe ich mir gedacht." Berendtsen war aufgesprungen und überragte den Tisch ebenso, wie seine Stimme die Streitereien abbrach. Er wartete einen Augenblick, bis sich der letzte Mund, der sich gerade noch zum Sprechen geöffnet hatte, wieder geschlossen hatte. Mit vorgeschobenem Kinn ließ er seine finsteren Augen von Mann zu Mann schweifen. Garvin, der im Verlauf ihrer Freundschaft die tausend feinen Zeichen zu lesen gelernt hatte, konnte in der Haltung des großen Manns leichte Spuren von Belustigung erkennen. Vielleicht hatte auch er das seltsame Schauspiel genossen, das der Nicht-mehr-ganz-Unzivilisierte bietet, der vor dem Noch-Wilden Angst hat.

Aber die Männer sahen hastig auf Berendtsen, und nur ein paar von ihnen hatten ein listiges Glitzern im Auge.

„Ihr führt euch auf wie ein Haufen Mäuse, die vom Blitzlicht überrascht werden", fuhr Gus fort. „Und erzählt mir jetzt bloß nicht, daß es genau dies ist, was euch passiert ist, denn zwischen uns und Mäusen sollte es eigentlich noch ein paar Unterschiede geben."

Matt grinste breit, und auch bei einigen anderen Männern zuckte der Mund als Antwort. Berendtsen sprach weiter.

„Die Sache ist plötzlich ernst geworden, und so etwas haben wir noch nie erlebt. Es ist nicht damit zu vergleichen, wenn Leute an die Wand klopfen und einem sagen, daß das Gebäude organisiert wird. Die Leute dort drüben wohnen separat. Die können wir zu nichts zwingen."

Er unterbrach sich, um seinen Blick noch einmal über die Männer wandern zu lassen. „Und wir gehen nicht dort drüben in das Haus hinein und erobern es Zimmer für Zimmer. Das würden die bei uns nicht schaffen. Und das würden wir bei denen nicht schaffen.

Wir können sie nicht fertigmachen, und sie können uns nicht fertigmachen. Aber wir können uns gegenseitig immer noch Stückchen um Stückchen abhacken und dabei langsam verhungern. Das liegt in der Natur der Sache, weil wir nicht zu gleicher Zeit auf Plünderungszüge gehen und einen Krieg führen können. Dort draußen gibt es eine Menge Leute, die genau aufpassen, so daß man eine starke Gruppe benötigt, wenn man die Nahrung nach Hause schaffen will.

Es gibt einen Ausweg: Wir können uns verbünden – wenn wir Conner dazu bringen können, daß er sich auf etwas einläßt, das weniger als Sklaverei für uns bedeutet. Das ist zwar nicht die schönste Vorstellung auf der Welt, aber einen anderen Weg, das zu erhalten, was wir haben, sehe ich nicht. Conner ist kein Edelmann. Er wird versuchen, es uns so schwer wie möglich zu machen. Aber vielleicht können wir uns irgendwie einigen. Ich meine, der Versuch wenigstens muß gemacht werden, weil wir sonst zuviel verlieren werden."

Die Diskussion brach wieder aus, und Garvin setzte sich hin, bis sie sich totgelaufen hatte. Seiner Ansicht nach hatte Gus nicht recht. Was er sagte, bedeutete, daß jemand ein großes Risiko eingehen müßte, und das ging ihm gegen den Strich.

Aber er wußte keine andere Lösung. Matt hatte gehofft, daß sich im Lauf der Zeit etwas finden würde. Jetzt wußte er nicht, was er tun sollte, und ließ, wiederum instinktiv, jemand anders den ersten Schritt tun. Er sah über den Tisch zu Gus, der bei dem verdunkelten Fenster vor sich hin brütete, als sähe er die anderen Häuser draußen in der Nacht.

„Also, irgend etwas müssen wir tun." Jack Hollands Stimme erhob sich scharf über das Stimmengewirr. „Sonst werden wir als die Leute in die Geschichte eingehen, die beinahe etwas angefangen hätten, aber es dann doch nicht geschafft haben."

„Die Geschichte ist mir scheißegal", meinte ein anderer Mann. „Aber ich habe fünf Kinder, denen ich etwas zu essen geben möchte."

Damit war die Sache wohl klar, dachte Garvin. Keiner von ihnen konnte es jedoch etwas anderes nennen als ein schlechtes Geschäft. Besonders Gus, und er, weil sie hinausgehen und mit Conner reden mußten.

„Es ist bald Weihnachten", sagte Gus mit einer leisen, brütenden Stimme. Er und Garvin standen beim Fenster. Die Decken waren wieder abgenommen worden, weil die Männer fortgegangen waren und sie das Licht ausgeschaltet hatten. „Friede auf Erden und den Menschen ein Wohlgefallen. Stuyvesant, du kleine Stadt, wie liegst du so still ..." Er schnaubte. „In hundert Jahren – da wird man wieder richtig Weihnachten feiern. Dann gibt es wieder Weihnachtsbäume und Lametta und Kerzen. Und ich hoffe, die Kinder spielen dann mit Spielzeugschleppern."

„Für Jim habe ich einen Teddybär besorgt", sagte Garvin. „Was hast du für Ted?"

Gus schnaubte wieder. „Was besorgt man für einen normalen Vierjährigen? Bücher mit vielen Bildern, weil Carol bald anfangen will, ihm das Lesen beizubringen. Einen kleinen Zug aus Holz ... solche Sachen eben. Die sind für einen Vierjährigen richtig. Wenn er ein oder zwei Jahre älter ist, dann können wir anfangen, ihm zu erklären, warum die Bücher ohne Bedeutung sind und sein kleiner Zug eine Spielzeugnachbildung von etwas ist, das es nicht mehr gibt. Was man ihm dann schenkt, das ist die Frage, die mir Unbehagen bereitet."

Auch Matt starrte mit stumpfen Augen auf die kalte Stadt. Berendtsens Stimmung übertrug sich auf ihn und beherrschte seine Laune.

Morgen würde es besser sein. Für irgend jemanden würde es immer morgen besser sein. Die schwierige Aufgabe bestand darin, dafür zu sorgen, daß dieser Jemand zu den eigenen Leuten gehörte.

Er hatte Jim und die einjährige Mary. Außerdem war sich Margaret fast sicher, daß sie wieder schwanger war. Gus und Carol hatten Ted.

Das Gewicht, das auf Berendtsens Schultern ruhte, drückte auch Garvin zu Boden.

„Glaubst du, es klappt?" fragte Gus ausdruckslos.

„Man hat schon Pferde kotzen sehen", antwortete Matt.

Die Morgendämmerung schimmerte durch das Gewebe der Decken, die vor Garvins Schlafzimmerfenster hingen. Er schüttelte den Kopf, um den letzten Rest Schläfrigkeit loszuwerden. Er glitt auf seiner Seite aus dem Bett und schüttelte sich.

„Der Ofen ist wieder ausgegangen, Liebling", murmelte Margaret verschlafen unter den Decken hervor.

„Ich weiß. Wahrscheinlich habe ich wieder vergessen, ihn vor dem Schlafengehen zu bestücken. Schlaf weiter", flüsterte er und zog sich hastig an. Sie drehte sich einmal um, lächelte und vergrub ihren Kopf wieder in dem Kissen. Als er sich seine Stiefel zuschnürte, war sie wieder eingeschlafen, und er lachte leise über ihr leichtes Schnarchen.

Bevor er in die Küche ging, um Rasierwasser zu erhitzen, sah er noch kurz nach den Kindern. In der Küche starrte er lange in die Flamme, bevor er den Topf aufsetzte. Dann ging er leise in das Badezimmer, noch immer nachdenklich. Er war mehr bemüht, Gedanken auszuweichen, als ihnen nachzuhängen. Er wusch und rasierte sich automatisch, aber mit ruhiger Hand. Er spülte die Toilette mit einer Schüssel Spülwasser aus, füllte den Ofen auf und zündete ihn an, aß sein Frühstück. Schließlich seufzte er, schob seinen Teller weg und stand auf. Er ging zu der groben Tür hinüber, die sie nach dem Durchbrechen der Wand eingesetzt hatten, und klopfte leicht daran.

„Ja, Matt", antwortete Gus von drinnen. „Komm herein. Ich trinke gerade noch eine Tasse Kaffee."

Matt ging hinein und setzte sich zu Berendtsen an den Tisch. Gus stützte sich auf seine Ellbogen. Seinen Kopf hatte er tief in die Schultern gezogen. Die Tasse mit dem schwachen, fast gelblichen Kaffee hatte er mit beiden Händen umfaßt und hielt sie in der Höhe seines Kinns. Ab und zu hob er sie an seinen Mund, um daraus zu trinken. Sie saßen wortlos zusammen, bis Gus endlich die leere Tasse auf den Tisch stellte.

„Kalt heute", sagte er.

„Ich wäre fast erfroren im Bett. Ich habe vergessen, den Ofen vollzupacken", gab Matt zur Antwort.

Berendtsen seufzte tief. Er stand auf und nahm sein Gewehr in die Hand. Aus der Tasche seiner Windjacke zog er ein viereckiges Stück weißen Tuches und band es mit zwei Ecken an den Gewehrlauf.

„Hast du deins?" fragte er.

„Drinnen." Matt senkte seinen Kopf zu der Wohnung. „Weiß Carol, was du machst?"

Berendtsen schüttelte den Kopf. „Margaret?"

„Nein."

„Eigentlich hätten wir es ihnen erzählen sollen", sagte Gus. „Ich hatte damit begonnen, es Carol zu sagen, aber ich konnte es dann doch nicht ... Ich überlegte mir, daß es doch keinen Einfluß auf das haben würde, was passieren wird. Da kann sie so doch wenigstens noch eine Nacht gut schlafen, habe ich mir gedacht." Er lächelte dünn. „Habe kalte Füße gekriegt."

Matt nickte. „So ist es." Er ging zu der Tür. „Ich auch. Na ja, bringen wir es hinter uns."

Sie gingen durch Matts Apartment hinaus und überprüften die Positionen der anderen Männer an den Fenstern, von denen aus man das gegenüberliegende Gebäude unter Feuer nehmen konnte. Danach gingen die beiden Feiglinge hinaus in die Kälte.

Sie stellten sich mitten auf den Zufahrtsweg, der das andere Gebäude von ihrem trennte. Dort blieben sie stehen und sahen die kahle Außenwand empor.

Garvin wechselte mit Gus einen Blick. „Was machen wir jetzt?" fragte er.

Berendtsen zuckte die Achseln. Er hielt sein Gewehr mit der weißen Fahne deutlicher nach oben. Matt tat das gleiche. Schließlich warf Gus seinen Kopf zurück und rief: „Hallo! Hallo, ihr dort drinnen!"

Das Echo erstarb langsam, aber nichts bewegte sich.

„Hallo! Conner! Wir wollen mit dir reden!"

Irgendwo in den Reihen von Glas mußte sich ein Fenster langsam geöffnet haben.

Jemand hinter ihnen, in ihrem eigenen Haus, schoß zuerst, aber das änderte nichts mehr. Es war nicht die Ursache, sondern ein verzweifelter Versuch, das Gewehrfeuer zu verhindern, das plötzlich aus einem halben Dutzend Fenstern hervorbrach.

Obwohl Matt halb befürchtet hatte, daß es so kommen würde, war es für ihn ein Schock, das Gewehrfeuer losbrechen zu sehen und zu spüren, wie plötzlich sein rechtes Bein unter ihm zusammenknickte. Er fiel auf dem Zufahrtsweg auf die Seite. Sein Kopf schlug gegen den Asphalt. Für einen verzweifelten Augenblick, der ihm verhängnisvoll lang erschien, war er völlig bewegungsunfähig. Als dann endlich das heftigere Feuer seiner eigenen Leute die feindlichen Schützen in die Deckung zurückzwang, konnte er endlich den Schutz eines Autos erreichen, indem er Gus' toten Körper als Kugelfang benutzte und ihn vor sich herschob. Blutend und frierend blieb er dort bis zum Abend. Sein Blick ruhte unverwandt auf dem Gesicht des toten Berendtsen. Im Verlauf dieses langen Tages nahm sein Gesicht allmählich einen Ausdruck an, den es noch hatte, als seine Männer ihn endlich holen konnten, und dieser Ausdruck blieb in seinen Augen bis an sein Lebensende. Und immer wieder sollte dieser Ausdruck in seinem Gesicht aufflammen und die Menschen um ihn leiser sprechen lassen.

In seinem unruhigen Schlaf hörte Garvin die ganze Zeit das Schluchzen. Es wurde lauter, brach ab, wurde leiser und schien im Rhythmus dem fiebrigen Klopfen in seinen Adern zu folgen. Ab und zu, wenn er sich schüttelte oder seine Zähne zusammenbiß, um gegen den Schmerz in seinem Bein anzukämpfen, hörte er, wie Margaret versuchte, Carol zu trösten. Einmal brachte er selbst die Worte hervor: „Immer mit der Ruhe, Ted. Ich erkläre es dir später. Paß in der Zwischenzeit auf deine Mutter auf." Er sagte es zu einem verwirrten und verängstigten Kind. Vor allem jedoch konnte er dem Bild nicht entkommen, das sich in sein Gehirn eingegraben hatte, dem Bild von Gus' hingestrecktem Körper ...

Als er nach siebzehn Stunden wieder vollständig erwachte, hatte er den Schock überwunden. Sein Bein tat zwar noch weh, aber die Wunde war sauber geblieben, und Knochen waren nicht verletzt worden. Er setzte sich auf und sah sich um.

Margaret saß auf einem Stuhl neben seinem Bett und beobachtete ihn schweigend. Er nahm sie sanft bei der Hand. „Wo ist Carol?"

„Sie ist zu Hause und schläft. Mrs. Potter kümmert sich um sie. Ted ist bei Jimmy." Ihr Gesicht wirkte wie eingefroren, und ihr Ausdruck war nicht zu entziffern.

„Was hast du mit den Leuten vor?" fragte sie.

Er sah sie fragend an. Seine Gedanken waren noch nicht ganz klar, so daß er nicht verstand, was sie meinte.

„Welche Leute?"

Sie hatte sich bis dahin unter eiserner Kontrolle gehalten. Jetzt aber brach es in charakteristischer Art aus ihr heraus.

„Diese Wilden!" Ihr Gesicht war immer noch unbewegt. Nur ihre Lippen regten sich, aber ihre Stimme peitschte wie Klavierdraht, den man für eine Peitschenschnur benutzt. „Solche Leute sollten einfach nicht am Leben bleiben. Leute, die so etwas fertigbringen!"

Garvin holte tief Luft und ließ sie langsam aus sich heraussikkern. Er schloß seine Augen einen Augenblick, als eine Welle von Schmerz von seinem Bein aus hochstieg. Was konnte er ihr sagen?

Daß Menschen nicht aus freiem Willen Wilde wurden? Sie hatte schon vergessen, was es für die Leute in der Gegend bedeutete, die sich nicht zusammengeschlossen hatten, mit bewaffneten Plünderergruppen in Konkurrenz zu treten.

Sein Kopf war jetzt klar geworden. Er hatte sich eine andere Lösung für das Problem Conner überlegt.

Er dachte an Margaret, aber auch an Carol und den jungen Ted, der in dieser Welt groß werden mußte und die Arbeit eines Mannes in ihr zu tun hatte, und er war froh, daß sein nächster Schritt so und nicht anders aussehen würde.

Er drückte Margarets Hand. „Ich kümmere mich darum", sagte er düster.

Ungeschickt, von seinen Bandagen gehindert, rannte Garvin mit seinen Männern über den Zufahrtsweg. Der enge Zwischenraum zwischen den beiden Gebäuden dröhnte und hallte von dem Kugelhagel wider, der von den Gewehren der Feinde und der Wache ausging, die ihnen den Rücken deckte und Feuerschutz gab. Vor sich hörte er das unterbrochene und viel leichtere Feuer seiner Vorhut, die den Keller des feindlichen Hauses ausräumte. Er schwankte unter dem Gewicht der Dynamitstangen, die er und seine Männer in Säcken mitschleppten.

Holland, der neben ihm rannte, griff ihm unter den Arm. „Schaffst du es, Matt? Wir hätten das auch ohne dich geschafft."

Garvin spuckte ein Lachen aus. „Ich muß es selbst zünden." Er rannte um die Hausecke und humpelte hastig zu dem Eingang, der zum Keller führte. Einige der Männer mußten dort schon dabei sein, die Ladungen an den Stützpfeilern und tragenden Wänden anzubringen.

Margaret starrte ihn ungläubig an. „Matt! All die Leute! Du hast all die Leute umgebracht, bloß weil ich gesagt habe ..."

Er stand wortlos im Wohnzimmer. Seine Blicke verschwammen jedesmal, wenn ihn wieder eine neue Welle des Schmerzes überschwemmte. Seine Schultern hingen herab, und der leere Sack wurde von seiner Hand umklammert. Er rieb sich müde die Augen.

„Matt, du hättest nicht auf mich hören sollen. Ich war aufgeregt. Ich ..."

Es wurde ihm klar, daß er schwankte, aber er versuchte nicht so sehr, sich zusammenzunehmen, wie er es getan hätte, wenn jemand von seinen Leuten dabeigewesen wäre.

„Ich habe es nicht getan, weil du irgend etwas gesagt hast", versuchte er zu erklären. Die Worte verschwammen in seinem Mund. „Ich habe es getan, weil sonst nichts anderes übrigblieb. Ich mußte es befehlen und selbst dabei sein, weil ich die Verantwortung trage."

„Du mußtest all diese Leute umbringen?"

„Weil es noch mehr gibt. Schau doch mal aus dem Fenster, aus irgendeinem Fenster, von dem aus du die Reste dieser Stadt sehen kannst, die Häuser, die noch stehen."

„Nein, Matt, das kann ich nicht."

„Wie du willst." Er ließ sich in einen Stuhl fallen und starrte auf den klebrigen Fleck auf seinem Hosenbein. In seiner Müdigkeit wünschte er, daß Gus derjenige gewesen wäre, der etwas hinter ihm stand, statt umgekehrt.

Wieder wurde es Nacht. Garvin stand an einem Fenster und sah hinaus.

„Heiliger Abend, Jack", sagte er zu Holland, der ebenso hinaussah.

„Ja, Sir."

Matt knurrte halb bedauernd: „Es kommt dir sinnlos vor, Jack, oder?"

Holland zögerte und runzelte unsicher die Stirn. „Ich weiß nicht so recht. Irgendwie weiß ich es schon, ich meine, es gab gute Gründe dafür. Aber trotzdem ..." Er sah schnell zu Garvin hinüber. Er fragte sich offensichtlich, ob es ratsam war, weiterzureden.

Garvin lachte wieder, dieses Mal unbeschwerter. „Ich freß dich schon nicht auf, bloß weil du mir sagen willst, daß du es nicht richtig findest, was wir gemacht haben. Das ist immer noch eine freie Republik." Er zeigte zu den dunklen Gebäuden hinüber, und sein Gesicht verzog sich vor Bedauern. „Da draußen ist es aber noch keine. Aber das ist das gleiche wie damals, als Gus und ich an die Wand bei deinem Vater geklopft haben, um ihm zu sagen, welche Wahl er hat — genauso wie Gus bei mir an die Wand geklopft hat. In der Nacht nach dem Hinterhalt hatte Gus unrecht. Er hatte recht, aber falsch war es trotzdem. Wir *können* sie dazu zwingen, es so zu machen, wie wir es uns vorstellen — indem wir lauter klopfen, als es Gus sich jemals vorgestellt hat." Er drehte sich um und legte Holland die Hand auf die Schulter.

„Du kümmerst dich vielleicht besser um die Wache unten, Jack."

Er sah auf die mondbeschienenen Trümmer hinunter, die einmal das Nachbarhaus gewesen waren. Er konnte das Schild vor sich sehen, das auf dem Haufen von Backsteinen, Metall, Glas und Fleisch stehen würde: *„Lernt eure Lektion — arbeitet mit!* Matt Garvin, Präsident der Zweiten Freien Republik von Amerika."

„Jawohl", sagte Holland. Er drehte sich zum Gehen. „Und frohe Weihnachten."

ZWEITES BUCH

Prolog

Der Boden am Fuß des Gebirgsausläufers war steinig und, da er mit Geröll bedeckt war, gefährlich. Der Wagen wuchtete sich mit quälender Langsamkeit über einen scharfen Kamm und prallte auf der anderen Seite mit einem harten Schlag auf die Erde. Die Lenkhebel peitschten vor dem Knie des Fahrers hin und her, und die Motoren heulten.

Der Fahrer meldete an Custis: „Keine Sicht mehr. Beleuchtung?"

„Nein. Bleib hier stehen, Lew."

Der Fahrer verriegelte die Ketten und legte die Schalter um. Die Dämpfer senkten sich auf den Reaktor, und die Motoren liefen rasselnd aus. Der Kampfwagen lag wie tot da.

Custis glitt aus der Kommandantenkuppel. „Alles klar, macht alles dicht. Wir schlafen heute nacht drinnen." Der Fahrer verschloß die Sehschlitze, und der MG-Schütze Hutchinson fing an, Lumpen in die zerschlissene Gasdichtung an seiner Luke zu stopfen. Robb, der Richtschütze, verschloß die Kommandantenluke. Custis befahl ihm: „Napalm laden!" Robb holte die Splittergeschosse, die sie tagsüber geladen hatten, aus den Kanonen. Er lud nach, verriegelte das Verschlußstück und spannte den Abfeuerungshebel. „Napalm geladen", meldete er in seiner farblosen Stimme zurück. „Horchgerät ausfahren!" sagte Custis, und Hutchinson aktivierte die Außenmikrofone des Wagens.

Henley stand genau dort, wo beim Rücklauf der Zwillingsgeschütze der Verschluß seinen Schädel zerschmettern würde. Er fragte: „Was machen wir jetzt, Custis?"

„Essen." Joe holte fünf Dosen Verpflegung heraus. Drei gab er seiner Mannschaft und eine Henley. „Da." Er kauerte sich auf den Boden und rollte den Deckel der Dose zurück. Er verbog ihn mit der Hand und löffelte sich damit Essen in den Mund. Seine Augenhöhlen wurden durch die Beleuchtung an der Decke in tiefe Schatten gehüllt. Die Schutzbrille hatte um seine Augen ein breites Band von Gummistücken hinterlassen. „Morgen früh sehen wir mehr Banditen, als es Ihnen lieb ist."

„Sie meinen, Sie haben uns hier mit Absicht als Köder auf dem Präsentierteller abgestellt?"

„Ich meine, wenn ich Bandit wäre, würde ich nur mit einem Köder auf dem Präsentierteller verhandeln, und mein Auftrag lautet, daß ich es Ihnen ermögliche, Sie mit Banditen verhandeln zu lassen."

„Aber doch nicht aus einer schwachen Position heraus!"

Custis sah nach oben und grinste. „So ist das Leben, Herr Major. Ehrlich, so ist das Leben."

Beim Morgengrauen sagte Custis: „Da draußen ist jemand." Er trat von der Optik zurück und ließ Henley einen Blick auf die Soldaten werfen, die draußen auf dem Felsen hockten.

Der Kampfwagen war vollständig von Männern umringt, die ihn unbeweglich beobachteten. Sie hatten alle Sorten von Uniformen an, deren einziges gemeinsames Merkmal schwarz-gelbe Schulterstücke waren. Manche der Uniformen stammten aus der Vierten oder Fünften Republik. Sie waren alle verschlissen, und manche von ihnen sahen völlig unbekannt aus. Vielleicht von der Westküste. Oder vielleicht sogar von der Ostküste.

Die Männer auf den Felsen bewegten sich nicht. Sie saßen still unter den Kanonen des Kampfwagens. Auf den ersten Blick schien ihre Bewaffnung ausschließlich aus Gewehren zu bestehen, die angesichts des Kampfwagens wie Flitzbogen wirkten.

Custis hatte relativ lange Zeit gebraucht, bis er herausgefunden hatte, warum diese Männer, die aussahen, als wüßten sie, was sie taten, sich auf Flinten verließen, wenn es gegen einen Kampfwagen ging. Fünf Gruppen, die je aus zwei Männern bestanden, umgaben den Wagen in einem großen Kreis. Jede der Gruppe hatte ein M-14 mit einem Granatwerfergerät. Die Männer, die damit zielten, hatten der Waffe genau den richtigen Winkel verliehen, um die Kuppel mit dem ersten Schuß zu treffen.

„Schwarz-gelb", sagte Henley ärgerlich.

Custis zuckte die Achseln. „Stimmt, nicht blau-silber", erwiderte Custis, um Henley wieder zu ärgern. „Aber das ist dreißig Jahre her. Es könnte trotzdem Berendtsen sein."

Custis ging zu der Optik zurück, um sich die Männer mit den Granatwerfern noch einmal anzusehen. Neben jedem stand ein offener Kasten mit Bleiverkleidung, in dem noch weitere Granaten lagen.

Custis knurrte. Napalm spritzte zwar recht gut auseinander,

aber der Turm würde trotzdem eine ganze Drehung benötigen, um mit allen fünf Gruppen fertig zu werden. Der Turm brauchte für eine volle Drehung fünfzehn Sekunden. Ein Mann am Granatwerfer brauchte pro Granate grob gerechnet eine Sekunde. Nach wenigen Sekunden hätte man den Kampfwagen von außen mit einer Schicht radioaktiven Staubs bedeckt, der sowohl das Ausharren als auch das Verlassen des Wagens tödlich werden ließ. Auch ausweichen könnte der Wagen der Granate nicht rechtzeitig. Die Grundlage einer vorbeugenden Bewaffnung wie dieser hier bestand darin, daß sie bei der leisesten Bewegung zum Einsatz kommen konnte, aber, das zumindest durfte man annehmen, nicht vorher.

„Unentschieden", knurrte Custis. „Aber nicht schlechter. Großzügig von ihnen." Er schnallte sein Webkoppel ab und nahm den 45er Colt herunter. Dann ging er zu der Kommandantenkuppel und entriegelte sie.

„Was machen Sie da?" wollte Henley wissen.

„Es geht los." Er warf das Luk zurück, zog sich hoch, stellte sich auf seinen Hocker und kletterte oben aus dem Turm. Er schlug das Luk hinter sich wieder zu und richtete sich auf.

„Ich heiße Custis", sagte er vorsichtig zu den Männern, die ihre Gewehre hoben. „Ich handle im Auftrag der Siebten Republik. Ich habe hier einen Mann bei mir, der mit eurem Boß sprechen will."

Zunächst gab es keine Antwort. Er stand da und wartete. Neben sich hörte er das Kratzen der Lukenverriegelung. Er stellte einen Fuß auf die Luke, bevor Henley sie anheben konnte.

„Worüber, Custis?" fragte eine Stimme von der Seite, die außerhalb seines Gesichtsfeldes lag. Die Stimme klang alt und heiser, stand aber fest unter Kontrolle. Er fragte sich, ob die Stimme nicht zittern würde, wenn der alte Mann dies zuließe.

Er überlegte sich seine Antwort. Es war sinnlos herumzuspielen. Vielleicht würde er gleich jetzt umgebracht werden, vielleicht auch nicht, aber wenn er jetzt Spielchen spielen würde, bekäme er möglicherweise nie wieder eine direkte Antwort auf eine Frage.

„Über Theodor Berendtsen", sagte er.

Der Name fiel zwischen die Männer wie ein Stein. Er sah, wie sich ihre Gesichter verhärteten, und er sah, wie Köpfe unwillkürlich zuckten. Na ja, die Briten hatten Napoleons Grab neunzehn Jahre lang bewacht.

„Dreh dich zu mir um, Custis!" sagte die gleiche verbrauchte

Stimme. Custis riskierte es, seine Augen von den Granatwerfern abzuwenden. Er wandte sich der Stimme zu.

Ein hagerer Mann mit einem wettergegerbten Gesicht stand etwas abseits von den Soldaten. Seine durchdringenden Augen lagen im Schatten von buschigen Augenbrauen. Er war sehr unrasiert, und sein marmorweißes Haar war dünn. Tiefe Falten durchzogen sein Gesicht, er hatte Säcke unter den Augen und einen ausgetrockneten Hautlappen unter dem Kinn.

„Ich habe hier Befehlsgewalt", sagte er mit seiner stockenden Stimme. „Bring deinen Mann heraus."

Custis trat von der Luke herunter und ließ Henley herauskommen. Der politische Offizier warf ihm einen wütenden Blick zu, als er sich aus der Luke wand und sich aufstellte. Custis kümmerte sich nicht darum. „Da drüben – der Weißhaarige", sagte er, ohne seine Lippen zu bewegen. „Er ist hier in der Gegend der Boß." Er trat ein wenig zur Seite und machte Platz, damit Henley auf dem schrägen Dach des Turms stehen konnte, aber er beobachtete weiter den alten Anführer, der einen verwaschenen Overall mit dem schwarz-gelben Schulterstück trug.

Henley sah mit zusammengekniffenen Augen zu der hageren Gestalt hinüber. Trotz der morgendlichen Kühle schwitzte er am Hals, und sein unsicherer Halt machte ihn nervös.

„Ich bin Major Thomas Henley", sagte er schließlich. „Ich bin der direkte Vertreter der Siebten Republik von Nordamerika." Danach sprach er zunächst nicht weiter, weil er offensichtlich nicht wußte, was er sagen sollte. Mit einem dünnen Grinsen machte sich Custis klar, daß er dem Major nicht viel Verhandlungsspielraum gelassen hatte, als er so direkt mit dem Namen Berendtsen herausgeplatzt war.

„Sie sind außerhalb der Rechtsprechung Ihres Landes, Major", sagte der Anführer.

„Darüber kann man streiten."

„Das ist eine Tatsache", sagte der Anführer unverblümt. „Sie und Custis können herunterkommen. Ich werde mit Ihnen verhandeln. Ihre Leute können hierbleiben."

Henley drehte hastig seinen Kopf herum. „Sollen wir mit ihm gehen?" murmelte er Custis zu.

„Du lieber Gott, Major, mich dürfen Sie da nicht fragen. Aber wenn Sie etwas erreichen wollen, müssen Sie schon mit jemandem reden. Oder erwarten Sie vielleicht, daß Berendtsen Ihnen in den Schoß fällt?"

Henley sah zu der dünnen Gestalt auf dem Hügel. „Vielleicht ist dies bereits geschehen."

Custis sah ihn unverwandt an. „Sie haben Berendtsen vor dreißig Jahren in New York erschossen. Was von seiner Leiche noch übrig war, wurde von ihnen auf den Müllhaufen geworfen. Ein Jahr später befand sich an der Stelle, wo man diese Reste hingeworfen hatte, ein Grabmal."

„Vielleicht, Hauptmann, vielleicht. Waren Sie dabei?"

„Und Sie?"

Custis ärgerte sich, daß ihm die Sache so nahe ging. Er schaute den Major wütend an. Dann aber stellte sich seine Vernunft wieder ein. Er drehte sich um, um Lew den Befehl zu geben, den Wagen verschlossen und die Kanonen schußbereit zu halten, bis sie wieder zurück waren.

Berendtsen war seit dreißig Jahren tot. Wegen Hochverrats angeklagt, verurteilt, hingerichtet, und trotzdem stritten sich die Menschen noch immer bei der Erwähnung seines Namens. Custis schüttelte noch einmal seinen Kopf und sah sich den alten, ausgetrockneten Mann wieder an, der da mit seinem geflickten, verwaschenen Overall mit den schwarz-gelben Schulterstücken auf dem Hügel stand.

Die meisten seiner Soldaten blieben zurück und verteilten sich zwischen den Felsen und dem Kampfwagen. Zehn von ihnen bildeten eine lockere Eskorte um den Anführer und Henley. Die Männer gingen in Richtung der Berge los, und Custis folgte ihnen mit ein paar Metern Abstand.

Der Tag wurde sonnig, blieb aber kühl. Custis konnte erkennen, wie die Höhenwinde, die den Schnee auf den Gipfeln verwehten, diese mit einem Kranz umgaben. Die Felsen an dem Weg, auf dem sie gingen, waren mehr als mannshoch, was Custis ein leicht unangenehmes Gefühl verlieh. Er war an die rollenden Ebenen gewohnt, in denen sein Vater ihn aufgezogen hatte. Dort gab es außer ein paar dünnen Bäumen, die an den Bächen standen, nichts, was größer als ein Mann war.

Das Hauptquartier des Kommandanten bestand aus einer Gruppe von niedrigen Hütten mit nur einem Raum, die entlang einer

Bodenwelle standen. Vor jeder befand sich eine Feuerstelle zum Kochen. Ihre Silhouetten wurden von einzelnen Felsen und von Geröll unterbrochen, die sie umgaben. Um das Gelände verliefen Schützengräben, der Zugang wurde durch ein MG-Nest gesichert, und an den gegenüberliegenden Hängen lagen einige Stellungen mit Mörser-Batterien. Aus der Größe der Anlage und der Qualität der Organisation schloß Custis, daß der Kommandant etwa vierhundert Leute zu seiner Verfügung hatte.

Custis fragte sich, woher er den Nachschub für sie alle bekam. Nach dem zu schätzen, was er um sich erkennen konnte, gelang es ihm nicht besonders gut. Die Hütten hatten Lehmböden und waren dunkel und heruntergekommen. Ein paar abgehärmte Frauen trugen in abgeschnittenen Ölkanistern, die zu Eimern umgearbeitet worden waren, und die sie auf dem Kopf balancierten, Wasser aus einer Quelle nach oben. Ihre Kleider waren zerrissen. Die Kinder, die auf dünnen Beinchen neben ihnen herliefen, hatten tiefliegende Augen. Zwischen den Felsen lagen hier und da kärglich kleine Gärten. Oben an einem Ende des Tals graste eine kleine Herde magerer Kühe auf dem spärlichen Gras.

Custis nickte. Das bestätigte, was er sich schon seit Jahren gedacht hatte. Die Banditen überquerten zwar noch die Ebenen, um in republikanischem Gebiet zu plündern, aber sie würden es nie wagen, selbst Städte in der Prärie zu bauen, denn diese wären nicht zu halten. Es war eben unmöglich, sich jedermann zum Feind zu machen und zur gleichen Zeit den Übergang zu einem seßhaften Leben zu schaffen.

Da sie aber Frauen und Kinder hatten, benötigten die Banditen irgendwo ein festes Lager. So hatten sie sich bis hierher in die Berge zurückgezogen. Aber langsam wurden ihre Waffen unmodern. Sie waren ein Überbleibsel und starben langsam ab. Wenn die Städte einmal anfangen würden, ihren Besitz auszudehnen, würde kaum noch etwas da sein, um sie aufzuhalten. Falls es den Städten je gelingen würde, sich zu organisieren. Vielleicht starb alles. Der legendäre Osten und Süden waren zu weit weg, um eine Rolle zu spielen. Vielleicht war alles, was eine Rolle spielte, im Sterben begriffen.

„Hier hinein", sagte der Kommandeur und deutete auf eine Hütte. Gefolgt von zwei Männern und schließlich dem Kommandanten gingen Henley und Custis hinein. Außer einer Liege und einem Tisch nebst Stuhl war die Hütte fast kahl. Die Möbel waren aus

Abfallholz und Munitionskisten gefertigt. Der Kommandant setzte sich mit dem Gesicht zu ihnen hin. Seine braungefleckten, von Adern überzogenen Hände ruhten auf dem fleckigen Holz des Tischs.

Custis spreizte die Beine und stand entspannt da. Henley spielte mit seinen Fingern an seinen Hosennähten.

„Was ist mit Berendtsen, Major?" fragte der Kommandant.

„Wir haben gehört, daß er noch lebt."

Der Kommandant schnaufte: „Märchen!"

„Möglich. Wenn er aber tasächlich noch lebt, dann sind die Berge hier logischerweise der beste Platz für ihn." Henley sah den Kommandanten bedeutungsvoll an.

Die Lippen des Kommandanten zuckten. „Ich heiße nicht Berendtsen. Ich trage nicht seine Farben. Und meine Männer nennen sich nicht Vereinigungsarmee."

„Die Dinge ändern sich", antwortete Henley. „Ich habe ja nicht gesagt, daß Sie Berendtsen sind. Wenn aber Berendtsen damals aus New York entkommen konnte, dann wäre es dumm von ihm gewesen, in der Nähe zu bleiben und seinen eigenen Namen zu gebrauchen. Falls er sich tatsächlich in den Bergen aufhält, dann hat er vielleicht kein Interesse daran, daß diese Tatsache bekannt wird."

Der Kommandant verzog sein Gesicht. „Das bringt uns alles nicht weiter. Was wollen Sie von mir?"

„Informationen eben – wenn Sie welche haben. Wir zahlen dafür, in bar oder mit Nachschub, je nachdem, was Ihnen lieber ist, innerhalb von vernünftigen Grenzen natürlich."

„Auch mit Waffen?"

Henley überlegte einen Augenblick. Dann nickte er. „Wenn Sie wollen ..."

„Was dann mit den Leuten in den unabhängigen Städten passiert, das ist Ihnen egal – das glaube ich Ihnen gern. Wie steht es aber mit euren eigenen Leuten in den Randgebieten, wenn wir erst einmal wieder bewaffnet sind?"

„Es ist wichtig, daß wir diese Information bekommen."

Der Kommandant lächelte dünn. „Keine Beteuerung, daß ihr für jedermanns Wohl, nur nicht für das eure regiert?"

„Meine Loyalität gehört der Siebten Republik. Ich gehorche meinen Befehlen."

„Ohne Zweifel. Na gut, was wollen Sie wissen?"

„Kennen Sie hier in der Gegend irgendeine Gruppe, deren Anführer Berendtsen sein könnte?"

„Nein, hier gibt es keine anderen Gruppen. Ich habe sie alle vereinigt. Diese Information können Sie umsonst haben."

„Aha." Henley lächelte zum erstenmal, seit Custis ihn kannte. Seine Lippen verzogen sich wie bei einer alten Jungfer. Seine Augenwinkel zogen sich nach oben, was ihn wie eine listige Katze aussehen ließ. „Sie hätten Geld von mir verlangen können, damit ich das herausbekomme."

„Ich will mir lieber nicht die Finger schmutzig machen. Die paar rostigen Gewehre aus den alten Arsenalen sind mir so viel auch wieder nicht wert."

Henley zuckte mit dem Mund. Er sah den herben Stolz im Gesicht des Kommandanten, der wie eine Maske von Jugend und Kraft auf den Wangen mit ihren grauen Bartstoppeln lag. Dann sagte er: „Also, wenn ich ihn jemals finde, dann bin ich dazu ermächtigt, ihm die Präsidentschaft der Achten Republik anzubieten." Seine Augen glitzerten und sanken wie Krallen in den Gesichtsausdruck des Kommandanten.

Custis knurrte in sich hinein. Eigentlich überrascht hatte ihn Henley nicht, wie er sich sagte.

Der alte Mann aber sah auf den Tisch herab. Seine Hände waren plötzlich zu Fäusten geballt. Nach einer langen Zeit hob er langsam den Kopf.

„Sie arbeiten also nicht wirklich für die Siebte Republik. Man hat Sie hierhergeschickt, um für eine neue Machtkombination eine nützliche Führerfigur zu finden."

Henley lächelte wieder — leicht und selbstsicher. Er sah dabei wie ein Jäger aus, der auf seine Beute geschossen hat und nur darauf wartet, daß sie stirbt. „So würde ich es nicht sagen. Wir würden natürlich nie die Diktatur eines Mannes dulden."

„Natürlich nicht." Der Kommandant hob einen Mundwinkel in die Höhe, und plötzlich erkannte Custis, daß Henley keineswegs so sicher war. Custis sah, wie er sich anspannte, als hätte ein sterbender Tiger plötzlich mit seiner Pranke ausgeschlagen. Der Kommandant hatte seine Augen zusammengezogen. „Im Augenblick habe ich mit Ihnen genug gesprochen", sagte er. Custis fragte sich, wieviel von seiner Schwäche sorgfältig vorgetäuscht gewesen war. „Sie warten draußen. Ich möchte mit Custis reden." Er machte in Richtung der beiden wartenden Schützen eine Handbewegung. „Führt ihn hinaus. Bringt ihn in eine andere Hütte und paßt auf ihn auf."

Custis aber blieb mit dem alten Kommandanten allein in der Hütte.

Der Kommandant sah zu ihm hoch. „Ist das Ihr eigener Wagen da draußen?"

Custis nickte.

„Sie handeln also nur im Auftrag der Siebten Republik. Aber eine besondere Loyalität der Regierung gegenüber empfinden Sie nicht?"

Custis zuckte mit den Achseln. „Zur Zeit weiß man nicht so genau, wer mein Auftraggeber ist." Er war bereit, den Kommandanten erst einmal reden zu lassen, um zu sehen, worauf er hinauswollte.

„Sie haben die Sache gut im Griff gehabt, heute morgen. Wie alt sind Sie − so um neunundzwanzig, dreißig?"

„Sechsundzwanzig."

„Sie sind also vier Jahre nachdem sie Berendtsen umgebracht haben auf die Welt gekommen. Was wissen Sie über ihn? Was haben Sie gehört?"

„Das übliche Zeug. Nach der Seuche war alles zusammengebrochen. Berendtsen hat eine Armee zusammengestellt, das Gebiet übernommen, die Überlebenden einem Gesetz unterstellt und auf diese Art wieder Ordnung in das Ganze gebracht."

Der Kommandant nickte. Es war das Nicken eines alten Mannes, der sein Urteil über die Vergangenheit fällte. „Zwischen der Seuche und Berendtsen haben Sie eine Menge Leute ausgelassen. Außerdem können Sie sich nicht vorstellen, wie schlimm es war. Aber das reicht. Wissen Sie, warum Berendtsen es getan hat?"

„Warum übernimmt jemand die Regierung? Er wollte oben sitzen, nehme ich an. Dann hat jemand anders gemeint, daß er zu groß geworden sei, und hat ihn umgelegt. Dann haben die Leute diesen Jemand umgelegt. Daß Berendtsen tot ist, dessen bin ich mir eigentlich ganz sicher."

„So?" Die Augen des Kommandanten ruhten unverwandt auf Custis.

Custis biß seine Kiefer zusammen. „Allerdings."

„Sehe ich aus wie Berendtsen?" fragte der Kommandant leise.

„Nein."

„Aber ein handgemaltes Bild, das dreißig Jahre alt ist, sagt doch wohl nicht viel, oder, Custis?"

„Eigentlich nicht." Custis merkte, wie er nervös wurde.

„Aber Sie sind nicht Berendtsen", knurrte er aggressiv. „Ich bin sicher, daß Berendtsen tot ist."

Der alte Kommandant seufzte. „Gewiß. Erzähl mir von Chicago", sagte er mit neuer Richtung. „Hat sich viel verändert? Haben sie saubergemacht und aufgeräumt? Oder verlassen sie einfach die Häuser, die wirklich zusammenzufallen drohen?"

„Manchmal. Aber manchmal versuchen sie auch, sie zu reparieren."

„Nur manchmal." Bedauernd schüttelte der Kommandant den Kopf. „Ich hatte eigentlich gehofft, daß sie in der Zwischenzeit, ganz gleich, was für Männer jetzt oben sind ..."

„Wann waren Sie das letzte Mal da?"

„Ich war noch nie da. Aber eine Stadt oder zwei habe ich schon gesehen." Der Kommandant lächelte Custis zu. „Erzählen Sie mir von Ihrem Kampfwagen. Früher gab es mal eine Zeit, da hatte ich eine Schwäche für mechanisches Gerät." Jetzt war er wieder zum alten Mann geworden, der sich in die Vergangenheit zurückträumte. Custis nahm er nur halb wahr. „Wir haben einmal eine ganze Stadt eingenommen, fast ganz ohne Infanterieunterstützung. Das ist sogar mit Panzern schwer, und ich hatte nur gepanzerte Fahrzeuge zur Verfügung. Nur zwanzig, und die schwerste Waffe, die sie hatten, waren die halbautomatischen Kanonen in den Halbkuppeln. Keine Ketten. Ich erinnere mich noch genau. Die Reifen haben sie uns fast sofort zerschossen, und wir sind durch die Straßen geholpert. Eigentlich nur gepanzerte Spähfahrzeuge, aber wir haben sie wie Panzer eingesetzt und die Stadt praktisch sofort eingenommen. Keine sehr große Stadt." Er sah auf seine Hände hinab. „Nein, nicht sehr groß. Trotzdem, ich glaube, das hat vorher noch keiner geschafft."

„Kampf in den Straßen habe ich noch nie gemacht", sagte Custis. „Ich habe auch keine Ahnung davon."

„Wovon haben Sie denn Ahnung?"

„Arbeit im offenen Gelände. Das einzige, wofür ein Kampfwagen gut ist."

„Ein Kampfwagen, richtig."

„Mein lieber Herr, in der ganzen Republik gibt es keine fünf

Kampfwagen, und eine große Reichweite haben auch die nicht. Der einzige Grund, warum meiner noch läuft, ist, daß er keinen Sprit braucht. Ich habe ihn in einem alten Depot der Vereinigten Staaten bei Miles City gefunden. Das war mal ein Testgelände. Mein Vater hat mir beigebracht, wie man so ein Ding führt, und ich hatte noch einen Freund dabei, Lew Gaines, und zusammen haben wir ihn zum Laufen gebracht."

„Wie lange ist das her?"

„Sieben Jahre."

„Und bis jetzt hat noch niemand versucht, Ihnen das Ding wegzunehmen?"

„Hören Sie, der Wagen hat drei Kaliber 50 MGs und zwei 75er!"

Der Kommandant sah ihn von Kopf bis Fuß an. „Verstehe." Er schürzte nachdenklich seine Lippen. „Und jetzt haben Sie ihn mir praktisch ausgeliefert."

„Noch lange nicht. Meine Mannschaft ist noch drin, und ob Sie dazu bereit sind, sich Ihre Soldaten rösten zu lassen, nur um uns umzubringen und den Wagen völlig unbenutzbar zu machen, das ist doch wohl noch sehr die Frage!"

Der Kommandant hob eine Augenbraue. „So sehr ist das gar nicht die Frage."

„Ich finde doch. Wir können uns einigen, daß wir uns gegenseitig voneinander zurückziehen, wenn dies das beste für uns beide ist."

„Sie sind hier. Und Ihre Mannschaft ist unten am Berg."

„Meine Mannschaft ist ohne mich genauso gut."

Der Kommandant ließ die Sache auf sich beruhen, um ein anderes Thema anzuschneiden. „Sie müssen zugeben, daß Sie einen komischen Platz aufgesucht haben, wenn Sie ein Mann sind, der sich nur mit der Arbeit im offenen Gelände auskennt."

Custis zuckte die Achseln. „Der Wagen mußte überholt werden. Chicago ist der einzige Ort, wo die Ausrüstung dafür zu finden ist. Und wenn ich die Werkstatt dort benutze, dann mache ich auch deren Arbeit. So einfach ist das. Das ist außerdem noch ein Grund, warum es sich für Sie und Ihre Leute nicht lohnt, den Wagen zu übernehmen. Wenn Sie irgend etwas daran kaputt machen, dann bleibt es für immer kaputt. Sie würden das auch – Sie haben doch mechanisches Gerät so gern. Wo ist denn Ihr Wagen? Abgenutzt, nicht? Jetzt gehen Sie zu Fuß."

„Nein, wir haben Pferde."

„Pferde!"

Der Kommandant lachte schief. „Sie haben recht. Um Sie von der Stelle zu bewegen, ist wohl einiges nötig, nicht wahr, Custis?"

„Kommt auf die Stelle an, auf der ich bin. Mein Vater hat mir beigebracht, mir diese Stellen sehr sorgfältig auszusuchen."

Der Kommandant nickte wieder. „Würde ich auch sagen. In Ordnung, Custis, später will ich noch mal mit Ihnen reden. Einer von meinen Leuten wird in Ihrer Nähe bleiben. Sonst können Sie sich soviel umsehen, wie Sie wollen. Ich kann mir nicht vorstellen, daß Sie noch mal eine Expedition hier herauffahren werden. Wenn Henleys Pläne Erfolg haben, dann ganz bestimmt nicht. Aber auch nicht, wenn sie keinen haben."

Er drehte sich um und griff unter die Liege nach einer Flasche. Custis versuchte vergeblich, sich zusammenzureimen, was der alte Kommandant gemeint hatte.

Draußen kochten sie ihr Mittagessen. Die Frauen des Lagers kauerten um die Feuerstellen, formlose, nach vorn gebeugte Gestalten. Sie rührten mit angekohlten, langen Holzlöffeln in den Töpfen. Der Essensgeruch lag in einer unsichtbaren Wolke über dem Platz und strich um die Hütten, weitete Custis' Nasenflügel und zog seinen leeren Magen zusammen. Was diese Leute auch zubereiten mochten, es war heiß und roch anders als das breiige Fleisch aus den Verpflegungsdosen im Wagen.

Doch dann zuckte er die Achseln und dachte nicht mehr daran. Er ging gegen den Wind zu einem kleinen Felsbrocken hinüber und setzte sich darauf. Einer der Schützen des Kommandanten kam mit ihm und lehnte sich gegen einen fünf Meter entfernten Felsen. Er legte sein Gewehr in die Beuge seines dünnen Arms und sah Custis stetig mit kalten, schläfrigen Augen an.

Ein Haufen Kinder versammelte sich um die Feuer. Sie füllten Ölbüchsen, die grobe Griffe aus isoliertem Draht besaßen. Nachdem sie sie gefüllt hatten, verließen sie in Begleitung einiger Schützen, die als Eskorte fungierten, das kleine Tal und brachten den Soldaten, die um den Kampfwagen in Stellung lagen, ihr Essen. Custis sah ihnen eine Zeitlang zu und ignorierte sie dann, so gut er konnte.

Henley arbeitete also für eine Gruppe, die die nächste Regierung stellen wollte. Besonders überraschend war es nicht, daß die Siebte

Republik ihren eigenen Tod finanzierte. Jede Regierung bestand mindestens zur Hälfte aus Leuten, die schon in der vorherigen gewesen waren. Sie spielten „Die Reise nach Jerusalem" mit Titeln, und der Finanzminister einer Regierung war der Polizeichef der nächsten. Wer mit seinen Bestechungsgeldern nicht zufrieden war, überlegte sich sicher eine Methode, wie er in seiner nächsten Position mehr bekommen konnte.

Es sah verdammt danach aus, als würde Custis nicht bezahlt werden, wie immer der Kuchen auch angeschnitten wurde. Die Siebte Republik würde ihn nicht bezahlen, wenn er ohne Berendtsen zurückkäme, und falls er ihn fand, würde die Achte Republik sich nicht an die Verträge der vorherigen Regierung gebunden fühlen.

Custis verzog seinen Mund. Immerhin lief der Wagen den Umständen entsprechend gut. Wenn er hier jemals herauskommen würde, dann hätte Kansas City vielleicht einen Job für ihn. Er hatte Gerüchte gehört, daß dort unten etwas los sei. Er kannte die Gegend nicht, und es gab immer Gerüchte, daß es woanders besser sei, aber versuchen könnte er es. Oder er könnte sogar nach Osten gehen, wenn die Straßen über die Berge noch etwas taugten. Das könnte allerdings ein wirklich riskantes Unternehmen werden. Niemand wußte, was hinter den Appalachen vor sich ging. Vielleicht gab es dort eine Organisation, die selbst eine Menge Kampfwagen besaß und für Halbbanditen aus der Ebene keine Verwendung hatte. Sehr klug wäre es nicht, sich dorthin zu wenden. Tatsächlich wußte er tief in seinem Innern, daß er von den Ebenen im Norden nie weggehen würde, ganz gleich, welche Argumente er dafür oder dagegen hatte. Es war zu riskant, in eine Stadt zu fahren, wo schon lange keine Kampfwagen mehr gebraucht wurden.

Er fragte sich, wie es seinen Leuten in dem Wagen wohl gehen könnte. Er hatte bisher von dort drüben keine Schüsse gehört, und er erwartete auch keine. Aber es war eine verteufelte Situation, hier oben festzusitzen, nichts zu wissen und sich die Männer auf den Felsen anzuschauen, um die Zeit zu vertreiben.

Wenn man es sich so richtig überlegte, war es ein lausiges Leben. Man wartete auf den Tag, an dem man in eine Fallgrube unter dem Gras fiel, und das letzte, was man tun würde, wäre zu versuchen herauszuklettern, während oben die Leute, die die Grube gegraben hatten, mit ihren Messern warteten. Oder jedesmal die Unsicherheit, wenn man in eine der verlassenen Präriestädte hineinfuhr, wo angeblich niemand mehr lebte, ob nicht vielleicht jemand in einer versiegelten Tonne doch noch Benzin gefunden hatte und auf dich wartete, um dich anzustecken.

Aber was, zum Teufel, konnte man denn sonst tun? In den verdammten Städten wohnen, wo man sich das Kreuz in der Dreckfabrik eines anderen brach, wo es nur das zu essen gab, was man selbst gezogen oder gestohlen hatte, und auch davon nicht viel, wo man in irgendeinem Loch wohnte, das man erst erreichte, wenn man vorher zwölf Stockwerke die Treppen hochgestiegen war? Wo man im Winter erfror und in einer Seitenstraße wegen eines Mantels den Hals abgeschnitten bekam?

Custis schüttelte sich plötzlich. Zur Hölle damit. Er dachte im Kreis. Wenn man damit erst einmal anfing, dann hatte man schon verloren, bevor man irgend etwas unternahm.

Custis glitt von seinem Felsen herab, streckte sich auf dem Boden aus und dachte beim Einschlafen an Berendtsen.

Viertes Kapitel

Und dies widerfuhr Theodor Berendtsen, als er noch jung war. Er war im Schatten eines Schutthaufens aufgewachsen, der von einem verwitterten Zeichen gekrönt wurde. Das war alles, was ihn an seinen Vater erinnerte. Und dies fing er damit an:

Ted Berendtsen öffnete die Luke und rief laut, um den Lärm zu übertönen, den die Motoren des Patrouillenboots machten: „Die Bucht, Jack."

Holland nickte, tippte mit zwei suchenden Fingern die letzten Sätze seines Berichts zu Ende und stand auf. „Was gibt es Neues von Matt?"

„Eigentlich nichts. Ich habe gerade bei Ryder gefragt, der hat Funkwache."

Holland kletterte an Deck und streckte seine verkrampften Muskeln. „Mann, das nächste Mal, wenn Matt eine Abordnung ausschickt, kann jemand anders mitfahren. Patrouillenboote stehen mir bis *hier*."

Ted nickte säuerlich. „Philadelphia steht mir auch bis hier", knurrte er in bewußter Nachahmung der Stimme Jacks. Zum hundertstenmal sah er das leichte Lächeln auf Jacks Lippen und schwor zum hundertstenmal, seine pubertäre Heldenverehrung einzustellen. Oder sie zumindest einzuschränken. „Brüderliche Liebe. Mein Gott!"

Er wurde rot. Jungenhafte Begeisterungsfähigkeit war auch nicht besser.

Holland brummte etwas in sich hinein und sah nach den frischen MG-Beschuß-Narben auf dem Holz des Decks. „Das da unten ist eine harte Nuß."

Ted nickte in feierlicher Zustimmung, erwischte sich sofort mit dem Bewußtsein von Feierlichkeit, wurde wieder rot und zuckte schließlich innerlich die Achseln. Zum hundertstenmal verzweifelte er an dem Problem, sechzehn zu sein. Statt dessen beobachtete er, wie die Küste vorbeiglitt, konnte aber schon bald den Lockungen Manhattans nicht widerstehen. Die Stadt der Wolkenkratzer füllte den Horizont vor ihm aus. Ihre Fenster blitzten in der Sonne.

Er wußte, daß Holland seinen Blick bemerkt hatte, und verfluchte sich selbst, weil er es wußte. Und all dies nur, weil Holland ihm sein erstes richtiges Gewehr besorgt und ihn im Schießen unterwiesen hatte.

„Verdammt, ist die groß", sagte er.

Jack nickte. „Groß ist das richtige Wort. Ich möchte nur wissen, was sich alles seit unserem Auslaufen angeschlossen hat."

„Die West Side ganz sicher nicht."

„Die Burschen werden sich nie rühren", sagte Holland.

Ted nickte. Wieder viel zu feierlich.

Matt Garvin legte den Bericht hin und seufzte. Dann blickte er an Ted vorbei und sah Holland an. Er trug den scharfen Blick eines Mannes, der sich sicher ist, daß sein Partner ihn genau versteht. „Die Leute in Philadelphia sind auch nicht anders, oder?"

Jack lächelte dünn. Wie immer, wenn sich Jack und der alte Matt mit solchen kurzen Sätzen die Abschnitte aus der Vergangenheit repräsentierten, verständigten, verspürte Ted ein Gefühl des Neides. Er unterdrückte rücksichtslos einen eigenen Seufzer. Als er und Jack an Bord des Patrouillenboots gegangen waren, hatte er vage gehofft, daß ihm irgend etwas — eine wie auch immer geartete Feuerprobe oder eine nicht näher definierte überwältigende Erfahrung — das nicht greifbare gewisse Etwas verleihen würde, das er bei Holland als Zeichen von Männlichkeit erkannte. Als das Boot langsam die Küste von Jersey heruntertuckerte, hatte er gehofft, daß irgendein Gegner sie von der Küste aus angreifen oder sich aus dem Meer erheben würde und daß er, nach dem Ende eines erbitterten Kampfes, plötzlich ein hageres Gesicht haben, sich mit lässiger Eleganz bewegen und in Sätzen sprechen würde, die von selbst kurz und prägnant geworden waren. Nichts hatte sich verändert.

„Was meinst du?" fragte ihn Matt.

Er war auf die Frage nicht vorbereitet. Er überlegte sich, daß er lächerlich aussehen mußte, wie sich sein zuvor abwesender Blick hastig wieder auf Matt Garvin konzentrierte.

„Zu Philadelphia?" fragte er hastig. „Also, ich glaube, mit denen werden wir noch ganz schön Schwierigkeiten kriegen."

Garvin nickte. „Du meinst also, daß wir mit den Leuten früher oder später zusammenrasseln, nicht?"

„Genau!" Wieder erkannte er das Lächeln auf Jacks Lippen. „Das denke ich auch", verbesserte er sich hastig. Verdammt, verdammt, *verdammt*!

„Hast du für deine Meinung einen besonderen Grund?"

Ted zuckte unsicher mit den Achseln. Er dachte wahrscheinlich weniger an seinen Vater als er sollte. Er konnte sich nur dunkel an den großen Mann erinnern, der so freundlich gewesen war. In den Augen eines Kindes war er zweifellos überlebensgroß gewesen. Wenn er Zeuge seines Todes gewesen wäre, hätte er das fehlende Stück besessen, mit dem er die Lücke hätte ausfüllen können. Er hätte einen Lebensinhalt gehabt, etwas, auf das er sich beziehen, das er pflegen und dem er sich widmen konnte. Aber er hatte nicht gesehen, wie sein Vater starb. Er konnte sich lediglich an den Schmerz seiner Mutter erinnern, der ihn noch immer ängstigte, wenn er zu intensiv daran dachte.

Er stand hoffnungslos vor Matt Garvin und hatte nur Argumente, mit denen er sich rechtfertigen konnte. „Ich weiß nicht genau, Matt", stotterte er. „Aber die da unten haben Pennsylvania und New Jersey praktisch in der Hand – sie brauchen nur zuzugreifen. So in fünfundzwanzig, dreißig Jahren werden sie uns hier oben schon bedrängen. Wir haben nur Long Island, und das wird uns dann nicht mehr ernähren können. Wir sitzen hier auf der Insel fest. Die könnten uns leicht abschneiden." Er hörte auf zu sprechen, da er nicht wußte, ob er genug oder vielleicht schon zuviel gesagt hatte.

Garvin nickte wieder. „Hört sich vernünftig an. Von einer Organisation ist in dem Bericht allerdings nicht die Rede. Wie sieht es damit aus?"

Ted sah schnell zu Jack hinüber. Wenn Holland in seinem Bericht nichts davon erwähnt hatte, dann sicherlich nur aus dem Grund, weil er wie Ted der Meinung war, daß die wirkliche Sachlage auf der Hand lag. Ihm kam der Gedanke, daß Garvin seine Argumentationsfähigkeit überprüfte.

Jetzt fühlte er sich noch unsicherer.

„Also", sagte er schließlich, „ich kann mir nicht vorstellen, daß sich die Leute in Philadelphia grundsätzlich von uns unterscheiden. Ich kann keinen Grund erkennen, warum sie sich nicht irgendwie organisiert haben sollten. Vielleicht läuft das aufgrund irgendwelcher lokalen Einflüsse ein bißchen anders als bei uns, aber grundsätzlich müßte es eigentlich genauso sein." Er machte eine unsichere Pause. „Ich drücke mich nicht klar aus, oder?" fragte er.

„Bis jetzt ist das alles richtig, Ted. Sprich weiter", sagte Garvin ohne ein Zeichen von Ungeduld.

Ein Teil seiner inneren Unbeholfenheit verschwand. Er sprach weiter. „Also, ich meine, wenn jemand nur mit einem Schiff in den Hafen käme so wie wir in Philly –, dann hätte er ziemliche Schwierigkeiten, von unserer Art von Organisation etwas zu bemerken. Höchstwahrscheinlich würde man nicht auf unsere Radiofrequenz stoßen. Bei einer Landung an der West Side würde dieser Jemand auf die kleinen Gangs in den Lagerhäusern treffen. Selbst wenn er zufällig in organisiertem Territorium wäre – ich weiß nicht so recht. Wenn hier jemand mit einem Schiff den Fluß hochkäme, dann würde ich ihm aller Wahrscheinlichkeit nach nicht trauen, ganz egal, was er mir zu erzählen versuchte. Es ist jedoch immer die gleiche Geschichte. Man ist nicht bereit, sich anderen anzuschließen, wenn dies nicht zu den eigenen Bedingungen geschehen kann. Wir haben zuviel an harter Arbeit und an Kämpfen investiert, bis die Organisation erst einmal lief. Es kommt gar nicht so sehr darauf an, daß dies für die anderen auch zutrifft. Jeder von uns hat recht, wenn man sich die Sache mal aus verschiedenen Perspektiven ansieht. Und für uns wäre es natürlich viel angenehmer, wenn wir es wären, die zum Schluß die Dinge in der Hand hätten, weil wir dann sicher sein könnten, und nur dann, daß all unsere Mühe nicht umsonst war."

Er schwieg, weil er meinte, damit sei alles gesagt, aber dann kam ihm noch ein Gedanke.

„Wenn es einen Haufen Dinge geben würde, über die man verhandeln könnte, dann wäre es anders. Dann hätte man ja einen Spielraum, in dem man sich bewegen könnte. Wenn wir mit der Organisation weiter vorankommen, gelangen wir einmal an diesen Punkt, denke ich. Aber zur Zeit ist die Sache doch so oder so ziemlich klar. Uns geht es allen ungefähr gleich gut. Wenn es jemandem entscheidend besser ginge, dann hätten wir in der Zwischenzeit schon etwas davon gehört. Wenn wir also die Sache von unserem Standpunkt aus betrachten, dann ist es für unsere Organisation viel besser, wenn wir es sind, die entscheiden, wer sich uns anschließt. Wenn also jemand von außen hier herumschnüffelt, dann ist es das beste, wenn wir ihn entmutigen." Er unterbrach sich lange genug, um schief zu lächeln. „Und da unten in Philly haben sie uns auf jeden Fall entmutigt. Das einzige, war wir von Philadelphia gesehen haben, war der Hafen. Ich meine, da unten mag alles mögliche los sein, aber wir können es nicht sehen. Dazu müßte man tief in die Stadt eindringen, in die Wohnsiedlungen. Genauso wie bei uns – wenn jemand etwas über Manhattan wissen will, dann muß er bis zur Lower East Side kommen. Und ich glaube, das heißt, ich bin mir ziemlich sicher, daß kein Fremder eine solche Chance bekommt."

„Aha." Garvin grinste Jack an, und Holland lächelte zurück. Ted stand ungeschickt da und sah von einem zum anderen.

„In Ordnung, Ted", sagte Garvin und wandte sich ihm wieder zu. „Mir scheint, daß du deine Augen offengehalten, deinen Verstand benutzt hast."

Mit leiser Überraschung gestand sich Ted ein, daß dies richtig war. Aber er hatte sich dazu nicht besonders angestrengt, und er hatte mit Sicherheit nichts getan, um sich besonders auszuzeichnen. Das kurze Gefecht im Hafen von Philadelphia hatte nicht die sehnsüchtig erwartete Gelegenheit geboten, seine Jugendlichkeit abzulegen. Alles in allem wußte er nicht, was er Matt jetzt antworten sollte, und er war zutiefst dankbar, daß eine Antwort nicht nötig zu sein schien.

„Ich denke, das wär's, Ted. Eigentlich kannst du jetzt auch heimgehen. Margaret hat bestimmt jetzt das Abendessen fertig. Sag ihr bitte, ich komme gleich nach. Jack und du, ihr könnt es euch jetzt mal ein paar Tage gutgehen lassen. Aber ich habe schon bald wieder einen Auftrag für euch."

„In Ordnung, Matt. Bis nachher."

Das hatte sich schon wieder so gezwungen lässig angehört, dachte er. Er bemerkte, daß Jack gerade selbst etwas sagen wollte, wahrscheinlich genau dasselbe. Er hatte es mit dem gleichen, halbversteckten Lächeln zu Garvin abrupt unterdrückt. Verdammt, verdammt, *verdammt!*

„Das wär's also", sagte Holland vor Matts Hauptquartier. Er streckte sich genüßlich und lachte mit den Augen. Er klopfte Ted leicht auf die Schulter. „Bis morgen", sagte er und ging in seinem katzenhaften Gang fort. Das Gewehr, das am Riemen an der Schulter hing, hielt er senkrecht, indem er mit der Handfläche sanft gegen den Kolben drückte.

Ted lächelte. Jack war einen Monat lang auf dem Schiff einge-
sperrt gewesen. Den Begriff „katzenhaft" konnte man mit Leichtigkeit nicht nur auf seinen Gang, sondern auch auf manches andere anwenden. Ted lächelte wieder. Bedauernd.

Er schnallte seinen Gewehrriemen enger und ging entschlossen
auf das Apartment der Garvins zu.

Seit dem Tod seines Vaters hatten Ted und seine Mutter mehr oder
weniger bei den Garvins gewohnt. Die beiden Wohnungen lagen
Wand an Wand, und bis zu der Zeit, als sich Ted das Recht verdient hatte, sein eigenes Gewehr zu tragen, hatten die beiden Familien unter Matts Schutz gestanden. Ted war mit Jim und Mary Garvin herangewachsen. Bob war fünf Jahre jünger als Ted und daher
als Spielkamerad noch untauglicher als Mary. In der letzten Zeit
hatte Mary allerdings an Bedeutung entscheidend gewonnen, obwohl sie erst dreizehn war. Sie wirkte auf ihn erheblich reifer als
andere Mädchen ihres Alters, von denen er die meisten vollständig
ignorierte.

Er beugte sich herab und zog die Schrauben, mit denen die Hö-
heneinstellung am Korn vorgenommen wurde, mit sorgfältiger
Konzentration an.

„Du meinst, sie hatten ein *Maschinengewehr?"* fragte Mary
atemlos.

„Ganz genau." Er zuckte lässig die Achseln und sah nach, ob der
Spannhebel präzise funktionierte. „Ein paar Minuten lang ging es
ganz schön haarig zu." Er nahm das Schloß heraus und sah sich
das Patronenlager, das allerdings schon makellos sauber war, genau an.

„Und was hast du dann gemacht? Ich hätte wahnsinnige Angst
gehabt."

Er zuckte wieder die Achseln. „Ich hab' mich herumgedreht und
bin losgerannt. Es sah so aus, als seien es nur ein paar Leute, aber
es roch nach mehr. Man konnte nicht wissen, wer da noch im Hinterhalt lag." Er schob den Verschluß wieder ein und ließ ihn ein
paarmal hin und her gleiten, um das Öl gleichmäßig zu verteilen.
„Ich habe ehrlich gesagt an die Mörser gedacht, die Matt unten am
Fluß hat. Warum sollten die nicht auch so was haben? Egal, auf jeden Fall haben wir uns zurückgezogen. Ryder saß am Backbordge-
schütz, das ist links, und er hat sie noch ein bißchen damit beharkt.

Hat sie erwischt, denke ich, weil wir immer noch in Reichweite waren und sie nichts mehr gemacht haben." Er fuhr mit einem öligen Lappen über die freiliegenden Metallteile des Gewehrs, legte den Sicherungshebel um und schob ein aufgefülltes Magazin ein. Als er aufsah, schaute Jim zu ihm herüber, warf einen Blick auf Mary und zwinkerte ihm zu. Ted wurde rot, und er warf seinem Freund einen strengen Blick zu.

„Na ja, ich glaube, ich lege mich jetzt hin", sagte er. Seine Mutter war schon vor ein paar Minuten gegangen. Er streckte sich und gähnte. Er warf sich sein Gewehr über die Schulter. „Gute Nacht zusammen."

Mrs. Garvin sah von ihrem Nähzeug hoch. „Gute Nacht, Ted."

„Nacht, Ted", sagte Jim kurz.

„Gute Nacht, Ted", sagte Mary. Er hob seine Hand zu einem kurzen, lässigen Winken und ging durch die Verbindungstür. Seine Hand ruhte lässig am Kolben des Gewehrs.

„Ted?"

Er zuckte leicht zusammen, als er die Tür hinter sich schloß. „Ja, Mutter", sagte er schnell, bevor die Angst in ihrer Stimme sich verstärken konnte.

Sie kam in das Zimmer und blieb beim Eingang stehen. „Natürlich bist du es", sagte sie mit einem nervösen Lächeln. „Ich weiß überhaupt nicht, wer es sonst hätte sein können."

„Also, vielleicht der Butzemann oder Heinzelmännchen oder ein Geist..." Er ließ die scheinbare Ernsthaftigkeit seiner Stimme in ein Lächeln übergehen. Ihr Gesicht entspannte sich ein wenig.

„Soll ich dir noch Tee bringen oder sonst irgend etwas?" fragte er, während er sein Gewehr in dem Ständer neben der Tür abstellte.

„Ja, bitte. Gehst du jetzt schlafen?"

„Ich glaube schon. Ich bin ziemlich müde", sagte er auf dem Weg zur Küche.

„Ich habe dein Bett gemacht. Sonst habe ich dein Zimmer so gelassen, wie es war, als du weggingst."

„Danke, Mutter", sagte er und gestattete sich in der Küche, wo ihn niemand sehen konnte, ein zärtliches Lächeln.

Er brachte ihr die Tasse Tee hinaus, die sie mit dankbarem Lächeln entgegennahm. „Schön, dich wieder im Hause zu haben", sagte sie. „Ich habe hier ganz allein herumgesessen."

„Nebenan sind doch die Garvins", erinnerte er sie.

Sie lächelte leicht. „Für dich sind da mehr als für mich. Die Kinder werden für meinen Geschmack manchmal etwas zu laut. Matt ist den ganzen Tag beschäftigt, und er geht praktisch sofort nach dem Essen schlafen. Und in der Gesellschaft von Margaret fühle ich mich auch nicht mehr so wohl wie früher." Ihr Lächeln verriet jetzt Besorgnis. „Sie wirkt in der letzten Zeit sehr deprimiert, Ted. Matt ist jetzt schon über vierzig, und er trägt immer noch das Gewehr wie die anderen Männer. Was wäre denn, wenn er sterben würde?"

„Ich meine, er muß das tun, Mutter. Es ist seine Verantwortung. Wenn er es nicht mehr schaffen würde, dann würde jemand anders bestimmen. Und er macht seine Sache gut. Ich habe noch keine Beschwerden über ihn gehört."

„Ich weiß, Ted, und Margaret weiß es auch. Aber das hilft nichts, oder?"

„Wahrscheinlich nicht. Aber wie die Dinge stehen, können wir nichts daran ändern." Er beugte sich über sie und küßte sie auf die Wange. „Bleibst du noch auf?"

Sie nickte. „Ich glaube, ja. Gute Nacht, Ted."

„Gute Nacht, Mutter."

Er ging durch den Gang zu seinem Zimmer, zog sich aus, blies die Lampe aus und legte sich ins Bett. Er lag mit geschlossenen Augen wach in der Dunkelheit.

Für die Frauen war es ein hartes Leben. Er fragte sich, ob dies der Grund dafür war, daß Jack Holland nicht verheiratet war. Er war schon neunundzwanzig.

Verdammt. Noch dreizehn Jahre.

Matt war zwei- oder dreiundvierzig. Der alte Matt, der in einer anderen Zeit und an einem anderen Ort noch gar nicht so alt wäre. Der alte Matt mußte einmal der junge, neunzehn Jahre alte Matt gewesen sein, der versucht hatte, in den ersten Monaten nach der Seuche zu überleben. Diese sagenhafte Seuche, von der niemand viel wußte, weil jeder nur wußte, was ihm passiert war oder was denen passiert war, die bei ihm waren. Von dem, was sonst in der ganzen Welt geschehen war, hatte kaum jemand eine Ahnung. In der ganzen Welt. Es mußte doch Tausende von Orten wie Manhattan geben, in denen Männer wie Matt und Jack wohnten und versuchten, die Umwelt zu organisieren, die Menschen wieder zusammenzubringen. Und höchstwahrscheinlich gab es Tausende von jungen Burschen wie Ted Berendtsen, die eigentlich mit dem sinnlosen Grübeln aufhören und schlafen sollten, und zwar ... sofort.

„Mann, das schmeckt mir aber überhaupt nicht", sagte Jim Garvin, als er ihre Rucksäcke packte und Ersatzmagazine in ihre Gurte steckte.

Ted, der gerade sein Korn einrußte, um irritierenden Glanz zu verhindern, zuckte die Achseln. „Wenn es dir schmecken würde, dann wärst du auch wirklich verrückt. Aber es muß gemacht werden, und zwar früher, als wir es angenommen hatten."

„Hat Papa etwas darüber zu dir gesagt?"

Ted schüttelte den Kopf. „Nein. Was letztlich dafür verantwortlich war, das war der Bericht, den Jack und ich über die Philly-Expedition abgeliefert haben. Wir müssen die Gegend hier bereinigt haben, falls sie uns angreifen. Sie wissen, wo wir hergekommen sind." Er schnallte sich den Rucksack fester auf die Schultern und verschob das Koppel, bis das Colt-Halfter bequem saß. Normalerweise trug er keine Pistole, aber hier ging es um Nahkampf, sobald sie die Männer aus der Deckung gelockt hatten. Das Ding schien eine Tonne zu wiegen.

„Da hast du wohl recht", gab Jim zu.

Ted runzelte leicht die Stirn. Jim hätte wenigstens an die offensichtliche Frage denken können, wenn er schon in einer Stimmung für Fragen war. Er hatte sie sich selbst schon gestellt und sie so beantwortet, daß der Versuch, die gesamte Lower West Side auf einmal zu nehmen, auf jeden Fall gemacht werden mußte. Es bestand zwar die Möglichkeit, daß jenes schrittweise Vorgehen, das bei der East Side Erfolg gehabt hatte, hier modifiziert werden konnte – und Zeit war eigentlich auch genug vorhanden –, aber das ganze Gelände war nun seit über zwanzig Jahren völlig undurchdringlich. Die Menschen, die darin wohnten, kannten jeden Winkel und Hinterhof. Jeder Versuch, es Stück für Stück zu nehmen, hätte zu einer Serie von endlosen Scharmützeln mit Heckenschützen geführt.

Auf der anderen Seite hatte er Jim natürlich ein Jahr und ein paar Monate an Alter und damit Erfahrung voraus.

Jack Holland kam zu ihnen herüber. „Fertig?" Sein Sturmgepäck quoll über von Munition, Dynamit und Molotow-Cocktails. Sein Gewehr hielt er in der Hand. Ted nickte kurz. Es überraschte ihn ein wenig, als er Jim „Jawohl, Sir!" sagen hörte. Er sah von Jim zu Jack und zwinkerte kaum merklich mit einem Auge. Jack grinste leicht.

„Gut, nehmt eure Positionen ein. Matt nimmt sich das Bankviertel vor. Er kommt in einem Bogen von der Battery hoch. Wir marschieren direkt quer durch die Stadt. Billy McGraw und noch eine andere Gruppe fallen kurz unterhalb der Zweiundvierzigsten Straße ein." Er machte eine kurze Pause für einige beruhigende, satirisch gemeinte Gesten. „Wir haben es wieder mal am besten erwischt."

Jim lachte, während Ted wiederum lächelnd Jack zuzwinkerte. Der Junge war offensichtlich ein bißchen nervös.

Die drei gingen über die Straße zu dem Rest ihrer Gruppe. Die Männer standen aus alter, lebenswichtiger Gewohnheit unauffällig zwischen Autos und in Toreingängen und warteten. Ted sah zum Himmel hoch. Es wurde langsam dunkel, und sie würden bald ausrücken.

Jack fiel zurück und ging neben ihm her. „Sieh zu, daß Jim möglichst nahe bei dir bleibt, ja?" sagte er mit leiser Stimme. „Ich kann mich selbst nicht viel um ihn kümmern."

„Klar", antwortete Ted. „Ich passe auf ihn auf."

Zwei Nächte und drei Tage lang brach die Hölle los. Seit jenem kalten Morgen, als sie aus ihren Stellungen gekommen waren und sich den Weg in eine Verpackungsfabrik freigesprengt hatten, war das Peitschen von Gewehrschüssen und manchmal das Bellen schwerer Pistolen durch die mit Abfall gefüllten Straßen gehallt und hatte die breiten, tödlichen Straßen mit Echos erfüllt. Im ersten Überraschungsangriff hatten sie Lücken in Mauern gesprengt, Fenster eingeschlagen und sich den Weg von Zimmer zu Zimmer freigeschossen. Hier und da explodierte ein Molotow-Cocktail und sandte eine Säule schwarzen Rauches in den Himmel, die sich in dem leichten Wind und dem Nieselregen, der am zweiten Tag begonnen hatte und noch immer anhielt, wie ein lebendiges Wesen bewegte. Ein ständiger Strom von Kurieren versorgte sie mit Munition, und sie ernährten sich von den dürftigen Kleinigkeiten, die sie fanden. Plünderergruppen nahmen den Leichen, die sie zurückließen, Waffen und Munition ab.

Zwei Tage und drei Nächte. An der oberen Seite der Vierzehnten

Straße hatten sie angefangen. Unterstützende Gruppen säuberten die untere Seite, um die Nachschubwege zu sichern.

Am Abend des dritten Tages hatten sie die Achtzehnte Straße erreicht.

Ted ließ seinen Kopf gegen eine Wand sinken und füllte ein Magazin mit Patronen. „Wie geht's, Jim?"

Jim Garvin fuhr sich mit der Hand über das Gesicht und schüttelte seinen Kopf in dem vergeblichen Versuch, auf diese Art etwas von seiner Müdigkeit loszuwerden. „Ich hab' die Nase voll."

Ted schob das volle Magazin in seinen Gurt und fing mit einem weiteren an. Er grinste leicht. „Ich auch", stimmte er ihm zu. „Hast du Jack heute schon gesehen?"

„Nein. Meinst du, es könnte ihn erwischt haben?"

„Quatsch, den doch nicht. Der hat schon Häuserkampf gemacht, als wir noch nicht laufen konnten." Er machte seinen Rucksack auf und warf Jim eine Dose Fleisch hinüber. „Hau rein! Ich habe mir was aufgehoben. Den Dreck, den die hier gefressen haben, hält je kein Magen aus."

Jim schüttelte sich und atmete laut durch die zusammengebissenen Zähne aus. „Das kannst du laut sagen. Dabei reiht sich hier doch ein Lagerhaus an das andere." Er machte die Dose auf und fing dankbar an zu essen.

„Der letzte Verein hier. Jeder hat nur auf dem gesessen, was er hatte, und wie es den anderen ging, das war ihm egal. Denk bloß mal an die Leute, die sich nur von Obst in Dosen ernährt haben!"

„Überhaupt keine Organisation", stimmte Jim zu. „Was ist eigentlich mit den Leuten hier los, daß sie so spinnen?"

Ted zuckte die Achseln. „Eigentlich nichts weiter. Die hatten nur eine ganze Menge Festungen, die sich ihnen direkt aufdrängten. Diese Lagerhäuser sind stabil gebaut. Außerdem waren es eben Lagerhäuser. Bis zum Dach voll mit Nachschub. Das sah wahrscheinlich wie ein leichter Ausweg aus."

„Was glaubt du, wie lange wir für den Mist hier noch brauchen?"

„Kommt drauf an. Wenn Matt in seinem Bezirk durchkommt, erhalten wir von ihm Unterstützung. Und wenn McGraw sich durchgebissen hat, dann haben wir sie in der Zange. Wäre mir natürlich am liebsten, wenn es so käme, aber ich weiß nicht recht.

Nach allem, was ich so gehört habe, ist dieses Greenwich Village eine Mausefalle, und McGraw hat es bestimmt genauso schwer wie wir. Ich wünsche, ich wüßte, wie es um die ganze Operation im Moment steht."

„Wenn es Vati gutgeht, dann ist mir der Rest der Operation piepegal. Der Teil davon, der mir am wichtigsten ist, der sitzt genau hier."

„Stimmt, aber das hängt doch alles zusammen", erklärte Ted.

„Darüber soll sich jemand anders Gedanken machen", sagte Jim.

Ted sah ihn nachdenklich an. „Stimmt. Vielleicht hast du recht." Zum erstenmal dachte er, daß es nicht so aussah, als würde Jim die Nachfolge seines Vaters antreten. Er konnte mit dem Gewehr gut umgehen, und wenn er einmal etwas angefangen hatte, dann brachte er es auch zu Ende. Aber eigene Gedanken machte er sich nicht.

Das berührte ihn irgendwie. Der Gedanke war ihm gegen seinen Willen gekommen, weil Jim sein Freund und wie sein Vater ein erstklassiger Kämpfer war. Aber inzwischen genügte es nicht mehr, nur ein erstklassiger Kämpfer zu sein. Das Gesamtbild wurde ständig durch neue Faktoren erweitert. Dieser gesamte Zug gegen die West Side war kein Raubzug oder ein Organisationsprozeß, obwohl das Resultat beides umfassen würde. Er war in erster Linie ein strategischer Zug, der für den Tag vorsorgen sollte, an dem Philadelphia gegen die Küste losziehen würde. Matt hatte als Gewehrschütze angefangen und langsam, Stück für Stück, dazugelernt, und zwar in demselben Tempo, in dem eine Welt komplizierter wurde. Jim aber würde die Zeit nicht haben, durch Übung zu lernen, was er nicht instinktiv wußte. Er war zu jung, und Matt war zu alt − da blieb nicht mehr genug Zeit.

Aber was sollte das alles, dies hier war ja schließlich eine Republik, oder? Eine Republik lebte davon, daß sie je nach Bedarf verschiedene Arten von politischen Führern entwickelte.

Aber er mochte die Vorstellung trotzdem nicht. Er würde darüber nachdenken müssen, sie zu Ende denken, bevor er sie ganz akzeptieren konnte.

„Eigentlich könnten wir ein bißchen schlafen, Jim", sagte er. „Sieht so aus, als seien die großen Sachen für heute abend zu Ende. Ich übernehme die erste Wache."

„Gut." Jim drehte sich dankbar auf die Seite und legte seinen Kopf in die Arme. Ted überprüfte seinen 45er. Er hatte heute schon zwei Ladehemmungen gehabt. Er ging mit dem Riesending nur widerwillig um, zumal es einen Rückschlag hatte, der an einen Pferdetritt erinnerte. Es hatte viel mit dem Magnum-Gewehr von Matt gemeinsam, mit dem er ebenfalls nicht umgehen konnte. Der Lauf war zu schnell ausgebrannt, man benötigte besondere Munition, es war schwer zu pflegen und ansonsten ungefähr so raffiniert wie eine Keule. Traf man aber einen Menschen mit einer Kugel auch nur irgendwo an seinem Körper, dann warf der hydrostatische Schock ihn um oder tötete ihn sogar. Nach Teds Meinung war das nur selten ein Vorteil. Es hatte keinen Sinn, einen möglicherweise guten Mann umzubringen, wenn man ihn auch auf eine andere Art außer Gefecht setzen konnte.

Ted dachte, daß all diese Überlegungen zum Thema Nahkampf ihm bei seinem großen Problem nicht weiterhalfen. Er begann zu verstehen, warum Jack Holland noch nie wirklich eng mit Jim zusammengearbeitet hatte. Wenn man sich die Sache einmal im richtigen Licht besah, gab es plötzlich eine Menge Beweise.

Jack Holland. Er hoffte, daß es Jack Holland sein würde, der von Matt die Führung übernahm, wenn der unvermeidliche Zeitpunkt einmal kommen würde.

Eine Woche schon. Jack mußte schließlich das gradlinige Vorgehen aufgeben, mit dem parallel Block für Block erobert werden sollte, sondern war gezwungen gewesen, die rechte Flanke vorzuziehen, um von den oberen Blocks östlich der Ninth Avenue soviel wie möglich einzunehmen. Auf dieser Seite der Linie, die zur Grenze des Gebiets der Lagerhaus-Banden geworden war, waren die Männer der Republik auf die McGraw-Gruppe — jetzt von Ryder geführt — gestoßen, die genauso vorgegangen war. Trotzdem war der Vormarsch der Truppen von Garvin an der Neunzehnten und Einunddreißigsten Straße zum Stillstand gekommen, soweit es die Lagerhaus-Banden betraf, und in das Umfeld der Ninth Avenue gelangen nur noch kleinere Vorstöße. Die von Matt selbst geführte Gruppe zog sich langsam aus Greenwich Village zurück, obwohl einzelne Widerstandsnester in den fast idealen Verteidigungspositionen, die die verwinkelten Gassen und Kreuzungen boten, noch auszuräumen waren. Aber auch dort war der eigentliche Kern des

Widerstands kaum berührt woden, denn fast alle Trockendocks, Lagerhäuser sowie Schiffe in den Docks konnten sich noch halten.

Irgendwie war Ted zu einer eigenen Gruppe von Männern, die sich ihm angeschlossen hatten, gekommen. Sie waren offensichtlich bereit, sich ihm und seinen Vorschlägen ohne Diskussion zu beugen, und er ließ es dabei bewenden, solange er keine groben Fehler machte. Im Weg waren sie ihm und Jim auf jeden Fall nicht. Sie waren inzwischen alle unrasiert und hatten zerrissene Kleider. Niemand von ihnen hatte viel geschlafen. Der Schlafmangel vernebelte wahrscheinlich ihre Urteilskraft, aber das wilde Aussehen wirkte sich zu seinen Gunsten aus, denn sein Bart, verstärkt durch den Dreck, war stark genug, die jungenhafte Rundheit seines Gesichts zu verbergen.

Die Munition allerdings wurde knapp.

Sein Kopf fiel nach vorne, und als er ihn wieder hochriß, schreckte er aus seinem Dösen auf. Jack grinste ihm zu. „Macht einen ganz schön müde, was?"

Ted knurrte. „Hast du da was gehört?" fragte er und zeigte auf das Funkgerät.

„Ryder kommt hoch, Matt kommt runter. Wir bewegen uns westlich. Geschwindigkeit: zehn Zentimeter pro Stunde."

„Haben die den Trick mit den Patrouillenbooten versucht?"

Holland schnaufte. „Hast du schon mal versucht, ein Lagerhaus mit einem Torpedo zu treffen? Die haben die meisten Lastkähne im Kanal abgeschossen, und das hilft uns auch nicht gerade."

„Wir müssen mit den Burschen bald fertig werden, Jack."

„Ich weiß. Wenn es so weitergeht, schießen wir bald mit Wunderkerzen auf sie. Hast du irgendeine Idee?"

„Nein." Er lehnte sich gegen einen Mülleimer und döste weiter.

Nach zehn Tagen brachte er seine Grübeleien zu einem Abschluß. Er erkannte, daß es keine „Idee" war, ebensowenig wie Austerlitz oder die Bombardierung von Monte Cassino „Ideen" gewesen waren. Es war eine kühl berechnete Entscheidung, die sich aus dem vorliegenden Problem ergab und die aus der dringenden Notwendigkeit resultierte, für dieses Problem eine Lösung zu finden. Wie viele seiner Entscheidungen, die er in der letzten Zeit getroffen hatte, gefiel ihm die Entscheidung nicht. Aber sie war das Produkt von logischen Überlegungen und beruhte auf nüchternen Gedanken und persönlichem Wissen. Er konnte ehrlich annehmen, daß er sie alle gewissenhaft und vollständig analysiert hatte. Nachdem er das einmal erkannt hatte, wußte er, daß er keine Wahl mehr hatte.

„Das Problem ist doch, nahe genug heranzukommen, um die Lagerhäuser zu sprengen, wenn ich das richtig sehe?"

„Genauso ist es. Sie haben Leute auf den Dächern darum herum postiert, denen sie Deckung geben, und die Leute in den Häusern halten uns zurück. Wenn wir ein Haus räumen, dann werfen sie von den anderen Häusern Dynamit herunter, sprengen das geräumte Haus und schaffen so eine Trümmerfläche, über die wir nicht hinwegkommen. Nachts kommen wir auch nicht hinein, weil das ihr Gelände ist und somit voller Fallen steckt. Weiter?"

„Wir warten, bis wir Ostwind haben, und stecken dann die Häuser an. Wenn wir danach einfallen, deckt uns der Qualm. Wir räumen den ersten Stock aus und warten, bis sie herauskommen. Wenn sie nicht herauskommen, räumen wir den zweiten Stock."

Holland stieß einen leisen Pfiff aus. Er sah Ted nachdenklich an. „Ganz schön fies, was? Die Leute dort in dem Haus erwischt es auf jeden Fall. Entweder kommen sie raus, während wir auf der Straße auf sie warten, oder sie verbrennen."

„Großer Gott!" sagte Jim und starrte Ted an.

Berendtsen schwankte müde auf seinen Füßen. Ihm wurde auf einmal klar, daß er etwas getan hatte, was weder Jack Holland noch Matt Garvins Sohn fertiggebracht hätten. Er hatte eine Entscheidung getroffen, die ihm verhaßt war, die er aber ausführen würde, wenn er die Möglichkeit dazu hätte. Ganz gleich, ob sie von einem kosmischen Standpunkt aus richtig oder falsch war, er hielt sie für richtig. Oder vielmehr nicht für richtig, sondern für notwendig. Dieser Überzeugung konnte er vertrauen, weil er sich selbst vertraute.

„Gut", sagte er mit ruhiger Stimme, „hängt euch an das Funkgerät und sprecht mit Matt. Für das Ganze hier haben wir einen alten Präzedenzfall", fügte er trocken hinzu.

Die linke Hand unter einer dicken Bandage und den leeren Rucksack auf den Schultern, führte er seine verdreckten, müden Männer die ganze breite Vierzehnte Straße hinunter. Er und Jim und der Rest seiner Gruppe gingen in der Masse von Matt Garvins

Truppen unter, aber im Geist trennte er seinen Trupp von den übrigen. Alle seine Männer schlurften wortlos auf der Straße. Sie waren zum Umfallen müde, aber er versuchte, ihren Gesichtsausdruck zu erkennen. In den Abteilungen, die gesprengt und Feuer gelegt hatten, waren viel mehr Männer gewesen, aber diese dort hatte er geführt.

Er versuchte zu entdecken, ob die Männer, die ihm gefolgt waren, es für richtig oder falsch hielten, was er getan hatte. Ihre Gesichter jedoch waren vor Erschöpfung ausdruckslos. Seinem eigenen Gesicht konnte er nicht das leiseste Zeichen von Besorgnis gestatten. Jetzt erkannte er, was der schwierigste Teil dessen war, ein Mann zu sein.

Als sie dann endlich Stuyvesant erreichten, traf er auf Matt Garvin. Die beiden — er mit seiner verwundeten Hand, Matt mit einer Schulter, die vom Rückschlag der Magnum fast ausgekugelt war — sahen sich an. Er hob einen Mundwinkel schief hoch, und Matt nickte und lächelte ganz leicht.

Jetzt weiß ich es, dachte Berendtsen.

Wortlos ging Ted Berendtsen die Treppe hinauf. Jim blieb zurück. Er fuhr sich mit der Hand über die Wangen, die unter ihrer momentanen Hagerkeit immer noch genauso weich waren. Er stolperte auf den Stufen.

Lieber Gott, ich bin erst sechzehn, dachte er. Er verzog über diesen letzten, unlogischen Protest sein Gesicht. Matt hatte noch ein paar Jahre.

Fünftes Kapitel

Matt war alt geworden für seine Jahre. Jim, sein ältester Sohn, war zweiundzwanzig und seine Tochter Mary zwanzig. Sein jüngster Sohn, Robert, war knapp über fünfzehn. Die Zivilisation, bei deren Wiedereinrichtung er geholfen hatte, umfaßte jetzt das gesamte Weichbild von New York.

Es war genug. Er konnte an seinem Fenster sitzen und ganz Stuyvesant überblicken, wo die Hausgeneratoren wieder Lichter in die Fenster gebracht hatten. Er nickte. Es war getan. Die Küste des großen Ozeans hinauf und hinunter, wo immer seine Erkundungsschiffe gewesen waren, glänzten auch die Lichter anderer Städte, wie er wußte. In diesen Städten mußte es noch andere Männer wie ihn geben, die zufrieden waren mit dem, was sie geschafft hatten. Diese Städte würden sich nun bald ausbreiten, die einzelnen Punkte der Zivilisation würden sich berühren und zusammenwachsen, und dann würde die Seuche vergessen, Land und Leute würden wieder eine Einheit sein.

Auch im Inland mußten andere Städte wieder zum Leben erwachen, noch isoliert durch die gebrochenen Bänder der Kommunikation und des Verkehrs. Und in dem Ackerland, das dazwischen lag, wo das Leben sich nicht wirklich verändert hatte, würden weitere Menschen warten, um ihnen die Hand zu reichen. Während eines Teffens mit seinen wichtigsten Unterführern sprach er zögernd darüber: Und Ted Berendtsen sah auf.

„Du hast recht, Matt. Das wird geschehen, und zwar bald. Aber hast du dir schon mal Gedanken darüber gemacht, was los sein wird, wenn es geschieht?"

Jim Garvin sah sich scharf um. Nein, sein Vater hatte sich darüber keine Gedanken gemacht. Er auch nicht, wenigstens nicht genau.

Berendtsen führte sein Argument zu Ende. „Von selbst werden wir jedenfalls nicht zusammenfließen. Da wird schon jemand Verbindungsrohre bauen müssen. Und wenn wir dann einmal den großen See haben, dann ist die Frage, wer der größte Frosch darin sein wird. Irgend jemand muß das übernehmen. Wir können dann nicht einfach glücklich und zufrieden bis ans Ende unserer Tage

115

bleiben. Einer muß die Führung übernehmen. Welche Garantie haben wir denn, daß uns das paßt?"

Jim seufzte. Berendtsen hatte recht. Sie waren nicht ein Volk, das einmal getrennt gewesen war und jetzt wieder vereinigt wurde. Sie bestanden aus einem halben Hundert einzelner Zivilisationen, vielleicht noch mehr, von denen jede ihre eigene Gesellschaft und ihr eigenes Leben hatte. Es würde weder ein leichter noch ein glücklicher Vorgang sein.

Matt Garvin sah Jack Holland an und zuckte schwerfällig die Achseln. „Na, Jack, was meinst du zu dem Ganzen?"

Jim Garvin registrierte den Seitenblick, den Jack Holland Ted zuwarf, bevor er etwas sagte, und nickte still. Nicht Holland war wirklich der zweite Mann der Republik, sondern Berendtsen, so jung er auch war.

„Ich weiß nicht", sagte Holland. „Ich meine, daß es noch mehr Gruppen wie unsere gibt, und es ist schon richtig, daß viele von ihnen anfangen, sich auf das umliegende Gebiet auszubreiten. Es wird aber noch eine ganze Weile dauern, bis wir etwas davon merken, was sich um Boston oder Philadelphia abspielt. Die tun doch genau dasselbe wie wir – sich ausbreiten und Land suchen, wo man Lebensmittel anbauen kann. Wir haben unsere Äcker draußen auf Long Island. Philly hat ebenfalls seine Ecke. Es dauert noch viele Jahre, bis wir so groß sind, daß wir mehr Land benötigen. Ihre Stadt ist sogar noch kleiner, und es dauert noch länger. Bis sie soweit sind, sind wir noch weitergekommen. Wir werden immer stärker sein als sie."

Berendtsen schüttelte den Kopf, und die Geste reichte, um die Aufmerksamkeit aller auf sich zu ziehen. „Das ist nicht das ganze Problem", sagte er.

Matt seufzte. „Wahrscheinlich nicht. Wie siehst du die Sache?"

„Nach den Berichten unserer Späher aus Boston sieht es so aus, als hätten sie in Neu-England wieder die gleichen Schwierigkeiten wie früher. Ihr Ackerland ist schlecht. Es gibt einen guten Grund dafür, daß sich dort oben soviel Industrie befand – von dem Boden kann man sich nicht ernähren. Sicher ist die Bevölkerung dort oben lange nicht mehr so dicht wie früher, aber die werden sich trotzdem schneller als alle anderen ausbreiten. Das müssen sie einfach. Sie brauchen viermal soviel Land wie wir, um denselben Ertrag zu erzielen.

Und Philly ... die sind übel dran. Denen sitzen dort an der Küste Baltimore, Washington und Wilmington direkt auf der Pelle, von Camden ganz zu schweigen. Die treten auf keinen Fall gegen uns an, bevor sie ganz sicher sind, daß sie nicht von unten angegriffen werden. Mit der Situation können sie auf drei Arten fertig werden: Entweder können sie die Leute besiegen oder sich mit ihnen zu einem lockeren Bündnis gegen uns zusammenschließen, oder, und das befürchte ich, sie können sich auf einen schnellen Eroberungszug hierher vorbereiten, *bevor* die anderen Städte soweit sind. Wenn sie uns erst einmal im Griff haben, dann können sie sich darauf konzentrieren, sich die anderen vom Hals zu halten."

Er lehnte sich nach vorn. „Also: Wir sind uns schon mal darin einig geworden, daß wir auf jeden Fall — egal, was passiert — unsere Seite oben sehen wollen."

In Jim Garvins Zwerchfell zog sich etwas zusammen. Das war doch richtig, oder etwa nicht? Die Frage lautete inzwischen schon: Wie bringen wir die anderen dazu, sich nach unseren Vorstellungen zu verhalten? Aber was gab es denn für andere Vorstellungen? Ein Mann arbeitete für sich selbst, für das, was ihm gehörte. Eine Gesellschaft — eine Organisation von Menschen — machte dasselbe. Man kämpfte für das, was einem gehörte.

„Na schön", sagte Berendtsen. „Wenn Philly hier heraufziehen würde, um den Laden zu übernehmen, dann würde ich mich ihnen anschließen. Das würden alle tun. Es wäre dann nicht mehr unsere Gesellschaft, aber es wäre wenigstens *eine* Gesellschaft. Wenn wir müßten, würden wir uns mit der Zeit schon daran gewöhnen.

Das gilt aber auch zu unseren Gunsten. Wenn wir einen anderen Verein übernehmen, dann würden sich die Bürger uns anschließen. Gern würden sie es vielleicht nicht tun. Einzelne werden bis zum bitteren Ende Widerstand leisten. Aber insgesamt wird die Gruppe zu uns gehören. Denkt darüber nach!"

Berendtsens Stimme und sein Gesichtsausdruck waren völlig unbeteiligt geblieben. Er sprach, als würde er eine Zahlenreihe vorlesen, und als er fertig war, lehnte er sich mit dem gleichen Verhalten in seinem Stuhl zurück.

Matt nickte langsam. „Ich denke, du hast recht. Im allgemeinen und auch, was Boston und Philadelphia betrifft. Aber die Leute sind in Bedrängnis. Sie werden schneller am Ball sein als wir."

Jim sah sich wieder um. Holland nickte knapp, und auch er mußte zustimmen.

Er sah Berendtsen an und versuchte zum wiederholten Male, seinen Schwager und dessen Motive zu verstehen. Obwohl sie zusammen aufgewachsen waren, schien es keine leichte Antwort zu geben. Er konnte wohl vermuten, was Ted in einer bestimmten Situation tun würde, aber die tiefe, zugrundeliegende Motivation entzog sich seinem Zugriff. Er bezweifelte irgendwie, daß Mary dies besser gelingen würde. Sie konnten beide die Schale seiner ruhigen Zurückgezogenheit an manchen Stellen durchdringen, aber der ganze Theodor Berendtsen − der Mann mit dem Drahtseil-Körper und dem Rechenmaschinengehirn − entkam ihnen in unbewußter Ungreifbarkeit.

Was ist dafür verantwortlich, dachte er. Was war es, das sich hinter diesen grübelnden Augen verbarg, jedes Problem zerlegte und es ihm gestattete, so eiskalt zu sagen: „Hier zuschlagen, hier und dort. Nehmt das, dann wird dieser Teil zusammenbrechen, und ihr könnt euch den Rest holen" − als sei das Ganze eine Maschine, die man auseinandernehmen und wieder zusammensetzen mußte, bis sie sauber und mühelos lief?

Und jetzt lag wieder etwas in der Luft. Jim sah noch einmal schnell zu seinem Vater hinüber. Gequält von Arthritis saß Matt halbverdreht in seinem Stuhl. Seine rechte Hand war fast vollständig nutzlos geworden. Aber selbst wenn sein Gehirn noch klar, seine Augen müde, aber noch wachsam waren, so dachte Ted doch ebenso gradlinig, und er war jeden Tag in der Stadt und gab Ryder Anleitungen für die Eingliederung der benachbarten Städte in New Jersey, während er selbst die Bronx und das untere Westchester säuberte.

Jim sah auf und bemerkte Jack Hollands Blick. Die beiden grinsten sich schief an und wandten ihre Aufmerksamkeit wieder Ted zu.

„Es gibt überhaupt keine Alternative", sagte Berendtsen, immer noch, ohne seine Stimme zu erheben. „Ganz gleich, wie schnell sie sich da unten in Philadelphia vorbereiten − es dauert doch noch mindestens zwei Jahre, bis sie hierherkommen. Es gibt keinen Anhaltspunkt, daß Trenton bis jetzt etwas anderes ist als nur eine unabhängige Organisation.

Wir benötigen Nachschub. Wir brauchen schwerere Waffen,

mehr Werkzeuge, mehr Maschinen. Wir brauchen Männer, die damit umgehen können. Und Boston müssen wir im Keim ersticken. Wir können es uns nicht leisten, an zwei Fronten zu kämpfen."

Holland erstarrte in seinem Stuhl. „Du willst jetzt schon gegen Neu-England ziehen?"

Ted nickte. „Wir haben die Männer dazu. Sie sind daran gewöhnt, aggressiv zu kämpfen, statt nur ihr persönliches Eigentum zu verteidigen. Sie haben kapiert, daß die größte Sicherheit darin besteht, wenn zwischen der Grenze und ihren Familien die Entfernung so groß wie möglich ist. Sie haben es gelernt, daß eine gemeinsame Anstrengung ihnen mehr Essen und Nachschub einbringt als individuelle Plünderungsaktionen.

Unterwegs werden wir noch mehr Leute an uns binden. Wie der Verein heißt, dem sie vorher angehört haben, ist mir egal, unserer ist jedenfalls größer. Bei uns bekommen sie besser zu essen, und ihre Familien werden besser versorgt als bei irgend jemandem sonst."

„Da müssen wir aber verdammt viel kämpfen", sagte Matt.

„Nicht notwendigerweise", gab Ted zur Antwort. „Wir machen den üblichen Versuch, sie dazu zu bringen, sich uns friedlich anzuschließen."

Matt blickte Gus Berendtsens Sohn lange an und sagte nichts. Ted aber nickte mit einem schiefen Lächeln auf den Lippen langsam zurück. „Versuchen werden wir es, Matt."

Jim sah Holland an, und der schaute nachdenklich zurück. Mit den ersten lokalen Organisationen würden sie ein Exempel statuieren müssen, da hatte er wiederum recht, aber danach würden sie bis Boston zügig vorankommen. Bis dahin würden ihre Streitmächte groß genug sein, um den Plan durchzuführen. Wenn sie erst einmal Neu-England als Rückendeckung hätten, wäre Philadelphia keine Bedrohung mehr.

Sie sahen beide auf und bemerkten, daß Matt ihren Gesichtsausdruck prüfte. Jim sah, daß Holland langsam nickte, und er tat dasselbe, weil Ted recht hatte.

Ja, dachte Jim, er hat recht. Wieder einmal. Er wußte einfach immer die richtigen Antworten, das konnte man nicht abstreiten.

„Das wird viele Tote geben", sagte Jim, aber gewissermaßen nur für die Geschichtsaufzeichnungen. Ob es sie geben und wie sie aussehen würden, wußte er nicht.

Berendtsens Gesicht entspannte sich. Jim glaubte einen Augenblick lang, daß er es irgendwie geschafft habe, Gedanken zu lesen. „Ich weiß", sagte er sanft. Jim brauchte ein paar Sekunden, bis sein Anflug von Aberglaube verflogen war und er sich klarmachte, daß Ted seine ausgesprochene Bemerkung beantwortet hatte.

„Na, was hat denn der große weiße Vater diesmal ausgebrütet?" Bob stellte die Frage in sarkastischem Ton.

Jim sah seinen jüngeren Bruder müde an. „Nur ein paar Ideen, was demnächst in Angriff zu nehmen ist."

Die ausweichende Antwort entmutigte Bob wenig, und Jim wurde klar, daß er ihm nur einen Köder hingeworfen hatte.

„So? Wann übernimmt er den Laden denn?"

„Verdammt noch mal, hör endlich auf mit deiner fixen Idee und laß mich in Ruhe!" explodierte Jim.

„Nein, ich lasse dich nicht in Ruhe!" gab Bob zurück. Er hatte einen roten Nacken, aber seine Augen glitzerten in einer Art perverser Freude darüber, daß es ihm gelungen war, Jim auf die Palme zu bringen. „Dir macht das Denken vielleicht keinen Spaß, aber deshalb werde ich dir doch deine tägliche Ration verabreichen. Berendtsen rückt in Richtung auf Vaters Stellung vor, so schnell er nur kann, und das weißt du auch. Er hat den Geruch von Macht in die Nase bekommen, als er wie ein Schlächter in die West Side eingefallen ist. Jetzt ist er gierig auf eine Chance, die Sache in größerem Maßstab zu wiederholen. Und du und Jack, ihr sitzt nur herum und laßt es zu, daß er Vater soviel herumstößt, wie es ihm gerade paßt!"

Jim holte tief Luft und sah Bob eine volle Minute fest an, bevor er es sich zutraute, ihm zu antworten. In seinem Innersten hatte er Angst vor diesen Wortschlachten mit seinem Bruder, wie er sich selbst eingestand. Bob hatte eine Menge Bücher gelesen. Ständig stöberte und schnüffelte er in der Stadt herum. Manchmal kampierte er wochenlang ununterbrochen in Büchereien oder brachte Bücher im Rucksack mit nach Hause, die er sorgfältig eingepackt hatte und mit denen er behutsamer umging als mit seinem Gewehr. Wenn Bob sprach, paßten seine Worte glatt ineinander. Er knüpfte mit sorgfältig aufgebauten Argumenten Netze, in die man sich verstrickte, bis man sich selbst bei dummem Schweigen ertappte, während Bob nur dastand und einen mit den Augen verhöhnte und Peitschenhiebe mit seinem Grinsen verteilte.

„Also zuerst mal…", fing er an. Er mußte seine Worte gegen die barrikadierende Vorstellung herauszwängen, daß Bob offensichtlich geduldig darauf wartete, bis er sich eine Blöße gegeben hatte und angreifbar geworden war. „Teds Verstand gibt ihm das Recht, bei unseren Besprechungen dabeizusein. Er gehört da verdammt viel mehr hin als ich, laß dir das mal gesagt sein! Außerdem ist er nicht wie ein Schlächter in die West Side eingefallen, sondern er hat dabei geholfen, einen kleinen Teil davon zu erobern. Und ich weiß genau, daß ihm das keinen Spaß gemacht hat – weil ich nämlich dabei war, was man von dir nicht sagen kann, mein Lieber. Und wenn er eine Idee hat, wie das Leben für uns alle sicherer werden kann, dann kannst du sicher sein, daß wir sie ausführen. Vater wird alt, damit müssen wir uns abfinden. *Er* hört auf Ted – und Jack Holland auch. Ich meine, wenn Ted nach Norden vorstoßen will …"

Er hielt abrupt an und starrte Bob hilflos an, dessen Augen sich geweitet hatten und der ihn halb auslachte, weil er sich verplappert hatte.

„Gut, gut, er *will* eine Streitmacht nach Boston führen. Na und? Er hat verdammt gute Gründe dafür!" stieß Jim hervor, weil er seine Stellung untermauern wollte.

„Das kann ich mir vorstellen", sagte Bob und drehte sich um, als hätte er das bessere Argument gehabt. Er ließ Jim stehen, der die unbegründete Überzeugung in sich zu bekämpfen versuchte, daß dies tatsächlich der Fall war.

„James Garvin, ich wäre dir dankbar, wenn du aufhören würdest, deinen Bruder zu beschimpfen", sagte seine Mutter ärgerlich von der Tür aus.

„Ich habe ihn gar nicht …", begann Jim, schnaufte aber dann und zuckte hoffnungslos die Achseln. „Ist schon recht, Mutter", sagte er und ging mit einem entschuldigenden Ausdruck auf seinem Gesicht, der stark von Frustration überschattet war, an ihr vorbei in die Wohnung. Er hing sein Gewehr auf und ging in sein Zimmer. Dort setzte er sich auf sein Bett und starrte bis zum Abendessen ärgerlich die Wand an.

Ted und Mary aßen an diesem Abend bei ihnen. Zu Beginn des Essens saß Jim nervös zwischen seinem Vater und Bob. Er hoffte zwar, daß die gegenwärtige Stille anhalten würde, wußte aber, daß dies angesichts Bobs schlechter Laune extrem unwahrscheinlich war. Ted widmete sich ruhig seinem Essen, und Mary an seiner Seite gab sich wie üblich kontrolliert und kühl.

Jim biß wütend in ein Stück Maisbrot. Er zog damit einen amüsierten Blick von Bob auf sich, der wie üblich nichts von dem versäumte, was um ihn herum vorging, und dem die Situation wahrscheinlich großen Spaß bereitete.

Schließlich schob sein Vater den Teller ungelenk zur Seite und sah auf. „Jim, ich nehme an, du hast deiner Mutter und Bob erzählt, welche Entscheidung wir heute bei der Versammlung getroffen haben?"

Jim verzog sein Gesicht. „Ich habe noch keine Gelegenheit gefunden, es Mama zu erzählen. Bob hat sich natürlich alles selber zusammengereimt."

Sein Vater warf ihm einen kurzen Blick zu, in dem Überraschung und Verständnis gleichermaßen mitschwangen. Beides war sofort verschwunden, als er sich umdrehte, um Bob fragend anzusehen. Jim fiel es auf, daß Ted noch immer mit gleichmäßigen, ökonomischen Bewegungen aß. Solange er sein Abendessen zu Ende brachte, sah er nicht auf.

„Na, was hältst du davon, Bob?" fragte Matt.

Bob zog eine Augenbraue hoch und warf einen schnellen Blick auf Ted, bevor er wieder seinen Vater ansah.

„Bist du sicher, daß das in Ordnung geht, wenn ich denke, wenn doch der Große Häuptling hier sitzt und für mich mitdenkt?"

O nein, dachte Jim und wünschte sich, daß die ganze Szene mit einem großen Donnerschlag verschwinden würde. Sogar seine Mutter sah Bob voller Erstaunen an. Jim traute sich nicht, seinen Vater anzusehen.

Ted sah auf, scheinbar ohne jede Überraschung. „Das hört sich an, als hätte das schon eine ganze Weile gekocht, Bob", sagte er ruhig. „Willst du mir nicht davon erzählen?"

Jim seufzte so leise er konnte. Er spürte, wie die Spannung des Schocks seinen Vater neben ihm langsam verließ. Auch seine Mutter entspannte sich, während Mary, die ihre Gabel hingelegt und Bob ernst angesehen hatte, wieder zu essen begann.

Er hat die Sache übernommen, dachte Jim. Ted hatte die Gewalt von Jims Explosion aufgefangen und ihre Wirkung von ihnen allen abgelenkt. Das war jetzt seine – und ganz allein seine – Verantwortung. Und während die Augen Matt Garvins auf seinen Sohn geheftet waren, sagte er nichts, was immer er auch fühlen mochte.

Bob sah Ted weiterhin an, aber Jim konnte erkennen, daß es ihn Mühe kostete. „Ja, das ist richtig", sagte er schließlich. Er sprach leise, aber seine Stimme war angespannt und verzweifelt, und Jim konnte einen Augenblick lang erkennen, was er empfand. Er hatte einen Stein in einen Tümpel geworfen, ein unerwartet bedeutungsloses Klatschen erzeugt und fand sich plötzlich bis zum Hals im Wasser. Jim wollte grimmig lächeln, machte sich aber klar, daß dies nicht der rechte Augenblick dafür war.

„Ja, das ist richtig", wiederholte Bob mit schriller werdender Stimme. „Ich habe hier gesessen und dich dabei beobachtet, wie du überall die Führung übernommen hast, und ich finde, das stinkt zum Himmel." Sein Atem rasselte, und sein Gesicht war feuerrot geworden. Er hatte sich selbst in eine unmögliche Position gebracht, und jetzt konnte er nur noch nach vorn stürmen.

Ted nickte langsam. „Ich finde, du hast recht."

Und wieder war Bob hilflos.

„Ich finde, daß du recht hast, weil ich der Meinung bin, daß niemand an meiner Stelle stehen dürfte", fuhr Ted im gleichen ruhigen Tonfall fort. „Ich bin aber unglücklicherweise hineingewachsen, wie es scheint."

„Mit allerlei Kraftfutter!" schoß Bob, der sich wieder erholte, zurück.

Ted zuckte die Achseln und ließ mit geschlossenen Lippen einen tiefen Seufzer hören, der für ihn völlig uncharakteristisch war. „Das liegt an der Natur unserer Zeit, Bob. Wenn du andeuten willst, daß ich auf irgendeine Art und Weise Druck ausgeübt habe, dann möchte ich dich fragen, woher ich denn die Autorität haben soll, um ihm Nachdruck zu verleihen. Statt dieser Annahme zu folgen, würde ich sagen, daß unsere Zeit so beschaffen ist, daß der Druck erzeugt wird, der einen Mann dazu veranlaßt, mehr Entscheidungen als ein anderer zu treffen. Es gibt eine gewisse schrittweise Logik, der menschlichen Natur angeboren, die gemeinsam mit den Eigenheiten der menschlichen Psychologie dafür sorgt, daß sich der Mensch immer in der größtmöglichen Gruppe organisiert. Zivilisation ist unvermeidlich, wenn du ein Schlagwort hören willst. Wir sind zufällig in diesem Stadium im Übergang vom Stadtstaat zum Nationalstaat begriffen. Eine solche Bewegung verlangt danach, daß die einzelnen Teile mit Gewalt zusammengeschweißt werden. Ich möchte dich daran erinnern, daß Griechenland nichts als eine Ansammlung aufgeklärter, aber kleiner, uneffektiver und zerstrittener Stadtstaaten war, bis Philipp von Makedonien aufgetaucht ist."

Bob sah seinen Einsatz. Sein Mund verzog sich zu seinem charakteristischen dünnen Lächeln, und seine Stimme gewann wieder Selbstvertrauen. „Heil Berendtsen!"

Ted nickte. „Wenn du so willst, ja. Obwohl ich eine − ich hoffe, das ist das richtige Wort − Analogie zu Caesar bevorzugen würde. Wenn du denkst, daß mir der Gedanke Spaß macht ..." Zum erstenmal verhärtete sich seine Stimme, und als Jim etwas von dem ruhelosen Tier erkennen konnte, das Teds Gedanken nachts heimsuchte, wurde er blaß. „... dann schlage ich vor, Bob, daß du deinen Gibbon etwas sorgfältiger liest."

„Sehr hübsch", antwortete Bob. „Sehr hübsch. Das Geschick hat sich seinen Sohn auserkoren, und alle Sterne zeigen auf Berendtsen! Vielen Dank, da ist mir Hitler ja noch lieber."

„Ich fürchte, du wirst mich nicht los", sagte Ted und aß den Rest seiner Erbsen auf.

„Also, du *egozentrischer* ..."

„Robert, du gehst jetzt sofort auf dein Zimmer und bleibst dort!" rief seine Mutter. Sie hatte sich mit gerötetem Gesicht halb von ihrem Stuhl erhoben. „Ted, das tut mir alles sehr leid. Ich weiß nicht, was ich sagen soll."

Ted sah auf. „Wißt ihr, als ich gesagt habe, daß er recht hat − da wollte ich nicht einfach höflich sein."

Margaret Garvin schaute ebenso verblüfft drein, wie Bob es getan hatte. „Also, also ...", stotterte sie, „ich weiß nicht ..."

„Wie wär's denn, wenn wir erst einmal zu Ende essen würden", sagte Matt. Einen Augenblick lang hoffte Jim, man würde ihm gehorchen. Aber Bob schob seinen Stuhl zurück und stand auf.

„Ich glaube, ich habe im Augenblick keine besondere Lust, hier zu essen", erklärte er und stürmte aus der Wohnung.

„Er hat sein Gewehr vergessen", meinte Jim, der sich über die Gelegenheit freute, endlich auch etwas sagen zu können.

Ted sah ihn an. Seine Lippen verzogen sich zu einem dünnen Grinsen. „Das würde momentan auch so besonders zu seiner Verfassung passen, oder was meint ihr?"

„Da magst du recht haben", gab Jim zu. Er senkte seinen Blick auf den Teller. Er hatte heute etwas über Ted Berendtsen gelernt, aber es war ihm noch immer unklar, was es war, das ihn die Kraft seiner ruhigen Autorität ausstrahlen ließ, als sei sie körperliche Stärke.

Jim blickte wieder auf und sah, wie Ted mit Augen, die so alt waren wie die von Matt, durch das Zimmer die leere Wand anstarrte. Matt selbst versuchte, über den Tisch Margaret zu erreichen, um ihr allein mit seinem Gesichtsausdruck eine wortlose Erklärung zu geben.

„Matt, du solltest ihm möglichst bald einen Bezirk zur Verwaltung geben." Berendtsen sagte es unerwartet. Er lächelte über Matts Erstaunen. „Er benutzt sein Hirn."

Matt schnaubte – ein Geräusch, das irgendwie schmerzhaft klang. Das Geräusch, das ein Mann von sich gibt, wenn er etwas verurteilt, was ihm teuer ist.

„Das ist hier immer noch eine Republik", erinnerte ihn Ted. „Mir ist es lieber, wenn er mit mir diskutiert, als wenn er herumsitzt und dumpf vor sich hinbrütet. Er lernt jetzt gerade das Denken. Mit ein bißchen Übung wird er soweit sein, daß er lernt, an seinen Gefühlen vorbeizudenken. Vergiß nicht, daß wir bald dutzendweise Verwalter benötigen."

Matt nickte langsam. Ein wenig von dem verlorenen Stolz auf seinen Sohn kehrte zurück. „Mal sehen."

„Glaubst du, daß er recht hatte?" fragte Mary und sah ihren Mann ernst an.

Jim wandte seinen Blick seiner Schwester zu. Ihre Bemerkung war ganz und gar typisch für sie. Sie saß manchmal für Stunden da, beobachtete und hörte zu, und was in ihrem Kopf vorging, das konnte wahrscheinlich nur Ted Berendtsen erraten. Vielleicht sogar nicht einmal er. Schließlich sagte sie dann vielleicht ein paar Worte, etwa so, wie sie es eben getan hatte.

„Heil Berendtsen? Ich weiß es nicht", gab Ted zu. „Ich glaube eigentlich, nein – aber auf der anderen Seite weiß man es selbst nie, wenn man verrückt wird, oder?"

Und Jim konnte noch einen weiteren Blick auf die besonderen Höllen werfen, die Berendtsen für sich selbst reserviert hatte.

Als sie Boston erst einmal erreicht hatten, erwies sich das Ganze als leicht. Sie besetzten die Vorstädte, riegelten die Innenstadt ab, und Matt schickte eine kleine Flotte los, um den Hafen zu kontrollieren. Die Nachricht, daß Providence gefallen war, mußte die Stadt schon erreicht haben, denn der Widerstand war sehr schwach. Nicht so sehr die überwältigende Zahl von Berendtsens Streitmacht erzwang die Übergabe, sondern vielmehr das erdrückende Wissen um die blutige Geschichte des letzten Jahres. Zu jener Zeit, als sie Boston erreichten, gewannen die Toten mehr als die Lebenden die Schlachten für Berendtsen.

In der Zwischenzeit waren sie zu einer Armee geworden; sie waren nun nicht länger nur der „New Yorker Haufen", sondern die Vereinigungsarmee. Jetzt marschierten Männer aus Bridgeport und Kingston neben anderen aus Lexington und Concord mit ihnen.

Der Infanterie-Unteroffizier James Garvin stand mit seinem Obergefreiten, einem Mann mit hagerem Gesicht, der an einer Pfeife sog, auf einem Hügel und sah dem Aufmarsch der Truppen zu.

„Die Vereinigungsarmee", sagte Drumm, so war sein Name, nachdenklich. „Auch eine von den fast beiläufig brillanten Ideen deines Schwagers. Kein lokaler Aufhänger, sondern mit angenehmen idealistischen Untertönen. Es ist keine Schande, von ihr geschlagen zu werden, weil es ja eine ‚Armee' ist, und man kann sich selbst viel leichter davon überzeugen, daß man sich ihr anschließen sollte, weil noch das eingeschlossene Ideal ‚Vereinigung' für sie spricht. Weißt du, mehr und mehr komme ich zu der Überzeugung, daß Berendtsen eines von diesen seltenen Universalgenies ist."

Jim brummte und stopfte sich seine Pfeife mit dem halbfermentierten Tabak aus Connecticut, an den er sich langsam gewöhnte. Er konnte Drumm gut leiden. Seit er sich ihnen anschloß, hatte er sich als ein guter Soldat erwiesen, und außerdem konnte man sich mit ihm irgendwie angenehm unterhalten. „Er bringt's hervorragend", stimmte Jim zu.

Drumm lächelte leicht. „Eine gelinde Untertreibung." Ein nachdenklicher Ausdruck huschte über sein Gesicht, und er drehte sich um und sah zu der Gruppe von Offizieren hinüber, die sich zur Befehlsausgabe um die Gestalt Berendtsens drängte. „Ich frage mich manchmal, was so ein Mann von sich selbst denkt. Ist er sein eigener Held, oder brennt eine Botschaft in ihm? Hält er sich selbst vielleicht nur für einen Mann, der seine Aufgabe erfüllt? Schließt er die Augen vor den Zeichen, die ihm sagen, daß manche von seinen Männern ihn hassen und manche ihn lieben? Versteht er, daß es Männer wie uns gibt, die neben ihm stehen und versuchen, jede seiner Bewegungen zu analysieren?"

„Ich weiß es nicht", sagte Jim. Das war ein altes Thema, und die beiden sprachen immer wieder davon. „Mein kleiner Bruder hat eine Theorie über ihn."

Drumm spuckte am Mundstück seiner Pfeife vorbei. „*Hatte* eine Theorie – in der Zwischenzeit hat er bestimmt ein weiteres Dutzend entwickelt, oder er benimmt sich atypisch." Er seufzte. „Na ja, ich denke, wir brauchen junge Intellektuelle, wenn wir irgendwann wieder mittelalterliche Philosophen haben wollen. Ich wünsche mir nur, daß sich ein paar von ihnen klarmachen, daß sie selbst das ihrige zu der hohen Sterblichkeitsrate bei ihnen beitragen." Er grinste schief. „Ganz besonders in diesen besonderen Zeiten. Na ..." – er nickte herab zu den Soldaten – „... wird Zeit, daß wir uns wieder auf den Weg machen. Hallo Maine, aufgepaßt, jetzt kommen wir."

Jim ging den Hügel hinunter zu seiner Gruppe. Maine, jetzt kommen wir, dachte er. Und dann wieder die Küste hinunter und heim. Und dann wieder hinaus, nach Süden. Die schmutzige, bittere, rauchende Grenze und hinter ihr – die Einheit. Er bemerkte bei sich mehr und mehr, daß seine Motivation sich vom reinen Zweckdenken zur abstrakten Idee einer neuen Nation verschob und zu dem Glauben daran, daß die Zivilisation sich wieder aufrichtete. Aber der Dreck und die Bitterkeit standen davor, und er und Harvey Drumm marschierten mit, hinter Ted Berendtsen her.

Sie standen tief in Connecticut und waren auf dem Rückmarsch, auf dem nur noch ein paar Widerstandsnester auszuräumen waren, die sie auf dem Hinweg ausgelassen hatten, als Jack Holland, der jetzt Jims Kompaniechef war, zu ihm kam.

Jack war der gleiche selbstsichere, beherrschte Kämpfer geblieben, der er immer gewesen war. Das Wetter hatte sein Gesicht, wie auch das von Jim, gebräunt und gegerbt, und er trug einen alten Armeehelm, aber sonst war er unverändert. Er hatte sein Gewehr noch immer im gleichen Winkel geschultert, und auch sein sicheres

Auge war ihm geblieben. Heute aber war sein Gesichtsausdruck zu einer seltsamen Maske erstarrt. Jim sah ihn scharf an.

„Ted will dich sprechen, Jim", sagte er mit ausdrucksloser Stimme. „Bist du frei?"

„Klar." Jim winkte mit der Hand zu Drumm hinüber. Der Obergefreite nickte.

„Ich passe schon auf, daß sie sich nicht in die Hosen machen", sagte er und beschwor damit einen Chor höhnischer Bemerkungen von den Männern herauf.

„Also los", sagte Jim und ging mit Holland zurück, der schwieg und ihm keinen Anhaltspunkt über den Grund seines Kommens gab. Sie kamen zu Berendtsen, der ihnen ohne die übliche Gruppe von Offizieren, die auf Befehle warteten, allein entgegenblickte. Wieder runzelte Jim die Stirn, als er sah, daß auch Berendtsens Maske starrer war als sonst. Darin lag etwas Beängstigendes.

„Tag, Jim", sagte Berendtsen und streckte seine Hand aus.

„Wie geht's, Ted?" sagte Jim. Der Händedruck war so fest und freundlich wie immer, und Jim fragte sich, ob es seine eigene Einstellung gewesen war, die ihn hatte denken lassen, daß sie weiter auseinandergerückt waren als in der Vergangenheit.

Ein grimmiges Lächeln umspielte kurz Berendtsens Lippen, aber danach war sein Gesicht trauriger, als Jim es je gesehen hatte.

„Bob hat gerade über Funk mit mir gesprochen", sagte er sanft. „Matt ist gestern gestorben."

Eine plötzliche Kälte spannte die Haut über Jims Backenknochen. Er bemerkte zwar, daß Jack ihm die Hand auf die Schulter gelegt hatte, aber in den ersten paar Sekunden spürte er eigentlich überhaupt nichts. Für den Rest seines Lebens konnte er es sich nicht in sein Gedächtnis zurückrufen, wie dieser Augenblick wirklich gewesen war.

Schließlich sagte er: „Wie ist es passiert?", weil es das einzige war, was ihm einfiel und sich einigermaßen normal anhörte, ohne in ihm eine Lawine von Gefühlen auszulösen, die er nicht mehr hätte kontrollieren können.

„Er ist im Bett gestorben", sagte Berendtsen mit noch sanfterer Stimme. „Bob konnte nicht sagen, was wirklich verantwortlich war. Es gibt so viele Sachen, die man bekommen kann und mit denen man leicht fertig werden würde, wenn man Ärzte mit einer richtigen Ausbildung hätte. Aber alles, was wir haben, sind ein paar schlaue junge Männer, die einige medizinische Lehrbücher gelesen haben und zu stolz sind, um zuzugeben, daß sie Klempner sind."

Die Tatsache, daß Ted so voller Bitterkeit war, zeigte, wieviel er von Matt gehalten hatte.

Auf dem ganzen Weg den Hudson entlang war Harvey Drumm der wichtigste Fixpunkt in Jim Garvins Bewußtsein. Harvey Drumm und das, was er gesagt und getan hatte.

Sie hatten ihr Lager vor Albany aufgeschlagen. Jim und Harvey hatten mit dem Rücken an einem Baum gelehnt gesessen und ruhig geraucht.

„Also", sagte Drumm schließlich, „ich schätze, morgen früh siehst du mich nicht mehr. Der junge Sawtell in der dritten Gruppe wird einen guten Obergefreiten abgeben. Du kannst ihn an Millers Stelle einsetzen und Miller meinen Posten geben. Was hältst du davon?"

„Für Miller und Sawtell hört sich das gut an", antwortete Jim. „Ob es auch mir gefällt, bin ich mir nicht so sicher. Willst du abhauen?"

Drumm zog an seiner Pfeife. „Ja und nein. Man könnte vielleicht sagen, daß ich Missionarsarbeit machen will."

Das ergab nicht viel Sinn. „Du spinnst", sagte Jim mechanisch.

Drumm lachte leise. „Nein. Das einzige, was daran versponnen ist, das ist meine Neugier. Die Schwierigkeiten, die ich damit habe … sie wird ständig befriedigt, und dann muß ich mir wieder etwas Neues suchen. Das und mein Mundwerk. Ich muß mit meinem Mundwerk die Neugier von anderen Leuten befriedigen, ob sie das wollen oder nicht. Diese beiden muß ich über den nächsten Berg tragen, es ist höchste Zeit. Vielleicht über das nächste Gebirge."

„Hör mal zu, ich bin dein Vorgesetzter und könnte dich erschießen lassen."

„Erschieß mich doch."

„Ach, verdammt noch mal! Warum willst du jetzt abhauen? Ted führt die Armee zu einer Reihe von neuen Städten. Willst du denn nicht dabei sein, wenn du so neugierig bist?"

„Wie Teds Geschichte von nun an weitergeht, das weiß ich jetzt schon. Ich glaube, er weiß es wohl auch." Aus Drumms Stimme war nun jeder Anflug von Humor verschwunden. „Ich glaube, er hat die gleichen Bücher wie ich gelesen, als er einmal wußte, was er zu tun hatte. Nicht, daß wir beide genauso vorgehen, aber die Quellen *sind* die gleichen.

Sieh mal, aus Büchern kannst du eine Menge lernen. Da erfährst du einfache, praktische Dinge. Dinge wie, zum Beispiel, welche Beziehung ein Schlüssel zu einer Schraubenmutter hat, sie sagen allerdings nichts darüber, wie *du* den Schlüssel am besten in der Hand hältst, damit *du* am besten damit arbeiten kannst. Wenn du ein bißchen Ahnung hast, kriegst du das aber selbst heraus. Mit erheblich komplizierteren Sachen ist es genauso.

Weißt du, kurz vor der Seuche war es fast sicher, daß die Vereinigten Staaten mit einem Land namens Union der Sozialistischen Sowjetrepubliken Krieg führen würden. Zuerst hat man angenommen, daß als Waffen hauptsächlich Bomben eingesetzt werden würden. Nach einiger Zeit hat sich aber die Meinung durchgesetzt, daß es viel besser sei, bakteriologische Waffen einzusetzen, statt die ganzen nützlichen Maschinen zu zerstören und das Land auf Jahre hinaus, ja sogar Jahrhunderte hinaus zu vergiften. Krankheiten. Kurzzeitig wirkende Pflanzengifte. Lähmende Chemikalien. Bis heute weiß niemand sicher, ob die Seuche, die über uns hereingebrochen ist, nicht irgendein Stoff war, den man entwickelt hat und gegen den alle bekannten Antibiotika und andere Abwehrstoffe wirkungslos bleiben – und der durch einen Unfall aus einem Arsenal freigesetzt wurde. Natürlich hat das jeder abgestritten, aber das soll uns nicht weiter interessieren.

Aber jetzt stell dir mal vor, jemand hätte ein Buch geschrieben und darin erzählt, wie es für die Leute werden würde, wirklich werden würde, die so etwas überleben. Und dann stell dir mal vor, Tausende von Exemplaren von diesem Buch hätten in Tausenden von Läden offen herumgelegen, und die Leute nach der Seuche hätten sie sich holen können.

Denk mal, was sie für Fehler hätten vermeiden können.

Dazu sind Bücher da. Bücher – und großmäulige, neugierige Leute wie ich. Wir nehmen in unserem Kopf einen Haufen Zeug auf, während andere Leute damit beschäftigt sind, praktische Sachen in Angriff zu nehmen. Wenn die dann unseren Kram benötigen, dann kommen wir dran und geben ihn ihnen.

Ich muß also weg. Draußen in der großen Welt muß es Leute geben, die jemanden brauchen, der ihnen erzählt, was es mit einer

Schraubenmutter auf sich hat und was man mit einem Schraubenschlüssel anfangen kann."

„Die erschießen dich doch höchstwahrscheinlich, sobald du irgendwo auftauchst."

„Dann erschießen sie mich eben. Dann werden sie es nie herauskriegen. Ihr Pech."

Jim Garvin seufzte. „Na gut, Harv, du sollst deinen Willen haben."

„Den setze ich meistens durch."

„Wo willst du hin?"

„Nach Süden, denke ich. Kalten Regen habe ich schon immer gehaßt. Nach Süden und über die Berge. Ich glaube nicht, daß Berendtsen Zeit hat, nach New Orleans zu kommen. Eigentlich eine Schande. Ich habe gehört, daß das eine schöne Stadt ist."

„Na ja, wenn du gehen mußt, dann mußt du eben gehen", sagte Jim. Er überging, was Harv über Berendtsen gesagt hatte. Das würde er selbst erleben. „Ich wünschte, du würdest es dir anders überlegen. Für einen Maulhelden gibst du einen recht guten Obergefreiten ab."

„Tut mir leid, Jim. Ich will lieber die Welt erobern."

Sie hatten sich in der Dunkelheit die Hände gegeben, und das letzte, was Jim Garvin jemals von Harvey Drumm, diesem langbeinigen Mann sah, war, wie er fortging und ein altes Lied pfiff, das er manchmal am Lagerfeuer gesungen hatte. Es war ein altes Marschlied aus der australischen Armee, wie er sagte, und hieß „Waltzing Mathilda". Einige der Textpassagen ergaben allerdings nicht viel Sinn.

„Na, was willst du jetzt machen?" fragte Bob Garvin. Sein Mund war auf der einen Seite hochgezogen. Die paar Jahre, die vergangen waren, hatten ihn nicht verändert.

Berendtsen sah ihn kühl an. „Die Armee nach Süden führen. So bald wie möglich. Die Philadelphia-Organisation hat Trenton übernommen. Das weißt du besser als ich. Du hast den ersten Bericht bekommen."

Bob lächelte dünn. Jim sah ihn an und zuckte zusammen. Er versuchte, im Gesichtsausdruck seiner Mutter etwas Trost zu finden, aber sie saß nur mit unruhigem Gesicht da und hatte die Hände in den Schoß gelegt.

„Es bleiben immer ein paar Welten, die man erobern kann, was? Dann geh eben. Ich bin froh, wenn ich dich los bin."

Mary sah auf. „Ich weiß nicht, ob das richtig ist, was du machst, Ted. Du weißt genausogut wie ich, was er vorhat. Er hat diesen Mackay zum Bürgermeister wählen lassen. Er hat die Hälfte von den niedrigeren Verwaltungsstellen in der Tasche. Er ist doch nur deshalb so eifrig bemüht, dich aus New York herauszuhalten, weil er dann alles übernehmen kann."

Ted ignorierte wie Mary Bob vollständig. Jim lächelte über den Ärger seines Bruders.

„Tut mir leid, Mary", sagte Ted sanft, „aber wir haben eine Republik. Bob ist völlig im Recht, wenn er versucht, seine Gruppe in eine Führungsposition zu bringen. Wenn das Volk entscheidet, daß es ihn will, dann habe ich kein Recht dazu, ihn davon abzuhalten, ganz gleich, welches Prestige mir die Armee gibt.

Außerdem *muß* ich wieder hinaus. Es wird mir immer klarer, daß soviel wie möglich von dem Land vereinigt werden muß. Die Mittel, die für diese Vereinigung notwendig sind, gefallen mir nicht besonders, aber das Wesentliche — das einzig grundsätzlich Wesentliche — ist die Vereinigung. Dahinter tritt alles andere zurück. Danach muß das Volk entscheiden, wie das vereinigte Land im Innern verwaltet werden soll. Aber zuerst einmal muß die Vereinigung erreicht werden."

Mary schüttelte in ärgerlicher Enttäuschung ihren Kopf. Jim sah zum erstenmal all jene Gefühle, die sie unter der heiteren Oberfläche verbarg.

„Bist du des Tötens noch nicht müde? Warum versteckst du dich hinter all den Plänen und Zielen für die Zukunft? Kannst du nicht irgendwann einmal an das *Heute* denken, an all die Menschen, die du *jetzt* umbringst?"

Ted seufzte und ließ einen nackten Augenblick lang seine Maske ganz und gar fallen, bis selbst Bob Garvin blaß wurde.

„Es tut mir leid, Liebling. Aber ich baue nicht etwas nur für *jetzt* auf. An einzelne Menschen kann ich nicht denken — wie du ja selbst gesagt hast, bringe ich zu viele von ihnen um."

Eine Stille senkte sich über sie, die für Stunden anzuhalten schien. Bob hatte immer noch das unsichere, höhnische Grinsen auf dem Gesicht, sagte aber nichts. Jim sah Berendtsen an, der mit seinem Blick aus dem offenen Fenster in die Unendlichkeit sah.

Endlich stand Mary ungeschickt auf. Sie bewegte ihre Hände, als wolle sie nach etwas greifen, das sich direkt vor ihr drehte und wand, vor ihr, aber außer Reichweite.

„Ich … ich weiß nicht", sagte sie stockend. „So etwas kann man nicht beantworten." Sie sah Ted an, der ihr sein Gesicht zudrehte. „Du bist noch derselbe Mann wie der, den ich geheiratet habe", sagte sie weiter. „Genau derselbe Mann. Ich kann jetzt eigentlich nicht sagen, daß ich meine Meinung geändert habe – daß ich mich jetzt zurückziehe. Du hast recht. Ich war schon immer der Meinung, daß du recht hast. Aber es ist eine Art von Rechthaben, die entsetzlich schwer zu ertragen ist. Ein Mensch sollte… sollte nicht *so* weit in die Zukunft sehen. Er sollte seine Arbeit nicht für die nächsten hundert Generationen machen, wenn er nur ein Leben, sein eigenes, hat. Das geht über das hinaus, was man von seiner Generation verlangen kann. Sie kann es nicht ertragen."

„Möchtest du, daß wir uns trennen?" fragte Ted sanft.

Mary wich seinem Blick aus, biß sich auf die Lippe und sah ihn fest an. „Ich weiß es nicht, Ted." Sie schüttelte ihren Kopf. „Ich kenne mich selbst nicht so gut wie du mich kennst." Schließlich setzte sie sich unentschlossen hin und sah niemanden an.

„Na", sagte Bob. „Wie sieht *dein* nächster Zug aus, Jim?"

Er hatte darauf gewartet, daß jemand dieses Thema anschneiden würde. Er hatte unlogischerweise gehofft, daß ihm niemand diese Frage stellen würde, zur gleichen Zeit aber gewußt, daß es so kommen mußte. Außerdem entdeckte er, daß er immer noch Angst vor seinem jüngeren Bruder hatte.

„Was meinst du, Mama?" fragte er.

Sie sah ihre beiden Söhne hilflos mit unsicheren Augen an. In ihrem Schoß drehte sie ihre Hände.

„Ich wollte, ich wüßte es", sagte sie schließlich. Ihre Stimme zitterte. „Als euer Vater noch lebte", brach es aus ihr heraus, „da war es immer so einfach, sich zu entscheiden. Er wußte immer, was zu machen war. Ihn konnte ich verstehen." Noch einmal sah sie sich hilflos um. „Euch verstehe ich beide nicht." Sie begann, leise zu weinen. „Macht, was ihr wollt", schloß sie hoffnungslos. Sie war zu verwirrt, um mit dem Problem fertig zu werden.

So mußte er sich schließlich ohne Hilfe von irgend jemandem selbst entscheiden. Er hob seine Schultern, sah Bob mit seinem spöttischen Blick fest an und sagte: „Ich glaube, ich werde Ted folgen."

Die Sonne schien mit einem harten, beißenden Glanz, der von tausend Fenstern stechend reflektiert wurde. Jim sah mit zusammengekniffenen Augen die Marschkolonne entlang. Die erhobenen Gewehre mit ihren Reflexionen stachen in sein Auge. Er drehte seinen Kopf und sah zu dem Fenster hoch, von dem aus Mary und seine Mutter herabsahen. Bob befand sich irgendwo in der Menge, die von den Bürgersteigen aus zuschaute.

In all den Nächten, die er und Ted in Berendtsens alter Wohnung verbracht hatten, von Teds schattenhafter, zurückgezogener Mutter abgesehen, allein und ungestört, hatten sie nie miteinander gesprochen. Als sei einer von ihnen ein Geist, kaum sichtbar und nie in Reichweite.

War ich dieser Geist oder war es Ted, dachte er nun. Oder waren sie beide Geister gewesen, jeder im geheimen Gefängnis des Körpers eingeschlossen, jeder vom anderen heimgesucht, keiner in der Lage dazu, etwas zu teilen?

Eine Pfeife schrillte, die LKW-Motoren erhoben ihr Husten im Leerlauf zu einem Dröhnen, das hier zwischen den hohen Backsteingebäuden unglaublich laut wirkte.

„Alles klar. Vorwärts marsch!" rief Jim seinen Männern zu. Das erste Krachen der Schritte erhob sich aus den Marschkolonnen.

Die Armee war auf dem Weg nach Süden.

DRITTES BUCH

Prolog

Custis hatte ungefähr eine halbe Stunde geschlafen, als ihn jemand an der Schulter berührte. Er dreht sich mit einer flüssigen Bewegung um und ergriff das Handgelenk. Mit der nächsten Bewegung stand er auf den Füßen und hatte dem Mädchen die Hand auf den Rücken gedreht. „Was gibt's Süße?" sagte er ruhig und drehte ihr den Arm gerade soweit herum, daß sie ihm den Kopf zudrehen konnte.

Das Mädchen war um die achtzehn oder zwanzig. Sie hatte ein blasses, knochiges Gesicht, und ihre Haare waren in Schulterhöhe grob abgeschnitten. Sie war dünn und reichte ihm gerade bis zur Schulter. Sie trug ein Männer-Armeehemd, das lose um ihren Oberkörper herumhing, und einen Rock, der aus ein paar Männerhosen gemacht war, die sie am Knie abgeschnitten und an den Nähten aufgetrennt hatte. Den überflüssigen Stoff hatte sie benutzt, um sich einen Keil einzunähen. Das Ganze war recht schlampig genäht und reichte bis kurz über ihre schmutzigen Waden.

„Ich hab' dir was zu Essen gebracht, Soldat", sagte sie.

„In Ordnung." Er ließ ihr Handgelenk los, und sie drehte sich ganz herum, um einen Topf Eintopf vor ihm hinzustellen. Ein hölzerner Löffel ragte daraus hervor. Custis setzte sich hin, verschränkte seine Beine und fing an zu essen.

Das Mädchen setzte sich neben ihn. „Langsam", sagte sie. „Davon gehört mir die Hälfte."

Custis brummte. „Hat dich der Kommandant mit dem hierhergeschickt?" fragte er und gab ihr den Löffel.

Sie schüttelte den Kopf. „Der ist beschäftigt. Um die Tageszeit ist er immer beschäftigt. Da arbeitet er an seiner Flasche." Sie aß, ohne aufzusehen, mit ebenso großem Hunger wie Custis, und zwischen den Bissen redete sie.

Custis sah zu der Wache hinüber. Der Mann hatte sich neben sein leeres Eßgeschirr hingekauert und sah mit finsteren Blicken zu Custis und dem Mädchen hinüber.

„Ist das dein Freund?" fragte Custis sie.

Sie sah kurz auf. „Könnte man sagen. Von uns gibt es sechs oder sieben. Wir gehören in keine Hütte. Hier gibt es ungefähr fünfzig Männer ohne Familien."

Custis zuckte die Achseln. Er sah noch einmal zu der Wache hinüber, nickte und nahm dem Mädchen den Löffel wieder ab. „Der Kommandant hier — wie heißt der?"

„Eichler, Eisler oder so ähnlich. So nennt er sich jedenfalls. Ich war bei der letzten Gruppe, die er hier oben vor ein paar Jahren übernommen hat. Ich hab' das nie richtig mitgekriegt. Wen juckt das schon? Namen gibt es viele. Er ist der einzige Kommandant, den wir haben."

Das sagte ihm also nichts. „Wie heißt du denn?"

„Jody. Kommst du aus Chicago, Soldat?"

„Zur Zeit schon. Ich heiße Joe Custis. Warst du schon mal in Chicago?"

Sie schüttelte den Kopf. „Ich wurde hier geboren. Hab' noch nie was anderes gesehen. Fährst du zurück nach Chicago, Joe? Mach nur weiter, iß es auf, ich bin satt."

Custis sah die Felsen und Hütten um sich herum an. „Ich denke schon, daß ich vielleicht wieder von hier weggehe. Vielleicht fahre ich dann nach Chicago."

„Weißt du das nicht?"

„Ist mir eigentlich ziemlich egal. Ich wohne da, wo mein Wagen gerade ist."

„Magst du Städte nicht? Ich hab' gehört, da gibt es alle möglichen Läden und ganze Lagerhäuser voller Kleider und Essen."

„Wo hast du das gehört?"

„Manche von den Burschen hier kommen aus Chicago und Denver und ähnlichen Orten. Die haben mir davon erzählt. Aber Chicago hört sich am besten an."

Custis brummte.

„In Denver war ich noch nie." Er aß den Eintopf zu Ende. „Gutes Essen habt ihr hier. Hast du das gekocht?"

Sie nickte. „Hast du einen großen Wagen? Mit noch Platz für Leute zum Mitfahren?" Sie lehnte sich zurück, bis ihre Schulter die seine berührte.

Custis sah in den Topf. „Du bist eine ganz gute Köchin."

„Mach' ich gern. Stark bin ich auch. Ich habe keine Angst vor der Arbeit. Und wenn es sein muß, kann ich auch ganz gut schießen."

Custis runzelte die Stirn. „Soll ich dich mit nach Chicago nehmen?"

Das Mädchen sagte einen Augenblick nichts. „Das liegt an dir."

Sie lehnte sich immer noch gegen seine Schulter, blickte ihn aber nicht an.

Der Posten war immer wütender geworden. Nun stand er auf. „In Ordnung, Jody, du hast ihn abgefüttert. Verschwinde jetzt."

Custis richtete sich langsam auf. Er drückte dabei mit zwei Fingern sanft das Mädchen hinunter und gab ihr zu verstehen, daß sie sitzen bleiben solle. Er sah mit einem beiläufigen Blick zu dem Posten hinüber und sprang ihn dann an. Er schlug mit ausgestreckten Händen kurz zu, und das Gewehr fiel zu Boden. Er schlug den Mann nieder, nahm mit derselben Bewegung das Gewehr auf und zog das Magazin heraus. Er zog den Verschluß zurück und fing die ausgeworfene Patrone in der Luft auf. Dann gab er das Ganze dem Posten zurück.

„Mach' du deine Arbeit, dann mach' ich dir keine Schwierigkeiten, Kleiner", sagte er und ging zu dem Mädchen zurück, das sitzen geblieben war. Der Posten fluchte zwar, aber bis er sein Gewehr wieder geladen hatte, war ihm klargeworden, was Custis damit gemacht hatte. Wenn er nicht wollte, daß das Mädchen die Geschichte im ganzen Lager herumerzählte, tat er am besten daran, sich von jetzt an ruhig zu verhalten, und das tat er auch.

Das Mädchen sah Custis von der Seite an, als er sich wieder hinsetzte. „Bist du immer so schnell?"

„Wenn ich damit Schwierigkeiten aus dem Weg gehen kann, schon."

„Du bist ein komischer Vogel, weißt du das? Wie kommt es eigentlich, daß du um die Augen herum so schwarz verschmierte Haut hast?"

„Gummi, von meiner Brille. Ist zum Teil unter der Haut. Kann man nicht wegwaschen."

„Dann trägst du aber die Brille schon ganz schön lange."

„Seit ich groß genug bin, meinem Vater zu helfen. Er hatte selbst ein Fahrzeug – Vollkette. Hat er gefunden, als er in einem alten Fort der U.S.-Armee herumstöberte. Fort Knox hieß es. Das ist schon lange her, noch bevor alles rausgeholt wurde. Da hat er sich den Panzer genommen und ist losgefahren, um Leute zu suchen. Eines kam zum anderen, und später hat er dann für andere Leute Aufträge übernommen. Wo meine Mutter sich aufhält, weiß ich nicht einmal, wahrscheinlich lebt sie gar nicht mehr. Meine frühesten Erinnerungen haben schon damit zu tun, daß ich mit meinem Vater in dem Panzer war.

Das war kein schlechter Panzer. Nur zu langsam. Auf der Straße, meine ich. So haben sie uns einmal in einer Stadt erwischt. Das war ein Ort, der um die einzige heile Brücke herum besiedelt wurde, und wir mußten über diese Brücke. Da waren so ein paar Männer mit einer Bazooka – das ist ein Panzerabwehrraketen-Werfer – am Ende von der Stadt. Die hatten sich hinter einem Haufen Beton verschanzt. Wir haben auf sie geschossen, aber der Panzer hatte nur eine 35-Millimeter-Kanone. Hochgeschwindigkeitsgeschosse – da wird das Rohr wahnsinnig schnell abgenutzt. Es war dann auch praktisch schon hinüber. Wir haben dauernd daneben geschossen, und die anderen haben dauernd versucht, die Bazooka abzufeuern. Sie müssen etwa zehn Raketen gehabt haben, doch die erwiesen sich Stück um Stück als Blindgänger. Als dann endlich eine losging, detonierte sie nicht, als sie uns traf. Sie durchschlug zwar die Panzerung, gelangte ins Innere, und der Zündmechanismus wurde ausgelöst, aber die Ladung ging nicht hoch. Von dem Zünder hat es so einen Qualm gegeben, daß wir nichts mehr gesehen haben. Mein Vater fuhr damals, und ich hörte, wie er versuchte, auf der Straße zu bleiben. Dann ging etwas schief mit einer Kette, vielleicht haben sie uns aber auch mit einer anderen Rakete erwischt – jedenfalls sind wir immer im Kreis herumgefahren und schließlich umgekippt.

Also, ich bin dann herausgekrochen. Der Panzer befand sich zwischen mir und den Männern mit der Bazooka. Dann kroch mein Vater ebenfalls heraus. Wir hatten beide etwas abgekriegt, aber die Beine waren noch in Ordnung. In der Zwischenzeit haben die mit dem Gewehr losgeballert. Vater und ich hatten beide nur Fünfundvierziger. Ich habe mir dann überlegt, daß das einzige, was wir noch machen konnten, war, wegzulaufen, und das sagte ich ihm auch. Er meinte, das beste sei, wenn wir uns trennten, sonst würden sie uns beide erwischen. Das sah ich nicht ein, zumal man nicht wissen konnte, wann wir uns wieder treffen würden, wenn wir uns einmal getrennt hatten. Da setzte er plötzlich einen seltsamen Gesichtsausdruck auf, stieß mich weg und rannte los. ‚Daß du mich ja nicht verschwendest!‘ brüllte er mir zu und schoß auf die Männer. Ich habe sie später beide erwischt.“

„Dein Vater muß ein merkwürdiger Mensch gewesen sein.“

Custis zuckte die Achseln. Er saß mit dem Mädchen den ganzen

Nachmittag zusammen und unterhielt sich, bis schließlich ein anderer Schütze von der Hüttenreihe zu ihnen hinüber kam.

Er sah zu Custis und dem Mädchen herab. Sein Blick zuckte einmal zwischen den beiden hin und her, und dabei ließ er es bewenden. „Dieser Henley, der Bursche, den du mitgebracht hast – der will dich sprechen."

„Was hat er denn für Schmerzen?"

„Ich hab' mir gedacht, das ist sein Bier. Seine Armbanduhr hat er mir gegeben, damit ich dich holen komme. Hab' ich hiermit wohl gemacht."

Der Mann war ein haariger Kleiderschrank – größer als Custis. Als Custis jedoch mit verärgertem Gesicht in einer flüssigen Bewegung aufsprang, trat der Mann mit dem Gewehr einen Schritt zurück. Custis sah ihn erstaunt an. Das passierte ihm oft, und zwar stets im Umgang mit den am finstersten aussehenden Menschen. Er verstand das nicht so recht.

„Bis später", sagte er zu dem Mädchen und machte sich auf den Weg.

Als Custis eintrat, lief Henley unruhig in der Hütte auf und ab. Er zuckte nervös mit dem Mund. „Es wird aber auch Zeit, daß Sie kommen. Ich habe Sie beobachtet, wie Sie dort draußen mit dem Mädchen geschäkert haben."

„Kommen Sie zur Sache, Henley. Warum haben Sie mich kommen lassen?"

„Warum ich Sie kommen lassen habe! Warum sind Sie nicht sofort hierhergekommen, sobald der Kommandant mit Ihnen fertig war? Wir müssen doch Pläne machen – die Sache hier durchdenken. Wir müssen uns darüber klarwerden, was wir machen, wenn sich unsere Lage hier verschlechtert. Ist Ihnen eigentlich noch nicht die Idee gekommen, daß dieser Mann Pläne haben könnte, mit uns alles mögliche anzustellen?"

Custis zuckte die Achseln. „Ich habe keinen Sinn und Zweck darin gesehen, mich damit verrückt zu machen. Wenn er sich zu irgend etwas entschlossen hat, dann merken wir es schon. Es hat doch gar keinen Sinn, wenn wir Pläne machen, solange wir nicht seine kennen."

Henley starrte ihn ärgerlich an. „Ist Ihnen das egal? Ist es Ihnen egal, wenn Sie umgebracht werden?"

„Natürlich nicht. Aber darüber hätte man sich schon unten in der Ebene Gedanken machen müssen."

„Genau, und die Entscheidung ist Ihnen leichtgefallen, oder?" Er sah Custis starr an. „War nicht besonders schwer für Sie, unser aller Leben aufs Spiel zu setzen." Seine Augen verengten sich zu Schlitzen.

„Es sei denn – Sie *wissen* irgend etwas, Custis. Kein Mensch, der seine fünf Sinne beieinander hat, hätte sich so wie Sie verhalten, es sei denn, Sie wußten, daß Sie nicht in Gefahr sind."

„Das ist eine miserable Richtung, in der Sie da denken."

„Wirklich? Sie sind hier hochgefahren wie jemand, der heimkehrt. Was weiß ich denn schon von Ihnen? Ein ungebundener Panzerkommandant, der aus dem gleichen Teil der Ebene kommt wie die Banditen. Ich weiß, daß Sie schon mehrmals für Chicago gearbeitet haben, aber was heißt das schon?" Custis konnte förmlich riechen, wie der Offizier sich mit Hysterie vollsog. „Sie haben uns verkauft, Custis! Ich kann einfach nicht verstehen, wie Chicago Ihnen jemals vertrauen konnte!"

„Hat man aber wohl, sonst hätte man mir den Auftrag nicht gegeben."

Henley kaute auf seiner Unterlippe. „Ich weiß nicht so recht." Er machte eine Pause und murmelte etwas in sich hinein. „Es gibt Leute, die meine Stellung wollen. Die haben vielleicht das Ganze hier eingefädelt, um mich loszuwerden."

„Sie haben sie ja nicht alle, Henley."

Custis dachte, daß Henley ihm noch vor ein paar Jahren leid getan hätte. Er hatte jedoch in der Zwischenzeit eine ganze Menge Leute durchdrehen sehen, die gedacht hatten, sie würden umgebracht werden. Auf diese Art waren mehr umgekommen als nötig war. Viele hätten überlebt, wenn sie ihre Gedanken klar gehalten hätten. Das schien angeboren zu sein. Custis hatte nie so reagiert, und er fragte sich, ob mit ihm vielleicht etwas nicht stimmte. Wie auch immer, Custis hatte herausgefunden, daß es keinen Sinn hatte, so oder so darüber zu denken. Es war einfach etwas, das manche Leute taten, und wenn man es merkte, stellte man sich darauf ein.

Plötzlich sagte Henley: „Custis – wenn wir hier herauskommen, dann fahr mich nicht zurück nach Chicago." Er duzte ihn.

„Was?"

„Nein, jetzt hör mal zu – wenn wir ohne Berendtsen zurückkommen, dann bringen sie uns um. Vielleicht auch, wenn wir mit ihm zurückkommen. Wir gehen einfach woanders hin. Wir können uns doch vom Land ernähren, Bauernhöfe überfallen. Nimm mich in deine Mannschaft auf. Ist mir egal – ich lerne MG-Schießen, oder was du willst. Aber nach Chicago können wir nicht zurückkehren."

„Dich würde ich nicht in meiner Mannschaft haben wollen – selbst wenn ich ganz allein fahren und alle MGs selbst bedienen müßte."

„Ist das deine endgültige Entscheidung?" Henleys Lippen zitterten.

„Da kannst du Gift drauf nehmen!"

„Du meinst wohl, du hast auf alles eine Antwort!"

Custis knurrte: „Nimm dich zusammen."

Und Henley schaffte es tatsächlich. Er wartete einen Augenblick, aber dann hörte er auf, rastlos herumzulaufen, und fuhr sich mit der Hand über den Kopf, um sein verschwitztes Haar zu glätten. „Ich komme hier schon raus. Paß nur auf – ich komme hier raus, und dann lasse ich dich erschießen."

Custis schüttelte seinen Kopf und sagte langsam: „Hör mal zu, ich will hier genauso herauskommen wie du. Ich denke, ich schaffe es vielleicht auch. Wenn ich es schaffe, dann versuche ich, dich mitzunehmen, weil ich dich hier reingebracht habe. Wenn du aber den Streß nicht aushältst, dann hättest du gar nicht erst herkommen sollen."

„Deine Reden kannst du dir sparen, Custis. Von jetzt an passe ich selbst auf mich auf. Erwarte ja keine Hilfe von mir."

„Hallo, ihr zwei", sagte der Gewehrträger an der Tür, „der Kommandant will mit euch sprechen."

Hinter den Bergen ging die Sonne unter. Weiter oben auf der Westseite der Berge war noch helles Tageslicht, aber das Tal füllte sich mit Schatten. Custis folgte Henley an der Hüttenreihe entlang. Er fühlte sich in dem bedrückenden Halbdunkel am Fuß der Klippen leicht nervös und fragte sich, wie das alles enden würde.

Er beobachtete Henley. Der Offizier ging mit kurzen, abgehackten Schritten, und Custis konnte erkennen, daß er seine ganze Selbstkontrolle einsetzte. Sein Gesicht verlor den verzweifelten

Ausdruck und nahm wieder eine zuversichtliche Miene an. Nur wenn man wußte, wohin man zu sehen hatte, konnte man noch die Panik in ihm erkennen, die ihn wie Kraftstoff antrieb.

Sie kamen zu der Hütte des Kommandanten.

„Kommen Sie rein", sagte der Kommandant von seinem Tisch aus, und Custis war sich unschlüssig, ob er von seinem Hausgemachten betrunken war oder nicht. Die Hütte war innen so dunkel, daß er von dem alten Mann nur einen Schatten ohne Gesicht erkennen konnte. Es hätte fast jeder Beliebige sein können, der dort saß.

Custis spürte, wie sein Bauch sich verkrampfte. Henley hielt vor dem Tisch an, und Custis stellte sich neben ihn.

„Freut mich zu sehen, daß Sie noch da sind, Custis", sagte der alte Mann. „Ich habe schon Angst gehabt, daß Sie bei einem Fluchtversuch umkommen."

„Ich bin doch nicht verrückt."

„Hab' ich auch nicht angenommen."

Henley unterbrach. „Sind Sie zu einem Entschluß gekommen, was Sie tun werden?"

Der Kommandant seufzte. „Warum wollen Sie Berendtsen eigentlich zurückhaben, Major?"

„Er ist also verfügbar?"

„Antworten Sie bitte auf meine Fragen. Wir ziehen das hier auf meine Art durch."

Henley leckte sich die Lippen. Custis konnte das Geräusch deutlich hören. „Also", sagte der politische Offizier schließlich mit Überredung in der Stimme, „seit er sich abgesetzt hat, gibt es keine Hoffnung auf Stabilität mehr. Regierungen kommen und gehen über Nacht. Eine Verfassung ist das Papier nicht wert, auf dem sie steht. Wir haben nie unter Berendtsens Herrschaftsbereich gestanden, aber seine Gesetze haben mehr Gültigkeit gehabt als die meisten anderen. So etwas brauchen wir in Chicago — der ganze obere Mittelwesten braucht so etwas." Jetzt, wo er einmal angefangen hatte, sprach er viel flüssiger. „Papiergeld ist nur Dreck, Kredit gibt es nirgendwo, und die Hälfte der Zeit hängt dein Lebensfaden an der Gnade der guten Laune deines Nachbarn. Wir haben keine Gesellschaft, wir haben einen dürftig organisierten Sauhaufen. Wir brauchen Berendtsen, wenn er noch lebt. Er ist der einzige, dem jeder mit Begeisterung folgen würde."

„Man würde einer Leiche folgen?"

144

„Einem Namen folgen – einer Legende. Einer Legende von einer Zeit, in der es in der Welt noch eine Zivilisation gab."

„Glauben Sie das wirklich, Henley?"

„Felsenfest!"

„Ach, Sie glauben, daß es *funktionieren* würde – Sie können sich vorstellen, daß eine Masse sich organisieren ließe, die daran glaubt. Aber es ist Ihnen doch wohl klar, das Berendtsen, wenn er Chicago übernehmen würde, als erstes Sie und Ihren Haufen aufhängen lassen würde."

Henley versuchte es noch einmal. „Wirklich? Wenn wir diejenigen sind, die ihm die Möglichkeit gaben, zurückzukommen und zu Ende zu führen, was er angefangen hatte?"

„Ich glaube nicht, daß Ted Berendtsen eine derart selbstmörderische Dankbarkeit gezeigt hätte. Nein."

„Sie wollen es also nicht machen?"

„Ich bin nicht Berendtsen."

„Wer ist es denn dann? Wissen Sie, wo er ist?"

„Berendtsen ist seit dreißig Jahren tot", sagte der alte Mann. „Was, um Himmels willen, haben Sie denn erwartet? Wenn er noch leben würde – was nicht der Fall ist –, wäre er jetzt sechzig Jahre alt. Ein Mann von diesem Alter, in dieser Welt – Ihr ganzer Plan ist phantastisch, Major, und jeder, der ein bißchen nachdenkt, der weiß das auch. Aber Sie wollen es selbst nicht gestatten nachzudenken. Sie brauchen Ihre Berendtsens viel zu dringend."

„Das ist also Ihr letztes Wort?"

„Erst will ich Custis etwas fragen. Bleiben Sie hier und hören Sie zu. Das wird Sie interessieren."

Custis runzelte die Stirn.

„Custis?"

„Ja?"

„Glauben Sie, daß ich Berendtsen bin?"

„Das haben Sie mich schon mal gefragt. Nein."

„Also nicht. Aber glauben Sie, daß Berendtsen noch lebt?"

„Nein."

„Verstehe. Sie glauben nicht, daß ich Berendtsen bin, und Sie glauben nicht, daß Berendtsen noch lebt – was machen Sie dann hier oben in den Bergen, möchte ich wissen. Was hatten Sie hier oben zu finden gehofft?"

Custis merkte, daß er ärgerlich wurde. Er hatte das Gefühl, als triebe ihn jemand in die Enge. „Vielleicht gar nichts. Vielleicht bin ich einfach nur ein Mann, der seine Arbeit macht, weil er dazu gezwungen ist, der überhaupt nicht irgend etwas oder irgendwen sucht. Nur ein Mann, der seine Arbeit macht."

Der Kommandant gab ein humorloses Lachen von sich. Das Geräusch stach aus der wachsenden Finsternis der Hütte nach Custis. „Es ist Zeit, daß wir aufhören, uns anzulügen, Joe. Du hast deinen Kampfwagen – dein ganzes Leben – in eine Position gebracht, in der du alles sofort verlieren kannst. Das weißt du, und ich weiß es auch, und die Diskussion von den Vorteilen von Staubgranaten gegenüber Napalm können wir uns sparen. Warum hast du dich auf ein solches Spiel eingelassen? Warum hast du uns den Köder vor die Nase gehalten? Wer, hattest du gehofft, würde danach schnappen?"

„Auf diese Art konnte ich schnell herausfinden, was Henley wissen wollte."

„Und wie wolltest du hier wieder herauskommen, nachdem du einmal drinnen warst? Henley ist dir doch keine zwei Cents Papiergeld wert. Du bist der unabhängige Kommandant eines gepanzerten Fahrzeugs, der einen einfachen Auftrag ausführt; was soll also die ganze Mühe, die du dir gibst? Du wußtest doch sicherlich verdammt genau, daß dieser Auftrag nicht im Interesse der Siebten Republik sein konnte. Du bist ein Kind deiner Zeit. Wenn du dir die Zeit genommen hättest, ein bißchen nachzudenken, wäre dir doch klargeworden, was hier gespielt wird. Und die Achte Republik ist dir ebenfalls völlig gleichgültig. Ein Mann schwört nicht einer Zahl aus einer bedeutungslosen Reihe Gefolgschaft. Nein. Du wolltest einem Mann Gefolgschaft schwören, der seit dreißig Jahren tot ist. Streite es nur ab!"

Custis wußte keine Antwort. Draußen war es dunkel geworden. Er hatte den Faden bis zum Ende verfolgt, jenen, der mit dem Kommandanten und ihm zu tun hatte.

„Du möchtest, daß ich dir erkläre, ich sei Berendtsen, nicht wahr?"

„Vielleicht", gab Custis zögernd zu.

Wieder lachte der Kommandant – ein harsches, bitteres Krächzen, das Custis die Haare zu Berge stehen ließ. Henley atmete schwer in der Dunkelheit.

„Du und Henley, ihr seid beide elende Spinner. Was würdest du denn anfangen mit deinem Berendtsen, Joe? Hier oben in den Bergen mit ihm zusammen verhungern – mit einem alten Mann. Was würdest du denn von ihm erwarten, wenn du ihn finden würdest? Glaubst du, er würde hingehen und eine neue Welt für dich aufbauen? Das hat er ja einmal versucht. Vielleicht hat er ja auch Erfolg gehabt, wenn die Menschen hoffen können, bloß weil er gelebt hat.

Aber was könnte er denn jetzt machen als alter Mann? Seine Art Leben, das ist nur etwas für einen jungen Mann – wenn es überhaupt für jemanden etwas ist.

Du, Joe – du bist ein anderes Kaliber als der Schakal, der dort neben dir steht. Was hast du denn geglaubt, womit Berendtsen angefangen hat? Was ist denn los mit dir, Custis? Du hast einen Kampfwagen und eine Mannschaft, die überall mit dir hingeht. Wozu brauchst du dann noch einen vorgefertigten Helden?"

Custis wußte keinerlei Antwort mehr.

„Mach dir keine Gedanken, Joe – Henley bekommt auch einiges zu hören. Ich kann förmlich die Rädchen in seinem Kopf arbeiten hören. Jetzt im Augenblick überlegt er sich, wie er dich verwenden kann. Er sieht es schon vor sich. Die ganze Maschinerie von Chicago stellt sich auf dich ein. Die Legende, die sie sorgfältig um dich herum aufbauen werden. Der unbezähmbar starke Amerikaner aus der Prärie. Das einzige, was du dabei zu tun hättest, wäre, oben auf der Tribüne zu stehen und zu brüllen, und seine Bande macht den Rest. Genau das denkt er jetzt. Aber um ihn brauchst du dir keine Gedanken machen. Mit ihm wirst du fertig. Das wird noch sehr lange dauern, bevor jemand wie du sich Gedanken um jemanden wie Henley machen muß – noch Jahre. Und ich kann mich hier hinsetzen und dir das alles erzählen, und Henley und Konsorten machen sich keine Gedanken darum, weil sie glauben, sie hätten immer alles im Griff. Wenn er sich natürlich der Legende von Joe Custis ganz sicher sein will, muß er ein für allemal klarstellen, daß Berendtsen nicht zurückkommt ..."

Custis hörte das Geräusch von Stahl, der aus Henleys Stiefelschaft herausglitt. Er sprang dorthin, wo der Mann gestanden hatte, aber Henley hatte Minuten gehabt, um sich vorzubereiten. Custis hörte, wie er gegen den Tisch stieß, und dann das dünne Pfeifen seiner Klinge in der Luft.

Der Alte war sicher ausgewichen, dachte Custis. Zeit genug hatte er dafür gehabt. Er hörte das satte Geräusch von Henleys Dolch, und dann das dumpfe Geräusch, als das Heft den Widerstand von Fleisch überwand. Er hörte, wie der alte Kommandant seufzte.

Er blieb ohne Bewegung stehen und atmete mit offenem Mund, bis er hörte, wie Henley sich bewegte. Er griff ihn von unten an, unterhalb der Stelle, wo die Klinge stehen könnte. Als sein erster Schlag landete, flüsterte Henley: „Sei kein Narr! Mach kein Geräusch! Mit ein bißchen Glück können wir hier herausmarschieren!"

Er nahm Henley mit seinen bloßen Händen auseinander, ohne dabei ein Geräusch von sich oder Henley zuzulassen. Er ließ den Offizier zu Boden gleiten und glitt ohne einen Laut um den Tisch, wo er den Alten zusammengesunken vorfand. Er berührte seine Schulter. „Kommandant …"

„Schon in Ordnung", seufzte der alte Mann. „Ich hab' darauf gewartet." Er bewegte sich leicht. „Ich habe ein schreckliches Durcheinander hinterlassen. Er hat sich schneller entschlossen, als ich dachte." Er richtete sich auf, und seine gesprungenen Fingernägel kratzten an seinem Hemd entlang. „Ich weiß jetzt nicht … du mußt jetzt irgendwie ohne mich herauskommen. Ich kann dir nicht helfen. Warum bin ich nur so alt?"

„Das geht schon klar, Kommandant. Ich habe mir etwas überlegt. Ich komme schon durch."

„Du wirst eine Waffe brauchen." Der Kommandant hob seinen Kopf und zog die Schultern zurück. „Hier." Er zerrte an seiner Brust und gab Custis ungeschickt das nasse Messer in die Hand.

Sechstes Kapitel

Dies ist New York, eine Reihe von Jahren vorher, und dies ist geschehen:

1

Bob Garvin sah zu, als die Armee abzog. Er hatte seine Hände in die Taschen gesteckt, und in seinen Augen brannte ein seltsames Feuer. Er wartete, bis der letzte LKW von der Vierzehnten Straße abgebogen und in der Richtung des Lincoln-Tunnels weitergefahren war, bis der letzte Soldat abmarschiert, bis der letzte Lichtblitz auf den Gewehrläufen verschwunden war. Dann erst trat er zurück, entschuldigte sich bei dem Bürger, den er dabei angestoßen hatte, und ging zu der Gruppe hinüber, die sich um Brent Mackay geschart hatte.

„Morgen, Bürgermeister", sagte er.

„Ah, guten Morgen, Stadtrat! Auch hier draußen wie wir anderen, sehe ich." Mackay war ein seltsamer Mensch. Er sah so mager und hart wie nur irgendeiner aus, aber innerlich war er weich – wie ein Windsack, der so fest aufgeblasen ist, daß das Tuch straff gespannt und hart aussieht, trotzdem aber nur mit Luft gefüllt ist.

„Muß ja schließlich den tapferen Soldaten zum Abschied zuwinken, meinen Sie nicht auch?" sagte Bob.

Ein Mann aus der Gefolgschaft des Bürgermeisters – ein stahläugiger Mensch namens Mert Hollig – lachte metallisch. Eine Welle von hämischem Gelächter lief durch die Gruppe.

„Na", sagte Bob Garvin, „dann wollen wir uns mal wieder an die Arbeit machen. Hier in der Stadt gibt es schließlich immer noch eine Regierung, selbst wenn der Kronprinz sich wieder auf die Jagd gemacht hat."

Mackay nickte hastig. „Selbstverständlich! Sie haben völlig recht, Stadtrat." Er drehte sich zu den übrigen Mitgliedern des Stadtrats und ihren Assistenten um. „Also los, Leute! Zurück in die Galeeren! Das Kanalisationsprojekt muß angegangen werden."

„Äh ... Bürgermeister...", warf Garvin leise ein.

„Ja, bitte, Stadtrat?"

„Ich würde eigentlich meinen, daß dies noch ein bißchen Zeit hat. Rom wurde ja schließlich auch nicht an einem Tag erbaut. Ich hätte ganz gerne die Frage der Stimmberechtigung für die Wahl heute morgen geklärt."

„Aber *sicher*, Stadtrat!" Mackay lachte verbindlich. „Wissen Sie, das war mir doch tatsächlich entfallen. Vielen Dank, daß Sie mich daran erinnert haben."

„Keine Ursache, mein Bester."

Die Vereinigungsarmee nahm Trenton ohne Schwierigkeiten. In Philadelphia stieß sie auf heftigen Widerstand, und Berendtsen überlegte, ob es nicht besser gewesen wäre, in das südliche New Jersey einzudringen, statt daran vorbeizuziehen. Aber eine flankierende Marschkolonne schlug sich schließlich von Chester aus nach oben durch, und die Stadt fiel. Kurz darauf fiel Camden ebenso, und damit war die Strategie des schnellen Vormarschs gerechtfertigt. Nachdem einmal eine starke Stellung in dem Camden-Philadelphia-Bezirk eingerichtet war, mußte das südliche New Jersey zwangsläufig schrittweise in der Union aufgehen. Die Verlustquote konnte so weit niedriger gehalten werden, und Wochen an wertvoller Zeit waren gespart worden.

Die Armee drängte nach Süden.

Bob Garvin genoß das Essen seiner Mutter und aß langsam. Er lächelte ihr zärtlich zu, als sie ihm eine weitere Portion Kartoffeln auf seinen Teller gab. „Vielen Dank, Mama, aber ich bin so gut wie satt."

„Schmecken sie dir nicht?" fragte seine Mutter besorgt.

„Doch, doch sie sind ganz hervorragend, Mama!" protestierte er. „Aber der Platz ist eben beschränkt, und von dem Kürbiskuchen möchte ich auch noch etwas."

Mary sah in mit beißendem Spott an. „Privatleben des Politikers", sagte sie. „Der populäre Kandidat für den Stadtratsposten aus dem sechsten Bezirk liebt die Hausmannskost. Geht am Abend vor den Kommunalwahlen nach Hause, weil Mama ihm Kuchen gebacken hat."

„Mary!" Margaret Garvin sah ihre Tochter vorwurfsvoll an. Mary schaute auf ihren Teller herab. „Tut mir leid, Mutter."

„Ich kann einfach nicht verstehen, was du in letzter Zeit hast."

Margaret Garvin sagte es mit beunruhigtem Gesicht. „So warst du doch früher nicht."

Mary zuckte die Achseln. „Niemand ist so, wie er früher war." Sie spielte mit ihrem Messer. „Aber es tut mir leid, ich werd's nicht wieder tun."

Margaret Garvin sah ihren Sohn besorgt an. Bob lächelte leicht, wie er es oft zu tun schien. Er war offensichtlich völlig unempfindlich gegen alles, was seine Schwester sagen mochte.

„Also...", begann Margaret Garvin unentschlossen. Sie runzelte die Stirn, als ihr klarwurde, daß sie keine Ahnung hatte, was sie sagen wollte. So war es ihr immer häufiger gegangen, seit Matt...

Matt war nicht mehr da. Es war sinnlos, sich selbst weh zu tun, indem man daran dachte. Er war nicht mehr da, aber sie war da. Und wenn sie seine Kraft auch jeden Tag mehr vermißte – jeder wurde eben irgendwann alt.

„Ich geh' mal rüber und besuche Carol Berendtsen", sagte sie schließlich. „Ihr Kinder könnt euch den Nachtisch ohne Schwierigkeiten selber holen. Die arme Frau ist ja wirklich zu einem Schatten abgehärmt."

Ted fehlte ihr. Ihr Sohn war zu ihrem Lebensinhalt geworden, seit Gus ...

Sie *wollte* nicht an den Tod denken!

... seit Carol Gus nicht mehr hatte. Und wo Ted war, das wußte keiner. Man hörte nur dann und wann in einem Bericht über Funk davon, daß diese Stadt belagert, jene erobert worden war. Und mehr als das ... Mehr als das – es war das gleiche, das den Schmerz in Marys Augen brachte. Frau und Mutter, beide fragten sich, was in dem Mann vorging, den die eine geboren und die andere geheiratet hatte, den aber keine von beiden verstand.

Margaret Garvin stand auf. Ihr eigener ältester Sohn, Jim, war bei Ted. Vielleicht sollte sie sich ebenfalls Gedanken machen. Aber über Jim machte sie sich nie Sorgen. Jim war wie ein alter Balken, der ein Gebäude stützte. Nichts konnte ihn verletzen, nichts ihn erschüttern. Jim kam schon durch. Nie Sorgen? Nun, ganz stimmte dies nicht. Sie wußte, daß Jim ebenso schwach wie irgendein anderer Mensch war. Ein Geschoß konnte ihn niederstrecken. Aber Jim war nicht der komplexe, empfindliche Organismus, der Ted oder Bob war. Es war unmöglich, von ihm anzunehmen, daß ein leichter

Schock den gesamten Mechanismus stören könnte, wie das bei den beiden anderen möglich war.

„Bist du noch da, wenn ich zurückkomme, Bob?" fragte sie.

Bob schüttelte bedauernd den Kopf. „Ich fürchte, nein, Mama. Ich brauche vor morgen noch meinen Schlaf. Wähle früh und oft, du weißt ja." Er lachte ungezwungen.

Sie ging zu ihm hinüber und gab ihm einen Gutenachtkuß. „Paß gut auf dich auf, Bob", sagte sie sanft.

„Mache ich immer, Mama."

Nachdem seine Mutter gegangen war, warf Bob einen Blick zu Mary hinüber. Mary Berendtsen starrte mit verlorenen Augen wie aus weiter Ferne ihre Teetasse an.

„Machst du dir Gedanken wegen Ted?" fragte Bob sanft.

Mary sah ihn nicht an. Ihr Mund verzog sich zu einem dünnen Strich.

„Ich habe mit dir keinen Streit", sagte er aufrichtig.

„Du hast ihn aber mit meinem Mann!"

Bob schüttelte heftig den Kopf. „Nicht mit ihm. Mit seinen Idealen. Seinen sozialen Theorien, wenn du so willst."

Mary sah auf und lächelte dünn. „Dann erzähle *du* einmal *mir*, wo das eine anfängt und das andere aufhört."

Bob zuckte die Achseln. „Deshalb sieht es auch so aus, als würde ich ihn persönlich hassen. Aber das ist nicht wahr! Das weißt du."

„Wenn du damit durchkommen würdest, dann würdest du ihn umbringen lassen. Wenn du ihn hättest umbringen lassen können, dann hättest du dies sogar schon vor zwei Jahren getan, als er aus dem Norden zurückkam."

Bob nickte. „Das gebe ich zu. Aber nicht, weil ich ihn hasse — oder, da wir schon mal davon sprechen, nicht bewundere. Weil er für die vorherrschende soziale Theorie steht. Eine Theorie, die uns zu den Höhlen und Heckenschützen zurückwerfen wird, wenn sie weiter verfolgt wird."

„Halt mir hier keine Wahlreden!" schnappte Mary. „Die kannst du dir bei mir sparen! Worauf es doch eigentlich ankommt, ist, daß trotz Mackay, trotz Polizeichef Merton Hollis und, obwohl du den Stadtrat in der Tasche hast, du eines ganz genau weißt: Wenn Ted auf Dauer zurückkommt, bist du in Sekundenbruchteilen entmachtet. Und dann werden all die schönen Pläne und die fetten Jobs nicht mehr soviel wert sein!" Sie schnippte mit den Fingern.

Bob schüttelte den Kopf. „Nein, Mary", sagte er sanft. „Du bist jetzt auf mich wütend, aber du weißt genau, daß dies alles nicht wahr ist. Mackay ist ein Werkzeug, das ist richtig, und noch nicht mal ein sauberes. Aber du weißt, warum ich die Regierung kontrollieren will. Die Dinge, die ich tun muß, sind auch nicht ganz astrein, aber hinter den fetten Jobs bin ich nicht her."

Marys Ärger war verflogen. Sie nickte zögernd. „Ich weiß", seufzte sie. „Ehrlich bist du schon." Sie lachte kurz. „Der Himmel möge die Menschheit vor dem ehrlichen Idealisten beschützen!"

„Was ist Ted denn?"

Mary zuckte. „Treffer."

Bob schüttelte den Kopf. „Nein, kein Treffer. Das ist ja nichts Neues. Was daran weh tut, ist die Tatsache, daß dich dies alles in den Wahnsinn treibt."

Dieses Mal wurde Mary blaß, und über ihre Züge schien sich eine Maske zu ziehen, als sie sich in den Schutz ihres Inneren zurückzog.

„Hör mal zu, Mims, du weißt, woran ich glaube – woran ich geglaubt habe, seit ich mich erinnern kann. Wir alle sind gleich geboren. Wir sind mit einem Erbe persönlicher Waffen geboren, um unsere Gleichheit durchzusetzen. Diese persönlichen Waffen, in den Händen freier Männer, sollen es sicherstellen, daß niemandes Rechte verletzt werden – daß niemand jemals in der Lage sein wird, seinen Mitmenschen zu reglementieren, Unbilliges von ihm zu fordern, in Abhängigkeit zu bringen und einem anderen Menschen das abzunehmen, was von Rechts wegen ihm gehört. Wenn wir alle gleich bewaffnet sind, welcher Mann ist dann besser als seine Nachbarn? Wenn wir alle bewaffnet sind, wer würde es dann wagen, ein Dieb zu sein, gleichgültig, ob er Freiheit oder Besitz stiehlt?

Und woran glaubt Ted Berendtsen? Daß sich Menschen zusammenschließen sollen zu dem Zweck, andere Menschen dazu zu zwingen, dieser Gruppe zu dienen. Wie kann ich mit einem solchen Mann Kompromisse abschließen? Wie kann ich still dasitzen und es zulassen, daß er uns seine Tyrannei aufzwingt? Wie kann ich ihn oder seine Überzeugungen in derselben Welt leben lassen wie mich und meine Überzeugungen?"

Dieses eine Mal hatte Bobs zynische Selbstsicherheit ihn im Stich gelassen. Ihm wurde bewußt, daß er aufgesprungen war und daß seine Fäuste auf der Tischkante lagen. Er sah Ted Berendtsens Frau mit starren Augen erbittert an.

Mary hob den Kopf. Sie war totenblaß. „Hast du *solche* Wahlreden auch schon öffentlich gehalten?" fragte sie.

Bob Garvin schüttelte den Kopf. „Nein. Noch nicht."

Die Vereinigungsarmee nahm Richmond, Atlanta und Jacksonville. Berendtsens Männer marschierten nach Süden.

Jemand warf Mary Berendtsen auf der Straße einen verfaulten Kohlkopf nach.

Der neugewählte Stadtrat für die ganze Stadt, Robert Garvin, saß am Ende des langen Tischs — am Kopfende. Brent Mackay, Bürgermeister der Stadt New York, saß am anderen Ende, dem Fußende.

Merton Hollis, der Polizeichef, saß neben Bob Garvin.

„Also", sagte Garvin, „was die kommenden nationalen Wahlen anbetrifft, sieht das so aus: Nach dem Wahlrechtserlaß kann ein bestimmtes Familienmitglied an Stelle eines abwesenden Mitglieds der Vereinigungsarmee dessen Stimme zusätzlich zu seiner eigenen abgeben. Ist das klar?"

Der Stadtrat nickte in seiner Gesamtheit.

„Gut. Diese zusätzliche Stimme soll, technisch gesprochen, in Übereinstimmung mit den expliziten Wünschen dieses abwesenden Armeemitglieds abgegeben werden."

Er breitete mit einer hilflosen Geste seine Hände aus. „Wenn aber die Armee ständig in Bewegung ist wie in diesem Fall, und wenn niemand genau weiß, was sie tut ... Also, ohne Gefallenenlisten wissen wir ja noch nicht einmal, wer tot ist oder wer nicht."

„Aber Robert, wir wissen doch ...", begann Mackay.

Garvin hielt ihn mit einem geduldigen Lächeln an. „*Bitte*, Bürgermeister. Sicher haben wir Berichte über Funk. Aber die sind ungenau und oft verstümmelt, und wer sagt uns denn, daß Berendtsen nicht Rückschläge verheimlicht, indem er seinen Funkern Anweisung gibt, falsche Angaben durchzugeben?"

Er schüttelte den Kopf. „Nein, nur auf Hörensagen können wir uns nicht verlassen. Wir müssen diese Stimmen einfach akzeptieren, als wären sie unter Anleitung der Abwesenden abgegeben worden. Wir können schließlich nicht beweisen, daß es nicht so ist."

Ein leiser Chor von unterdrücktem Gelächter der Bewunderung kam von den Mitgliedern des Stadtrats.

„Aber nehmen wir mal an, diese Stimmen werden nicht abgegeben?" protestierte Mackay. „Die Familien *wissen* schließlich, daß sie mit den Männern keinen Kontakt hatten. Wie können sie dann mit gutem Gewissen diese Stimmen abgeben?"

Garvin sah ihn mit kalter Belustigung an. „Bürgermeister − haben Sie schon jemals von irgend jemandem gehört, der, wenn er einmal zur Wahl entschlossen war, nicht auch so tüchtig wählte wie er nur konnte?"

Dieses Mal war das Gelächter lauter.

„Außerdem", sagte Garvin leise, „können die Wähler zwar keine individuellen Anweisungen bekommen, aber ich bin sicher, daß man es sie wissen lassen kann, was die Armee insgesamt von Berendtsen und seinen Theorien hält."

Einige Köpfe am Tisch fuhren in plötzlicher Aufmerksamkeit hoch.

„Wie Sie wissen", fuhr Garvin, immer noch leise, fort, „ist der Garnisonskommandant von Philadelphia ein treuer Gefolgsmann von Theodor Berendtsen. Er hat sich dadurch ausgezeichnet, daß er Berendtsens Methoden und seine Politik exakt kopiert. Auch die Verwaltung seiner Garnison folgt identisch dem Muster, das er von seinem Chef übernommen hat. Kurz gesagt, haben wir in Philadelphia einen Miniatur-Berendtsen mit einer Miniatur-Vereinigungsarmee, der eine Miniatur-Republik verwaltet. Daraus folgt, daß die Reaktion der Garnison und der Bevölkerung von Philadelphia mit der Reaktion der Armee insgesamt auf Theodor Berendtsen identisch sein wird. Außerdem dürfte es eine starke Ähnlichkeit zwischen den Bedingungen der Bürger von Philadelphia und jenen Bedingungen geben, die die Bürger der Republik für sich erwarten können, wenn Berendtsen jemals Oberhaupt der Republik werden sollte."

Die Mitglieder des Stadtrats, die Garvin am nächsten saßen, lachten laut auf und sahen sich mit triumphierendem Lächeln auf den Lippen an.

Mackay sah verblüfft den Tisch hinunter. „Aber … aber das ist doch gar keine VA-Garnison mehr!" protestierte er. „Hollis ist letztes Jahr mit einem Kontingent Stadtpolizei dorthin gezogen und hat die ursprüngliche Besatzung abgelöst! Die sind doch zu Hause!"

Garvin nickte. „Ganz richtig. Nur daß die Männer der ursprünglichen Garnison jetzt Patrouillendienst in Maine tun. Das wissen wir. Worum geht es ihnen, Bürgermeister?"

Mackay leckte seine Lippen in Verwirrung. „Also ..." Er warf einen Blick zu Hollis, zögerte, machte aber dann weiter. „Ihr wißt doch genau, was das für Leute waren, die wir nach dort geschickt haben. Und ihr wißt auch, daß wir Willets von hieraus keinerlei Unterstützung gewährt haben, wenn er Nachschub und Ersatzmannschaften verlangt hat. Mensch, der war doch dort unten praktisch ein Gefangener! Sogar seine Kommunikation mit Berendtsen wird abgehört. Der ist doch nicht mehr verantwortlich dafür, was da unten in Philadelphia passiert, als ... als ..."

Er sprach nicht weiter, da er keinen Vergleich fand.

„... als Berendtsen, Bürgermeister?" Garvin lächelte. „Natürlich. Aber wer weiß das – außer uns?"

„Niemand. Aber das ist nicht recht! Ihr *könnt* doch einfach nicht jemanden dermaßen kaltblütig verschaukeln!"

„Und was haben Sie denn geglaubt, was wir in Philadelphia anstellen, Bürgermeister? Meinen Sie, daß wir dort ein interessantes soziales Experiment durchführen?"

„Nein, nein, natürlich nicht! Aber das hier ..."

Garvin seufzte und ignorierte ihn von diesem Punkt an vollständig. Er wandte sich den anderen Mitgliedern der Regierung der Stadt – und damit des Landes – zu.

„Man wird Kommandant Willets zurückrufen. Er wird sich gegen die Anklagen Unterdrückung, Mißwirtschaft und Hochverrat verteidigen müssen. Sein Prozeß wird eine Woche vor den Wahlen stattfinden. Unsere Kandidatenliste sieht folgendermaßen aus: Oberkommando der Streitkräfte: Merton Hollis." Vom Stadtrat kam leichter Applaus, und Garvin schüttelte dem Mann mit dem stählernen Blick kräftig die Hand. Dann fuhr er fort: „Als Erster Bürger – ein neues Amt, wie Sie wissen, das die alte Funktion und Bezeichnung ‚Präsident' ersetzt – wird nominiert: Robert Garvin."

Dieses Mal war der Applaus donnernd, und Hollis schüttelte Garvin feierlich die Hand.

„Und als Bürgermeister der Stadt New York ..." Garvin sah den Tisch herunter zu einem lächelnden Stadtrat, „William Hammersby."

Garvins Blick verschob sich, und Mackay starrte hilflos dem Ende ins Gesicht.

Der Mann mit dem Anzug, der entfernt nach Armee aussah, stützte sich an einem Laternenpfahl ab und kletterte auf die Mauer am Union Square. Über seinem Kopf schwenkte er wild die blau-silberne Fahne der Vereinigungsarmee.

„Hört mir zu!" rief er. „Hört mir zu, Bürger! Ich war in Philadelphia. Ich war über drei Jahre bei Berendtsen. Und ich sage euch, zur Hölle mit diesem Wahnsinnigen, und zur Hölle mit seiner Fahne!" Er riß den silbernen Streifen ab. „Ich habe genug von der Farbe der Bajonette!" Er warf die zerrissene Fahne zur Seite und schwenkte eine andere über seinem Kopf, die dieses mal blau und rot gefärbt war. „Das hier ist die Fahne für mich! Blau für die Ehre, und Rot für das Blut, das Berendtsen getrunken hat!"

„Aber kein Weiß für Reinheit", murmelte Mary Berendtsen in sich hinein, die am Rande der Menge stand. In der tobenden Masse am Abend vor der Wahl hörte sie niemand. Zu ihrem Glück wurde sie auch von niemandem erkannt.

Garvin lächelte dem neuen Verbindungsoffizier freundlich zu. „Sie sind sich doch sicher über ihre Pflichten im klaren, Oberst. Also, hier ist der Text für Ihre allabendliche Nachricht an Berendtsen."

Und die Leiche Brent Mackays trieb langsam den Hudson hinab zu dem breiten, wartenden Ozean.

2

Jim Garvin hatte seine Hände tief in die Taschen gesteckt. Er hörte dem Wind zu, der düster durch das Lagergelände pfiff und die Zeltwände knattern ließ. Der Wind war so kalt, daß sein Atem sich in unangenehmer, spröder Nässe auf seinem dicken Kragen niederschlug. Er zitterte heftig, als ein plötzlicher Windstoß sein empfindliches rechtes Bein wie mit Nadeln traf, jenes Bein, das immer noch leicht reizbar war, seit es vor zwei Jahren bei der Besetzung von Jacksonville von einer Schrotladung getroffen worden war, die den Knochen verletzt hatte. Durch die verkümmerten Pinien im Osten fiel ein dünnes Licht. Es würde ein kalter, elender Tag werden.

Er sah auf seine Armbanduhr und ging zum nächsten Zelt. Er war froh, sich bewegen zu können. Als er den Eingang aufknöpfte, hatte er mit seinen steifen Fingern Mühe, mit dem engen Verschluß fertig zu werden. Er schüttelte den ersten der beiden Männer, die innen schliefen, am Kopf. „Hallo, Miller, auf geht's!"

Miller grunzte irgend etwas zusammenhanglos in sich hinein und wachte auf. Er wickelte sich aus seiner Rolle von Decken heraus, griff mit einer blinden Bewegung seines Arms nach seinem Helm, setzte ihn auf und kroch aus dem Zelt. Den zweiten Mann stieß er mit dem Stiefel an. Unter den Decken, die er noch immer umgehängt hatte, verschloß er den Reißverschluß seiner Jacke. Erst dann zog er sich die Decken von den Schultern und warf sie in das Zelt zurück. Begley, der zweite Mann in dem Zelt, kam nach ihm herausgekrochen. Er fluchte in sich hinein, als er Miller die Fahnentasche aus Leinen übergab.

„Das ist wieder ein scheißkalter Tag", sagte Begley grimmig, als er sein Signalhorn aufnahm.

„Dieser dreckige Süden hat uns das ganze Blut herausgepreßt", stimmte Miller ihm zu.

Garvin knurrte. Wenn er sich überhaupt die Mühe machte, darüber nachzudenken, hatte er irgendwie immer angenommen, daß die letzten Tage dieses Feldzuges genauso sein würden wie jene Tage damals, als die noch junge Vereinigungsarmee an der Grenze von Jersey entlang nach New York zurückgekommen war – in kaltem, klarem Wetter mit dem Versprechen des kommenden Winters. Nun war statt dessen der Winter fast vorüber und der Boden mit Regen und getautem Frost vollgesogen. Der rauhe Wind ging einem bis in die Eingeweide. Es würde noch einen guten Monat dauern, bis das Wetter wieder einigermaßen erträglich sein würde.

Wenn man jedoch bedachte, wie es bei der letzten Heimkehr gewesen war, war es wahrscheinlich ebensogut, wenn es dieses Mal anders sein würde. Also knurrte er nur.

Sie gingen über das Lagergelände zu Berendtsens Wagen, ohne ein weiteres Wort zu verlieren. Als sie dort angekommen waren, hing Miller die Fahne in die Schnüre des Mastes ein, während Begley ein Mundstück in sein Signalhorn drehte. Garvin stand ohne Bewegung neben dem Wagen. Den Kopf unter dem grauen Helm hielt er bewegungslos und aufgerichtet. Die grünen Dienstgradabzeichen waren von einem Mantel aus Rauhreif bedeckt. Seine Schultern hielt er gerade, und seine Stiefel bildeten einen Winkel von fünfundvierzig Grad.

Er sah wieder auf seine Uhr.

„Heißt ...“ Er zählte bis drei. „Flagge!“

Miller ließ die blau-silberne Flagge im Wind flattern, und Garvins Jacke spannte sich über seinem steifen Rücken, als Begley zum Sammeln blies.

Er blieb regungslos stehen, bis die Männer sich aus ihren Zelten herausgearbeitet hatten und angetreten waren.

„Das ist jetzt eine Armee“, hatte Berendtsen gesagt. „Sie repräsentiert eine Nation. Und eine Nation benötigt ständig eine verfügbare Armee. Die Antwort ist eine Tradition, die darauf gerichtet ist, immer eine Armee zu haben, Jim. Ich möchte, daß du darauf achtest, daß sie auch ein bißchen wie eine Armee aussieht.“

Die Männer hatten sich nach und nach an Disziplin gewöhnt, nachdem ihnen einmal klargeworden war, daß ihre Wirksamkeit als Organisation dadurch wuchs, solange alles innerhalb vernünftiger Grenzen blieb. Und das war nur eine der vielen Veränderungen, die sich eingestellt hatten, während die VA sich ihren Weg die Ostküste hinunter freikämpfte.

Die VA hatte einen langen Weg hinter sich, und das in jeder Beziehung. Der wilde Haufen von damals hätte heute nicht einmal eine Chance gegen eine einzige Vorausabteilung von Berendtsens Armee. Selbst die kampferprobte und organisierte Streitmacht, die vom Nord-Feldzug aus nach New York zurückmarschiert war, wäre von einer der jetzt existierenden Spezialeinheiten zerschmettert worden – Eisners gepanzerte Verbände etwa, die durch die sintflutartigen Regen des Tampa-Feldzugs wie wütende Bluthunde ihren Weg genommen hatten –, um dann von der Infanterie den Rest zu bekommen. Als die silberblaue Fahne über Key West wehte, hatte die VA bereits viel gelernt. Viel gelernt, viele Männer aufgenommen, viel geplündert. Noch mehr hatte sie gelernt, als sie nach Norden zurückkehrte, Widerstandsnester ausräumte und Garnisonen in der gewohnten Strategie hinterließ, die Berendtsen während des Nord-Feldzugs entwickelt hatte.

Alles, was östlich der Alleghenies lag, gehörte also jetzt Berendtsen. Garvins Blick schwang düster über die Reihe von schweigsamen Männern, die reglos warteten.

Die Männer wirkten mager und hart in ihren Uniformen – alte Marineuniformen mit Helmen und Koppelschlössern, die mit mattgrauer Farbe aus einer Maschinenfabrik angestrichen waren.

Die meisten von ihnen wären wahrscheinlich jedem Soldaten gewachsen gewesen, den es jemals auf der Welt gab, so ausgesucht und erfahren wie sie waren. Und warum sie kämpften ... Drei Mahlzeiten am Tag und das Gefühl, daß ihr Leben einen Sinn hatte, reichten als Grund. Jeder Soldat bekam noch etwas von der Beute ab – Beute wie Uhren und Feuerzeuge, weniger Luxusartikel als Gebrauchsgegenstände –, erhielt ein Stück Land, das er sich zur Bebauung nach seiner Entlassung verdient hatte, und bekam die Möglichkeit, eine Frau zu finden.

Garvin nahm den Rapport entgegen, ohne seine Augen von den Männern zu lösen.

Nur ein paar von ihnen fühlten sich Berendtsen persönlich verpflichtet, aber sie folgten ihm alle. Garvin fragte sich, wie sie empfinden würden, wenn sie über die Appalachen nach Westen geführt werden würden. Er fragte sich außerdem, was er selbst empfinden würde – und entdeckte, daß sein Bewußtsein der Frage ausgewichen war.

Er hörte, wie Berendtsens Hand den inneren Griff der Wagentür herabdrückte. „Aaaach-tung", brüllte er, und die Blicke der bereits stocksteifen Männer hefteten sich auf die Tür. In den Zelten schworen manche, daß sie das nächste Mal nicht so genau hinschauen würden, wenn die Wagentür aufging. Keiner hielt sein Versprechen.

Die Tür ging auf. Garvin trat zur Seite und hielt sie auf. Als Berendtsen drei Schritte vorwärts auf das Lager zuging, schloß er sie wieder.

Er trug einen schwarzgefärbten Overall mit einem Gürtel, und nur Garvin, der ein paar Schritte seitlich hinter ihm stand, konnte sehen, daß sein Bauch schwerer als früher war. Er sah das Regiment mit seinem üblichen undurchdringlichen Gesichtsausdruck an, und heute sah Garvin zum erstenmal, ohne deutlichen Grund, daß die Jugendlichkeit seines Gesichts weiter nichts als eine Maske war. Seine Gesichtshaut war wächsern, als hätte jemand einen Abdruck der Züge des jungen Ted Berendtsen genommen und sie auf den alten Schädel gesetzt. Die müden Augen sahen unter dem jungenhaft gekämmten, aber dunkelnden Haar durch diese Maske. Um seinen Hals hatte er einen Kranz von tiefen Falten.

„Alle Mann vollzählig", meldete Garvin.

Berendtsen nickte kurz. „Guten Morgen, Jim." Seine Augen veränderten ihren Ausdruck nicht, der unpersönlich und doch eindringlich war. Sein Gesicht verlor nicht die Beharrlichkeit, die ihm den unveränderlichen starren Blick verschaffte.

Nach seinem plötzlichen Einblick in einen Berendtsen, der den letzten Rest von Jugend verloren hatte, wurde Garvin klar, daß Berendtsen schon vor Jahren die letzte Tür geschlossen hatte, die sich von ihm zur Welt öffnete, und daß das Geräusch dieses Vorgangs nun endlich seine, Garvins, Ohren erreicht hatte.

„Lassen Sie die Männer wegtreten. Alle Kompanien haben in einer Stunde gepackt und sind abmarschbereit. Ich möchte Sie und die Kommandeure Eisner und Holland in fünf Minuten in meinem Quartier sehen."

„Zu Befehl." Garvin grüßte, gab die Befehle aus und ließ die Soldaten wegtreten. Er ging über den Platz zu den Kompaniechefs, die in der Morgendämmerung beieinanderstanden, und ließ den altjungen Fremden hinter sich.

„Wir sind hier." Berendtsen setzte seinen Finger auf eine Oberflächenkarte von Bucks County und fügte ein verspätetes und charakteristisches „Wie Sie wissen" hinzu. Garvin bemerkte, daß Holland, der ihm gegenüber am Kartentisch stand, mit seinen dünnen Lippen zuckte. Eisner, dessen Hände von Fett und Graphit für immer geschwärzt waren, und der vollständig zurückgezogen wirkte, wenn er nicht bei seinen Fahrzeugen sein konnte, hielt sein Gesicht ausdruckslos.

„Übermorgen sind wir in New York", sprach Berendtsen weiter. „Das heißt, die Hauptmasse wird es sein." Er legte die Karte beiseite und ersetzte sie durch eine andere, die den unteren Teil von New Jersey zeigte.

„Also — unsere zentrale Kommunikationslinie zwischen New York und der Gegend von Philadelphia verläuft, ebenso wie unsere allgemeine Route in den Süden, durch das nördliche New Jersey und überquert bei Trenton den Delaware. Bis jetzt gab es keinen Grund, in das südliche New Jersey überhaupt einzurücken, weil die Garnison von Camden unsere Flanke geschützt hat, was dadurch ermöglicht wurde, daß die Gegend eine Halbinsel ist. Aber das wissen Sie ja selbst.

Die A-Kompanie unter der Führung von Kommandeur Holland wird sich also von der Hauptmasse des Heers trennen, den Fluß an einem gangbaren Punkt überschreiten und das südliche New Jersey besetzen. Garvin, Sie übernehmen den ersten Zug der A-Kompanie und fungieren als Adjutant von Kommandeur Holland. Es werden Sie so viele gepanzerte Fahrzeuge unterstützen, wie Kommandeur Eisner für eine solche Operation für angebracht hält. Die untergeordneten Offiziere für diese Fahrzeuge wird Kommandeur Eisner bestimmen. Nachschub und unterstützende Waffen werden nach dem Ermessen von Kommandeur Holland ausgegeben. Die Verpflegung wird direkt vom Land bezogen. Mitgeführt wird nur eine Grundration für Notfälle. Ist das klar?" Aus Gründen der Disziplin hatte er es sich angewöhnt, alle Offiziere förmlich anzureden, wenn er als Befehlshaber mit ihnen redete.

Holland und Eisner nickten. Garvin, der kein Offizier war, sagte „Jawohl". Er hielt sein Gesicht ausdruckslos. Die Befehle Berendtsens überstellten ihn de facto dem Offizier, dem die gepanzerten Verbände unterstellt waren. Sie übertrugen ihm außerdem die Pflichten eines Leutnants. Er hatte natürlich gewußt, daß Berendtsen ihn eines Tages trotz seiner zahlreichen Ablehnungen dieses Dienstgrads zum Offizier machen würde. Aber jetzt fragte er sich, warum Berendtsen so lange gewartet hatte, bis er diese einfache Maßnahme durchgeführt hatte. Das Ganze hatte bislang wie eine einfache Säuberungsaktion ausgesehen. Nun war offenbar ein neuer Faktor zu dem Gesamtbild hinzugekommen, und Garvin fragte sich, worum es sich handelte.

Berendtsen nahm den Faden wieder auf. „Also gut. Sie werden Patrouillen in jede Stadt von einiger Bedeutung schicken und Kommunikationsstellen einrichten. Mit der Schreibstube der Philadelphia-Camden-Garnison wird eine Funkverbindung aufrechterhalten, um regelmäßig Nachrichten übermitteln zu können. In Atlantic City, Bridgeton und in den alten Marineanlagen von Cape May werden neue Garnisonen eingerichtet."

Er machte eine Pause, und irgend etwas huschte über sein Gesicht, zu schnell für Garvin, als daß er es hätte erkennen können.

„Das sind also Ihre Anweisungen. Sie werden selbstverständlich nach der üblichen Besetzungs- und Rekrutierungspolitik verfahren. Ehemalige Offiziere in Ansiedlungen, die in der Nähe früherer Militäranlagen überlebt haben, sind wie üblich mit Vorsicht zu behandeln."

Berendtsen sah von der Karte auf.

„Der Kommandant der Garnison Philadelphia hat gemeldet, daß die Gegend nur dünn besiedelt ist, da seit dem Sturz der alten Philadelphia-Organisation vor sechs Jahren keine zivile Gruppe in das Gebiet eingedrungen ist. Ich habe erfahren, daß Philadelphia nie Gelegenheit hatte, Neubesiedlungen in größerem Umfang durchzuführen.

Daher schicke ich nur eine Kompanie. Die Garnison von Philadelphia hat aber in der Gegend nur oberflächliche Erkundungen angestellt, trotz der verallgemeinernden Schlüsse, die der Kommandant vielleicht gezogen hat. Was Sie nicht wissen können, ist, daß der Kommandant ein Mann ist, der von New York geschickt wurde, um Kommandant Willets abzulösen." Er lächelte trocken. „Deshalb verstärke ich die Kompanie mit einer gepanzerten Abteilung und besetze sie mit meinen besten Leuten. Kommandeur Eisner, ich möchte Sie bitten, diese Bemerkungen bei der Auswahl Ihres Offiziers in Ihre Überlegungen mit einzubeziehen.

Ein paar letzte Befehle, die ich Ihnen schriftlich bestätigen werde, sobald mein Schreiber sie getippt hat. Versichern Sie sich, daß Sie sie in der Hand haben, bevor Sie abrücken, Kommandeur Holland. Folgendes: Sie werden mit Philadelphia und New York in Funkkontakt bleiben, sind aber eine völlig unabhängige Einheit, bis der Bezirk völlig besetzt und der Republik angegliedert ist. Wenn dies geschehen ist, wird die Kommandantur von New-Jersey-Süd der militärischen Bezirksverwaltung von Philadelphia unterstellt und unterliegt der Befehlsgewalt des Garnisonskommandanten von Philadelphia. Bis zu diesem Zeitpunkt werden Sie als unabhängige Einheit der Vereinigungsarmee im Fronteinsatz geführt, die nur den Befehlen des Oberkommandierenden untersteht."

Garvin versuchte, in den Gesichtern von Berendtsen oder Holland etwas zu lesen, aber es gelang ihm nicht.

Berendtsen vertraute dem Kommandeur von Philadelphia nicht, soviel war sicher. Und dieser Bezug auf sich selbst als Oberkommandierender in der dritten Person wirkte unnötig verschleiernd.

Der Verdacht, daß etwas nicht stimmte, wurde in Garvin immer stärker. Vielleicht war die VA in einem Maß angewachsen, daß Berendtsen nicht mehr in der Lage war, ihre gesamte Organisation persönlich zu überwachen, aber die Garnison von Philadelphia war wichtig, und es schien unfaßbar, daß ein unzuverlässiger Mann das Kommando über sie bekommen hatte.

„Noch Fragen?"

Garvin blieb wie die beiden Kommandeure still.

„Vorschläge?"

„Ich möchte die Abteilung selbst führen", sagte Eisner. Das Leben in New York, das zwangsläufig langweilig sein mußte, übte keine Anziehungskraft auf ihn aus. Die Operation in New Jersey hingegen bot für einen weiteren Monat Aktion.

Berendtsen schüttelte den Kopf. „Ich habe mir überlegt, ob ich Sie schicken sollte", sagte er, „aber an New York liegt mir zuviel."

Eisners Augenbrauen zuckten. Das Gesicht des Mannes war nicht daran gewöhnt, Gedanken zu verbergen und zeigte deutlich seine Zweifel.

„Tut mir leid", sagte Berendtsen ausdruckslos.

„Jawohl", gab Eisner zurück.

„Also, alles klar", schloß Berendtsen. „Abtreten – und viel Glück."

Mit der Begleitmusik der Schreibmaschine des Schreibers, auf der die beunruhigenden offiziellen Befehle getippt wurden, mit denen man gegen alles abgedeckt war, folgte Garvin den beiden Kommandeuren aus dem Wagen. Abgedeckt wogegen?

Und der Wind, der durch die Zelte pfiff, schien nun stärker und beißender zu sein, als er es vorher gewesen war.

Berendtsen sah zu, wie die Kompanie ausrückte. Sie fehlte ihm jetzt schon. Er fühlte die Lücke in der Armee so deutlich, als sei aus seiner Seite ein Stück herausgeschnitten worden. Daran aber war nichts zu ändern.

Vielleicht hätte er für das Untenehmen die ganze Armee unter seiner Führung einsetzen sollen. Er war versucht gewesen, es zu tun. Aber die Männer waren jetzt nahe ihrer Heimat – die aus New York zumindest –, und sie wollten nach Hause. Die übrigen freuten sich auf den Ausgang in der Stadt. Für die meisten von ihnen war es seit sechs Jahren die erste Pause.

Er hatte eigentlich keinen wirklichen Grund für seine Beunruhigung. Was auch immer in Philadelphia geschehen war, wahrscheinlich handelte es sich um nichts weiter als um politische Manöver. Hollands Kompanie würde mit allem fertig werden, was New Jersey zu bieten hatte, zumal er die Panzer dabeihatte. Wenn sie in größere Schwierigkeiten kommen sollten, konnten sie sich außerdem um Hilfe an Philadelphia wenden. Was auch immer dort los war – wenn sie angerufen wurden, *mußten* sie die Garnison mobilisieren, ganz gleich, was sie davon hielten.

Vielleicht hätte er die Armee nach Philadelphia führen sollen.

Wozu? Bloß deshalb, weil von Willets plötzlich keine Nachricht mehr kam und er schließlich nach New York gegangen war? Willets war jetzt ein alter Mann, und alte Männer bekamen manchmal die seltsamsten Ideen.

Mit Politik wollte er nichts zu tun haben. Darüber war er sich schon vor langer Zeit klargeworden, und jetzt wollte er sich nicht mehr ändern. Er wollte unter keinen Umständen anfangen, sich in die inneren Angelegenheiten der Republik einzumischen. Er hatte kein Bedürfnis danach, Militärdiktator zu werden.

Warum sollte es denn einen Grund für ihn geben, Militärdiktator zu werden?

Woran arbeitete sein Unterbewußtsein?

Er drehte sich um und ging zu seinem Wagen zurück. Dort warf er sich auf sein Feldbett und starrte an die Decke.

Er hatte Holland von der Leine gelassen und ihm ein völlig unabhängiges Kommando gegeben. Warum? Was brachte ihn auf den Gedanken, daß er möglicherweise die Armee nicht mehr viel länger führen würde?

War es das also? War dies das Ende, das er immer erwartet hatte, das in der Zukunft auf ihn lauerte? Jenes Schicksal, das ihn veranlaßt hatte zu tun, was er zu tun hatte, um ihn dann schließlich zu ereilen?

Warum hatte er Eisner bei sich behalten?

Warum war er Theodor Berendtsen?

Der Delaware hatte in seinem Quellgebiet Wärme aufgenommen, die nun mit dem Fluß südwärts floß. Die letzte kalte Luftmasse des Jahres hatte sich westnordwestlich über die Berge gewälzt, um ihr zu begegnen, war durch die noch immer steigende Wärme im Norden leicht abgelenkt worden und kam nun auf Delaware zu. Sie schwappte in die Bucht wie eine Springflut, nachdem sie in ihrer südwestlichen Bewegung, die sich in leichten Kreisen vollzog, an Schnelligkeit gewonnen hatte. Sie raffte Feuchtigkeit wie mit einer hohlen Hand aus der feuchteren Luft über der Bucht an sich und schleuderte Nebelfetzen und kalte Windstöße der marschierenden Armee ins Gesicht.

Wie bei allen Truppenbewegungen in der langen militärischen Geschichte der Erde rückte die Marschkolonne im Tempo ihres langsamsten Teils vor – mit jenen hundert Schritten von je neunzig Zentimetern in der Minute, die die Züge der Schützen zurücklegten. Garvin saß bewegungslos auf einem der beiden gepanzerten Fahrzeuge, die zwischen dem zweiten und dritten Zug fuhren. Seine Stiefel hatte er gegen einen Keil gestützt, und er sah der Kolonne zu, die sich in die Kälte und den Nebel hineinwand. Sein Körper vibrierte leicht durch das Dröhnen des gedrosselten Motors. Obwohl sein Gesicht und seine Hände klamm und feucht waren, blieb er, wo er war, statt in dem warmen Kampfraum des Wagens zu verschwinden, von dem aus er die Truppenbewegungen nicht hätte beobachten können. Dann und wann brach er in ein kurzes Zittern aus, kletterte aber nicht von seinem Aussichtsposten herab.

Er sah über seine Schulter zurück und erkannte Carmodys Jeep, der vom Kolonnenende nach vorn kam, wo weitere vier der insgesamt zehn Panzer ihren Platz hatten. Er runzelte leicht seine Stirn und drehte seinen Kopf, um wieder nach vorn zu sehen. Holland hatte mit der Kompanie Philadelphia umgangen und war in Richtung Talcomy-Palmyra-Brücke marschiert. Wahrscheinlich würden sie jetzt auf die Befehlsstelle aus Philadelphia treffen, die dort postiert war.

Garvin fletschte die Zähne zu einer unruhigen Grimasse und erhob sich abrupt zu einem Kauern. Er winkte dem Fahrer des Jeeps zu, als er nahe an dem Panzer vorbeiheulte, und kletterte über den Turm. Einen Augenblick hielt er sich an einer Leitersprosse fest und ließ sich dann auf die Straße fallen. Die Geschwindigkeit des Panzers fing er ohne Stolpern mühelos auf. Er griff nach einem Haltegriff am Jeep und schwang sich hinter Carmody, dem Leutnant der gepanzerten Verbände, auf den Rücksitz. Der Leutnant war ein Mann mit beginnender Glatze, der aus den Resten der alten Marine-Kolonie in Quantico stammte.

„Wir haben Kontakt", sagte er. „Mein Führungsfahrzeug hat gerade zurückgefunkt – im Tampa-Code. Die haben schon so eine Art Befehlsstelle an der Brücke erreicht, aber der Junge ist aus irgendeinem Grund aufgeregt, und Dunc regt sich nicht so leicht auf."

Garvin runzelte die Stirn. Tampa hatte ihren Funk abgehört, und während der Belagerung hatte man einen Code entwickeln müssen. Jetzt benutzte ihn der Mann Carmodys in dem Spähpanzer, was nur bedeuten konnte, daß er nicht wollte, daß Philadelphia seine Beobachtungen und Bemerkungen zu der Befehlsstelle aus Philadelphia abhören konnte.

„Glauben Sie, daß er mit Schwierigkeiten für uns rechnet?"

„Die müßten ja verrückt sein – mit unseren Panzern."

„Sie könnten die Brücke sprengen", meinte Garvin.

Was bringt mich eigentlich auf den Gedanken, sie könnten so etwas machen, fragte er sich in einem Anflug plötzlicher Panik.

„Meinen Sie, ihre Gefühle uns gegenüber könnten so aussehen?" fragte Carmody in einem Ton, der für Garvins inneren Frieden nicht ungläubig genug war.

„Ich weiß es nicht", sagte Garvin langsam. Er machte sich plötzlich klar, daß sie sich hier, tief im Inneren der Republik, immer noch durch jenes stille Land zu bewegen schienen, wie sie es gewohnt waren, immer in Erwartung des Lärms und der Flammen unerwarteter Gefahren. Es war genauso, als könnte jeden Augenblick der Kampf ausbrechen.

„Aber sehen wir mal zu, daß wir möglichst schnell hinkommen", sagte er zu Carmody.

Die Befehlsstelle bestand aus einem schlecht gepanzerten Schuppen neben dem Zugang zur Brücke. Aus seinem Dach ragte eine Antenne, und daneben parkte ein Jeep mit abblätternder Farbe. Jemand hatte in blau-roter Farbe ein V mit auseinanderlaufenden Balken auf die Kühlerhaube gemalt.

„Verdammt noch mal, in welcher Armee seid ihr denn?" bellte Garvin den Mann an, den sie dort angetroffen hatten.

Der Mann spuckte über seine Schulter und glotzte verschlafen zu Holland hoch, der aus der vorderen Luke des Panzers sah. „Das is' doch nicht Berendtsen, oder?"

„Freundchen, ich hab' Sie was gefragt!"

„Ich denke doch, daß ich in derselben Scheiß-Armee wie ihr bin", sagte der Mann verärgert. „Das *ist* doch nicht Berendtsen, oder?"

„Ich bin Kommandeur Holland, Chef der A-Kompanie, Vereinigungsarmee", sagte Holland ärgerlich und ungeduldig. „Wo ist der Rest Ihrer Gruppe?"

„Mehr is' nicht."

„Was haben Sie denn für'n Dienstgrad, mein Freund?" fragte Garvin und sah sich den fettigen Pullover des Mannes an.

„Unteroffizier, Militärbezirk Philadelphia", antwortete der Mann und spuckte wieder aus.

„Schön, Uffz", sagte Garvin. „Wir fahren jetzt über Ihre kleine Brücke." Er fühlte die Adern auf seinem Handrücken klopfen, und am Kiefer von Holland konnte er mahlende weiße Erhebungen erkennen.

„Nicht ohne Passierschein von Kommandant Horton – auf gar keinen Fall."

„Wer ist das denn schon wieder?"

„Macht keine Witze. Er ist Kommandant von Philadelphia, und ohne seinen Passierschein kommt keiner über die Brücke hier."

„Machen *Sie* Witze?" fragte Carmody sanft und schwang das MG auf seiner Lafette am Jeep herum, bis es auf den Mann zielte. Der Mann wurde blaß, schickte aber Carmody zur gleichen Zeit einen Fluch entgegen. „Ihr geht *trotzdem* nicht über die Brücke."

„Damit ist alles klar", sagte Garvin zu Holland. „Sie haben die Brücke vermint. Miller! Haben Sie so etwas wie einen Detonator in dem Schuppen dort gefunden?"

„Nichts", rief der Obergefreite von der Tür des Schuppens zurück.

„Na schön, mein Lieber, dann machen wir beide mal eine kleine Spazierfahrt", sagte Jim. Er zog seinen Colt und richtete ihn auf den Bauch des Mannes. „Los, auf die Kühlerhaube", befahl er und machte eine Bewegung auf den Jeep der Befehlsstelle zu. Widerspenstig kletterte der Mann auf die Kühlerhaube. Jim setzte sich hinter das Lenkrad und betätigte den Anlasser. Der Motor lief nur schwer an, und er brauchte ein paar Minuten, bis er anfahren konnte. Als es soweit war, bog er auf die Straße ein und setzte sich in Richtung Brücke in Bewegung.

Der Mann auf der Haube drehte sich herum und starrte Jim an. „He!" rief er zurück. „Willst du dich umbringen?"

Garvin fuhr langsamer. „Wo ist sie vermint?"

Der Mann leckte sich über die Lippen, sagte aber nichts. Garvin gab Gas.

„Schon gut, *schon gut*! Da vorn im Asphalt sind Kontaktzünder vergraben." Er hatte eine Todesangst und schnaufte schwer. Nicht wegen der Minenzünder, erkannte Jim, sondern vor dem, was sie mit ihm machen würden, weil er die Stelle verraten hatte. Er fragte sich, welche Methoden Kommandant Horton wohl anwandte, um seinen Befehlen Nachdruck zu verschaffen.

Sie sprengten den Schuppen und machten den Jeep durch ein paar Schüsse in den Motor unbrauchbar. Als sie über die Brücke fuhren, sah Garvin zurück und sah einen dunklen Fleck, der wohl der Posten war, am Flußufer hochrennen. Sein Weg führte fort von Philadelphia.

Er schaute Jack Holland an, und was er in den Augen des Kommandeurs fand, das gefiel ihm gar nicht, weil er wußte, daß er selbst den gleichen Ausdruck trug. Irgend etwas stimmte nicht, etwas war so sehr faul, daß er sich überlegte, ob er nicht den Befehl mißachten und empfehlen sollte, so schnell nach New York zurückzukehren, wie es den Marschkolonnen nur möglich war.

Holland sah ihn an und schüttelte den Kopf. „Berendtsen wußte schon, was er tat, als er uns hier herunterschickte", sagte er. „Wir wollen uns daranmachen, es herauszufinden."

Die Armee marschierte in ein New York ein, dessen Einwohner mürrisch geworden waren. Berendtsen fühlte den Haß wie einen feuchten Nebel um sich und atmete tief ein.

Ein schiefes Lächeln umspielte seine Lippen. Er hatte fast immer recht. Es war ein prickelndes Gefühl, das er immer dann hinten im Nacken spürte, wenn er eine Entscheidung traf, die sich nur auf ein Ahnen zu gründen schien. Später stellte sich dann meistens heraus, daß er mit fast vorausahnender Genauigkeit entschieden hatte.

Das zweite Gesicht? Oder nur ein Unterbewußtsein, das unermeßlich genau arbeitete?

Niemand konnte diese Fragen beantworten.

Auf den Straßen waren Sperren errichtet worden. Dahinter standen Leute, die von Soldatengruppen bewacht wurden, damit sie auch dort blieben. Auf den Dächern waren Bewaffnete postiert, und an Knotenpunkten waren schwere Waffen in Stellung gebracht worden. Über ihnen flog eine Hubschrauberstaffel, die ihnen wie ein Schwarm Krähen folgte.

Er bemerkte, daß die Männer hinter ihm wachsam wurden. Sie marschierten nicht zum erstenmal in eine feindliche Stadt ein.

Er ließ die erste Kolonne an dem vertrauten Platz vor der Stuyvesant-Stadt anhalten. Mit einem Teil seines Bewußtseins nahm er wahr, daß die kahlen und groben Umrisse, die er zurückgelassen hatte, überbaut waren, so daß man nicht mehr erkennen konnte, daß hier einmal mehrere einzelne Gebäude gestanden hatten.

Der Rest der Armee marschierte auf dem Platz auf und verharrte in strammer Haltung. Die Befehle der Unteroffiziere durchbrachen scharf und zugleich einsam die Stille.

Und noch immer sahen die Menschen aus den Fenstern.

Worauf warteten sie? Was erwarteten sie von ihm? Daß er plötzlich die Gebäude unter Feuer nehmen würde? Dachten sie, er würde diese Stadt erobern, so wie er die anderen niedergerungen hatte? Meinten sie etwa, er habe all dies getan, all diese Schlachten geschlagen, all diese prächtigen Menschen getötet, weil er etwas anderes wollte als ihr Wohl?

Er drehte sich zu seiner Armee um. Er sah, wie blasse Gesichter ihn ansahen, wie die Männer verstohlene Blicke zu dem Gebäude warfen, wie sich Finger um Gewehre schlossen, die Körper zum Herumwirbeln und Niederkauern angespannt, bereit zu schießen. Die meisten dieser Männer kamen nicht aus New York. Und alle gehorchten sie ihm. Er brauchte nur einen Befehl zu geben.

Er spürte, wie ein sanfter Windhauch vom Fluß hochkam, die Straße herabwehte und sein Gesicht berührte.

„Wegtreten!" befahl er.

Obwohl die A-Kompanie mit Philadelphia und Camden einen routinemäßigen Funkkontakt aufrechterhielt, erfuhr sie nichts. Hortons Verbindungsoffizier und seine Funker gaben ihre Meldungen schweigend weiter, und von Horton selbst erfuhren sie nichts. Ebensowenig von Berendtsen. Der Nebel, der über Delaware hing, schien plötzlich weitaus dichter geworden zu sein. Er schnitt sie von ihrem Oberbefehlshaber, dem Rest der Republik, dem Rest der Welt ab. Sie erfuhren nichts, hörten nichts, wußten nichts. Die Kompanie marschierte ins Nichts, und Jim und Holland fanden es schwierig, einander in die Augen zu sehen.

Und dennoch hatte es nichts gegeben, was sie wirklich hätte beunruhigen können. Das Land auf der anderen Seite der Brücke lag kahl und verlassen da, und sie sahen nichts. In Philadelphia wurde der Zwischenfall auf der Brücke mit keinem Wort erwähnt, und noch nicht einmal nach dem Unteroffizier auf der Befehlsstelle erkundigte man sich. Es war, als sei nichts geschehen.

Aber es war etwas geschehen.

Sie schwenkten in einem großen Bogen in den mittleren Teil der Halbinsel ein. Eine leichte Nachhut, die durch die hin und her fahrenden Panzer abgesichert wurde, deckte ihnen den Rücken.

Aber die ansteckende Krankheit Unruhe hatte sich unter den Männern verbreitet. Garvin fuhr zusammen mit Carmody, als sie ihre Position für das übliche zangenartige Umklammerungsmanöver einnahmen, das für die erste größere Stadt vollzogen wurde, die sie antrafen. Er klatschte irritiert mit der Hand auf die Kuppel.

„Verdammt noch mal, Bill, schauen Sie sich die Schützen doch mal *an*! Sie sind überall im Gelände, aus hundert Seiten angreifbar, und sie behalten die Köpfe nicht unten und nichts! Sie benehmen sich, als seien sie auf einer Wanderung.

Ein Vakuum. Wir schleichen hier herum in einem beschissenen geistigen Vakuum, und das macht aus einem Haufen von Berufssoldaten einfach Milchmädchen!"

„Nur Ruhe, Jim", sagte Carmody, dessen Stimme selbst rauh war. „Wenn wir nicht aufpassen, dann trifft dies bald auch für Offiziere zu!"

„Da können Sie Gift drauf nehmen! Ich wünsche fast, es würde etwas passieren, damit wir wieder zu uns kommen."

Ein Stück Wellblech, das wie ein Tischtuch ausgeschüttelt wird, hätte das gleiche plötzliche Geräusch verursacht.

Er sah noch aus den Augenwinkeln, wie Soldaten plötzlich umfielen, als das harsche Geräusch von kontrolliertem schwerem Maschinengewehrfeuer über sie hereinbrach.

„Mein lieber Freund!" sagte Carmody. „Dieses Mal haben Sie aber etwas heraufbeschworen!" Dann knallte die Bazooka-Rakete in den Panzer und explodierte.

Garvin kletterte irgendwie an der Seite des brennenden Panzers hinunter. Seine Beine zog er nach. Er stolperte und kroch in den Straßengraben, lag da und schluchzte Flüche, während der Schmerz ihn auffraß.

Sie benötigten drei Tage, um mit der Stadt fertig zu werden. Sie rückten systematisch von Haus zu hartnäckigem Haus vor, nachdem sie einen ganzen Zug an die MG-Stellungen verloren hatten. Sie fanden sich im Kampf mit Frauen und Kindern ebenso wie mit den Männern, und als es vorüber war, formierten sie sich zu einer Notkompanie, die aus drei unterbesetzten Zügen und acht Panzern bestand.

Jack Holland besuchte Jim, bevor sie für die Weiterführung der Operation abrückten. Er kam in die baufällige Scheune, die in der ganzen Stadt praktisch das einzige unverteidigte Gebäude gewesen war. Er mußte sich seinen Weg zwischen anderen Verwundeten suchen.

„Wie geht's Jim?" war seine erste Frage.

Garvin zuckte die Achseln. „Ich wünsche, ich würde so schnell damit fertig, wie es passiert ist." Er verzog das Gesicht. „Scheiß drauf. Einmal mußte es mir ja passieren, nach all den Jahren. Wirklich schlimm ist es ja nicht." Er sah schnell auf. „Irgend etwas von Ted gehört?"

Holland schüttelte den Kopf. Die Falten auf seiner Stirn zogen sich zu einem dichten Netz zusammen. „Nein. Von ihm nicht und auch sonst von niemandem. Ich habe über das Nest hier einen Bericht abgeschickt, mit einem speziellen Seitenhieb für Horton, indem ich schilderte, wie elend schlecht er hier die Lage ausgekundschaftet hat. Ich wollte ihn aus der Reserve locken." Er kauerte sich neben Garvins Liege und senkte seine Stimme. „Ist mir aber nicht gelungen, und ich kenne auch den Grund dafür. Das ist hier unten kein Niemandsland mehr, Jim. Hortons Leute waren hier schon überall. Nur gekämpft haben sie nicht. Die haben seit drei Jahren den Bauern hier erzählt, was Ted für ein Schwein sei. Die haben denen einen Mist erzählt, daß dir die Haare zu Berge stehen würden. Was glaubst du denn, warum die Leute hier so gut auf uns vorbereitet waren? Warum haben die wohl derartig gekämpft? Und was glaubst du wohl, wo die ihre Waffen herhaben?"

Jim pfiff leise durch seine zusammengebissenen Zähne. „Verdammt noch mal, was ist eigentlich los hier?"

Holland schüttelte trübe seinen Kopf. „Genau weiß ich es noch nicht. Hör mal zu. Ich habe bei den Überlebenden nach Freiwilligen für Lazarettdienst gefragt. Da kommen jetzt bald so acht oder zehn Mädchen hier hoch. Vielleicht sind sie dankbar, daß wir manche von den malerischen Versprechungen nicht erfüllt haben, die sie über uns gehört haben. Vielleicht auch nicht. Ich bin mir verdammt sicher, daß es hier in der Gegend so etwas wie einen Gerüchtekanal gibt, der direkt zu Horton führt, und wenn sie schlau sind, dann benutzen sie ihn. Na ja, vielleicht funktioniert er in beiden Richtungen. Egal, versuch auf jeden Fall, soviel herauszukriegen wie du kannst."

Jim nickte. „Wird gemacht." Er sah zu Holland auf, der sich wieder aufgerichtet hatte. „In welchen Schlamassel sind wir da hineingeraten, Jack? Wie ist das alles passiert? Warum hat Horton geglaubt, er käme hiermit durch?"

Natürlich kam keine Antwort. Noch nicht. Vielleicht nie, und wenn sie möglicherweise etwas herausbekamen, könnte es zu spät sein.

Hollands Blick sagte das gleiche. Er gestikulierte unbeholfen. „Also, ich mache mich jetzt auf den Weg."

„Viel Glück. Wir sehen uns dann in etwa zwei Wochen, oder?" Holland zuckte mit dem Mund. „Ich hoffe es."

„Also, bis dann", sagte Jim und sah Holland zu, der zwischen den Reihen von Verwundeten hinausging und sich von jedem verabschiedete.

Die Schwester war ein Mädchen von ungefähr achtzehn Jahren, eine blasse, dunkelhaarige Gestalt im Dämmerlicht des Schuppens. Sie hieß Edith und sprach so leise, daß man sich manchmal anstrengen mußte, um zu verstehen, was sie sagte.

„Weh getan?" fragte sie, als sie seine Decken aufschüttelte.

„Es geht. Aber machen Sie sich darüber keine Gedanken, Goldstück, damit werde ich schon fertig."

Er lag auf dem Rücken und sah zu ihr auf, als sie ihm ein Glas mit Wasser füllte. In den letzten fünf Tagen war sie regelmäßig gekommen, um ihn zu pflegen. Die restlichen Männer hatte sie den anderen Mädchen überlassen, die mit ihr gekommen waren, und sich allein auf ihn konzentriert.

Er hatte sie daraufhin angesprochen. „Sollten Sie sich nicht etwas weniger um mich kümmern? Mir geht es doch gar nicht so schlecht."

„Aber Sie sind doch ein Offizier", hatte sie zur Antwort gegeben.

Er hatte sich gefragt, wo sie diese Philosophie wohl aufgeschnappt hatte, und an Hortons Männer gedacht. Das waren interessante Gedanken.

„Seid ihr Mädchen deshalb hier oben? Weil es eure natürliche Pflicht ist, verwundete Soldaten zu pflegen?"

„Also ... Also, nein, es ist nur eben ... das macht man eben so, das ist alles."

Sie schüttelte ihren Kopf und reichte ihm das Glas. Sie half ihm, die Schultern zu heben, um ihm das Trinken zu erleichtern.

Die Antwort gefiel ihm nicht. Sie erklärte gar nichts. Sie war vor Ungenauigkeit lahm. Nun sah er zu ihr auf und fragte sich, ob Holland mit dem Gerüchtekanal wohl recht gehabt hatte.

„Wohnen Sie immer hier, Edith?"

„O nein, ich bin von Pennsylvanien mit meinen Leuten hergekommen, wie wir alle. Vorher hat hier niemand gewohnt."

Er verdaute das und fragte sich, wie weit Hortons Verrat gegangen war.

„Tut es Ihnen jetzt leid, daß Sie hergekommen sind?"

„Aber *nein*! Wenn wir dort geblieben wären, wo wir vorher waren, dann hätte uns Berendtsen erwischt."

„Aber wir sind doch auch Berendtsens Leute, oder?"

„Ich weiß", sagte sie. „Aber ihr seid kein *bißchen* wie er."

Sie schien sich ihrer Sache so ernsthaft sicher zu sein, daß er fast gelacht hätte. Er konnte es gerade noch unterdrücken.

„Wußten Sie, daß er mit meiner Schwester verheiratet ist?"

„Mit Ihrer *Schwester*!" Er schien sie zutiefst schockiert zu haben. „Ist sie ... ist sie eine *gute* Frau?"

Dieses Mal lachte er, und sie verbarg ihr Gesicht in ihren Händen.

„Mein Gott, das tut mir leid. Ich weiß wirklich nicht, *warum* ich das gesagt habe."

Er hob seine Hand und streichelte über ihr Haar. „Ist schon gut. Außerdem – ja, sie ist eine gute Frau."

Aber er fing jetzt an zu verstehen, was Holland mit Propaganda gemeint hatte. Jemand hatte diesen Leuten eine fast tödliche Dosis verabreicht.

Jemand klopfte an die Wohnungstür. Mary sah Ted an.

„Jetzt?"

Berendtsen nickte. „Es ist die beste Zeit. Die Armee ist aufgelöst, aber die Männer hatten noch keine Chance, wirklich mit dem

Erzählen anzufangen. Es dauert noch Tage, bevor die Öffentlichkeit mehr als eine leise Ahnung hat, daß irgend etwas Seltsames vorgefallen ist."

„Du hättest Eisner nicht wegschicken sollen", erklärte Mary mit plötzlichem Ingrimm. „Du hast jedermann davon überzeugt, daß du schuldig bist. Die waren sich doch sicher, daß Eisner nicht die Konsequenzen dafür tragen wollte, was er unter deinem Kommando gemacht hat. Was werden sie dann erst von dem Mann denken, der die Befehle erteilt hat?"

Berendtsen zuckte die Achseln. „Macht das irgendeinen Unterschied, was sie denken? Macht das einen Unterschied, ob ich wirklich der blutige Schlächter bin, für den sie mich halten, oder nicht? Eisner und seine Leute sind frei und auf dem Weg nach Westen."

Plötzlich lächelte er. „Ich habe nur befohlen, daß er abrückt. Nach Westen ist er aus eigenem Entschluß aufgebrochen."

Mary sprang auf. „Und bist du jetzt zufrieden? Macht es dich glücklich, wenn du weißt, daß der große Plan ausgeführt wird, daß Berendtsens Traum der Vereinigung weitermarschiert, wenn auch nur in diesem kleinen Maßstab?"

Berendtsen seufzte, als das Klopfen an der Tür sich wiederholte. „Wessen Plan das ist, oder wie er heißt, das ist mir gleichgültig. Alles, was ich weiß, ist, daß ich Eisner einen Befehl gegeben habe, den ich unmöglich durchsetzen konnte. Er hat ihn trotzdem ausgeführt."

Er stand auf, ging zur Tür und öffnete sie. „Wie geht's, Bob?" sagte er.

Robert Garvin sah ihn einen Augenblick lang wortlos an. Dann atmete er laut aus, als sei er erleichtert, daß ein schwieriger und komplizierter Plan nun endlich zur Durchführung käme.

„Du hast dich wegen Hochverrats zu verantworten", sagte er unverblümt. „Morgen beginnt dein Prozeß."

Es dauerte drei Wochen, nicht zwei, bis Jack Holland mit der A-Kompanie zurückkam. Jim, der mit grob geschienten Beinen vor der Scheune saß, zuckte zusammen, als er sie sah. Sie hatten jetzt vier Panzer, auf denen sich Verwundete festklammerten. Der letzte Panzer wurde von dem davor abgeschleppt. Er sah sich die marschierenden Soldaten an, zählte sie und glaubte, er habe sich verzählt, bis der Jacks Gesicht sah.

„Wir sind erledigt", stieß Holland hervor und ließ sich neben ihm auf den Boden fallen. „Zur Zeit könnten wir nicht einmal mehr einen Angriff von Bogenschützen abwehren."

„Worauf seid ihr gestoßen?" fragte Jim, der nicht wußte, was er sonst sagen sollte.

„Auf alles. Bazookas, Mörser, Splittergranaten, Minen ... Was du willst, alles haben wir angetroffen. Und rekrutieren können wir auch niemanden. Schlagen können wir sie, aber rekrutieren können wir sie nicht. Sie haben einfach kein Interesse. Am Anfang machen sie sich vor Angst in die Hosen, aber wenn sie dann merken, daß wir ihnen nicht bei lebendigem Leib die Haut abziehen, weil sie in die falsche Richtung geschnauft haben, werden manche von ihnen pampig. Aber meistens sitzen sie nur so da und glotzen uns an, als seien wir Eroberer oder so etwas. Wir haben ihnen jedesmal das gleiche Angebot gemacht, bevor wir einmarschiert sind. Wir haben Schilder aufgestellt, Radiosendungen ausgestrahlt, gebrüllt. Sie haben uns einfach nicht genug vertraut, um zuzuhören. Dann unterwerfen wir sie, und damit sind wir Eroberer. Die Eroberer von Süd-Jersey! Ich weiß nicht, Jim. Das ist das gruseligste Scheißgefühl, das ich je hatte. Es ist völlig anders als früher."

Jim nickte. „Ich habe auch meinen Teil davon mitgekriegt. Sie sind alle so voll von diesem Buhmann-Berendtsen-Zeug, daß nichts zu ihnen durchdringt. *Wir* sind in Ordnung, verstehst du? Wenn wir auch die Soldaten des Ungeheuers sind. Aber Berendtsen selbst? Brrr!"

„Weißt du, was die für Gewehre benutzen?"

„M-16er."

„Die Wälder sind voll davon."

„Horton war nicht faul, wie mir scheint", sagte Jim säuerlich. „Ich habe mir Gedanken gemacht über die Brücke. Wir sind dort verdammt leicht hinüber gekommen."

„Stimmt", meinte Holland. „Ein einziger mickriger Typ, der Straßensperre spielt. Wenn wir niemanden angetroffen hätten, hätten wir einen Bericht an Ted geschickt. Wenn wir zu viele gefunden hätten, dann hätten wir das ebenfalls berichtet. Die haben uns hier schon ganz schön hereingelegt."

„Meinst du, daß Ted Philly nicht vertrauen sollte?"

„Ja, ist doch logisch. Er spaltet einen ordentlichen Teil von seiner Armee ab — aber er läßt die ganze Armee einmarschieren. Er scheint nicht angenommen zu haben, daß es *wirklich* haarig würde. Mit gutem Grund, denn wer auch immer hinter dieser Sache steckt, weiß, daß die VA von nichts auf der Welt aufgehalten werden kann. Wenn Ted den Braten gerochen hätte, wäre er umgekehrt und hätte Philly noch einmal auf die Nase gehauen. Und wenn man ihn wütend genug gemacht hätte, dann wäre er wie ein Büffel in New York eingefallen, statt so vorzugehen, wie er es getan hat."

„Hört sich wie eine Sache an, die sich nur jemand mit einigem Verstand ausdenken könnte."

„Eher ein ganzer Haufen. Ich glaube nicht, daß es irgend jemanden gibt, der besser als Ted denken kann", sagte Holland.

„Ich möchte gern wissen, was Bob heute so macht", sagte Jim halb zu sich selbst. Seine Augen wurden zu Schlitzen. „Wie auch immer, hier sitzen wir also und sterben ab."

„Und die Bauern helfen kräftig nach, allerdings."

Jim befeuchtete seine Lippen. Er fragte die nutzlose Frage. „Hast du versucht, Ted zu erreichen?"

„Klar." Holland seufzte. „Hab' ich, und das seit zwei Wochen. Das einzige, was ich erreicht habe, ist eine Verbindung mit irgendeiner Rotznase in New York. ‚Übergeben Sie Ihre Nachricht bitte mir!'" äffte er böse nach.

Jim schloß seine Augen und ließ seinen Kopf sinken. „Ted wußte schon, was er tat, als er uns zu einer unabhängigen Einheit machte."

Selbst wenn wir in unserem Zustand nicht einmal eine ordentliche Fußballmannschaft zusammenbekommen würden, dachte er.

„Er wußte auch, warum er Eisner in New York dabeihaben wollte", sagte Holland. „Mann, ich stelle mir gerade vor, wie seine fahrenden Straßensperren in New York aufgeräumt haben als sei das nichts!"

Sie hörten plötzlich auf zu sprechen und sahen sich an. Der Maßstab ihrer Gedanken war ihnen mit einemmal klargeworden. Es handelte sich hier um mehr als nur um Horton, der sein eigenes Spiel spielte. Hier arbeiteten New York und Philadelphia zusammen. Eine ganze Nation hatte gegen sie Stellung bezogen.

Und in dieser Nacht kam die erste Nachricht aus New York.

„An den befehlshabenden Offizier, A-Kompanie und ange-
schlossene gepanzerte Verbände, Vereinigungsarmee. Von
dem Interims-Oberbefehlshaber ergehen folgende Befehle:
Alle Einheiten der VA unter Ihrem Kommando sind unver-
züglich aufzulösen. Jedes Truppenmitglied behält seine persönlichen Ausrüstungsgegenstände und seine Bewaffnung.
Nachschub ist bis zur Ankunft des zivilen Gouverneurs des
vorherigen Militärbezirks unter Verschluß zu halten. Im Be-
darfsfall soll eine Truppe, bestehend aus Freiwilligen, zur
Bildung einer Miliz für die Aufrechterhaltung der Ordnung
sorgen. Diese Milizeinheiten sollen keinerlei VA-Insignien
tragen. Halten Sie diese Frequenz für weitere Befehle offen.
Übermitteln Sie selbst keine Nachrichten."

gez. Hollis,
Interims-Oberbefehlshaber

Holland sah Garvin an, der in das Kommunikationszentrum gebracht worden war, das die Soldaten aufgestellt hatten. „Hast du
schon mal von jemandem gehört, der Hollis heißt?" fragte er.

Jim sah auf. „Wahrscheinlich gibt es heutzutage in New York
eine Menge Leute, von denen wir noch nichts gehört haben." Er
sah hilflos auf seine nutzlosen Beine herunter. „Ich möchte bloß
wissen, was aus Ted geworden ist." Er war sich des klagenden Ton-
falls in seiner Stimme bewußt. Sie wußten jedoch beide, daß es
nicht mehr darauf ankam. Irgendwo in New York war die Initiative der Führung von anderen Männern mit anderen Zielen aufgenommen worden. Die VA war gestorben, das Ziel, das hinter ihr
gestanden hatte, gab es nicht mehr. Ted Berendtsen hatte eine Ver-
abredung mit der Geschichte eingehalten, und seine Zeit war vorbei, selbst wenn er noch lebte. Und wenn die Kraft, die er und sein
Werk gewesen waren, nicht mehr existierte, war der Arm, den er in
dieses letzte Gebiet ausgestreckt hatte, ebenso machtlos wie alles
andere.

Sie waren am Ende. Abgeschnitten und fertig.

„Was machen wir jetzt?" fragte Jim.

„Was können wir schon machen?" gab Holland zur Antwort.
„Wir machen genau das gleiche, was Boston und Tampa auch ge-

macht haben. Wir sind geschlagen. Wir haben nichts mehr zu sagen. Es ist noch immer eine Nation − eine Organisation. Wir führen sie nicht mehr, aber zu arbeiten haben wir immer noch darin, um sie am Leben zu erhalten, weil es eine Organisation *ist*."

Er grinste schief. „Ted hatte recht − wieder einmal."

Aber die Botschaften hörten noch nicht auf. Sie hörten einer Durchsage aus New York zu und gaben sie befehlsmäßig über Lautsprecher an die allgemeine Bevölkerung weiter.

> „Hier spricht Robert Garvin, Präsident der verfassungsgebenden Versammlung für die Zweite Freie Amerikanische Republik. Wir sind wieder frei. Die Macht der Vereinigungsarmee ist gebrochen, und diese Nation, die sich aus der Asche von Auflösung und Hoffnungslosigkeit erhoben hat, kann wieder wachsen, groß und reich der Sonne entgegenblühen. Von Maine bis Florida sind wir ein Volk, eine Union, untrennbar und ohne Joch. Wir sind eine Nation freier bewaffneter Menschen, gleich untereinander, Brüder zueinander, fest in dem Entschluß, daß nie wieder ein Mann seinen verdrehten Willen anderen aufzwingen wird.
>
> Das Recht, Waffen zu tragen, ist jedem von uns angeboren. Das Recht, andere zu unterwerfen, ist es nicht. Kein Mensch darf zu einem anderen sagen: ‚Du wirst dies oder jenes tun, weil ich es bestimme, weil ich eine Armee zusammengestellt habe, um dein Heim zu plündern und dir den Lebensunterhalt zu rauben.' Bald werden Zivilgouverneure zu euch gesandt werden. Sie werden eine Organisation aufrichten, mit deren Hilfe freie Wahlen abgehalten werden können. Man wird euch darum bitten, lokale Beamte zu wählen, die unter der allgemeinen Aufsicht des Gouverneurs euer Gebiet verwalten werden. Einwohner der Zweiten Freien Amerikanischen Republik, wir bringen euch die Freiheit."

Holland spuckte aus. „Wir bringen euch Zivilgouverneure statt eine Armee", sagte er bitter. „Bitte entschuldigt die Tatsache, daß diese Beamten von uns eingesetzt worden sind. Haben wir es denn nicht im Namen der Freiheit getan? Verdammt noch mal, wer hat ihnen denn ihre großartige Union zuerst *gegeben*?"

Jim lächelte traurig. „Wahrscheinlich wußte Ted schon immer, daß die Leute, wenn sie eine neue Regierung wählen würden, dies keine Regierung sein würde, die Berendtsen billigt."

„Trotzdem – hast du etwas gemerkt?" meinte Holland. „Ted wird nicht erwähnt. Es gibt nur ein paar beiläufige Bezüge. Die sind sich ihrer Sache noch nicht sicher – sie sind sich noch gar nicht sicher, ob man so ohne weiteres herkommen und auf ihn schimpfen kann. Sie sind nervös."

„Ich möchte zu gern wissen, was in New York vor sich geht", sagte Jim Garvin. Was er von Bob dachte, behielt er für sich.

3

Robert Garvin saß locker auf seinem Stuhl und sah auf den Mann herab, der unter dem Pult stand. Zu seiner Rechten und Linken saßen die anderen Richter.

Garvin lächelte dünn und ein wenig bedauernd. Er fühlte das Gewicht dessen, was er getan hatte. Er hatte es aber trotzdem getan, denn dadurch hatte er seiner wichtigeren Pflicht für die Freiheit Genüge getan, für Freiheit vor Unterdrückung, für die Befreiung von Männern wie Berendtsen.

Er lehnte sich nach vorn. „Theodor Berendtsen, Sie sind für schuldig befunden worden des Verbrechens des Hochverrats gegen die Menschenrechte der Bürger der Zweiten Freien Amerikanischen Republik. Haben Sie noch etwas zu sagen, bevor das Urteil gegen Sie verkündet wird?"

Es war gleichgültig, was er jetzt sagte. Welche Worte Berendtsen auch finden mochte, sie trugen kein Gewicht mehr. Er hatte keine Armee. Er hatte keine Waffen.

Garvin berührte den Karabiner, der gegen seinen Stuhl gelehnt war. Waffen waren das Zeichen der Freiheit eines Menschen, und alle freien Menschen trugen sie nun. Sicher sahen manche von ihnen grotesk und lächerlich aus, aber das Symbol war trotzdem da. Rühr mich nicht an!

Berendtsen schien zu zögern, als sei er sich nicht sicher, ob er sprechen solle oder nicht.

Berendtsen trug keine Waffen.

Er begann zu sprechen: „Ich bin nicht hergekommen, um mich zu verteidigen", sagte er. „Ich kann mich nämlich nicht verteidigen. Ich habe gebrannt, getötet und geplündert, und meine Leute haben manchmal noch Schlimmeres getan ... ."

Robert Garvin hörte die Worte kaum. Er saß geduldig da, hörte nicht zu, beobachtete aber trotzdem den Mann. Berendtsen stand mit erhobenem Kopf da, und seine Arme hingen locker an seiner Seite herab. Von Garvins Blickwinkel aus war es unmöglich zu erkennen, wohin er schaute.

Garvin bemerkte, daß eine kurze Woge von Aufregung durch den kleinen Zuschauerraum ging und sogar den Richtertisch erreichte. Innerlich zuckte er die Achseln. Ohne Zweifel konnte sein Schwager den einen oder anderen emotionellen Punkt für sich verbuchen.

Aber man konnte den ganzen Tag lang emotionelle Punkte sammeln und trotzdem die Tatsachen nicht ändern. Garvin hatte seine Macht und den Weg dorthin auf emotionellen Faktoren aufgebaut — was aber zählte, das war die kühle, logische Idee, die dahinterstand. Man konnte eine Masse mit Worten in Bewegung setzen, sie dazu bringen, Dinge zu tun. Aber das hier war keine Masse. Das hier waren Berendtsens Richter, der Urteilsspruch war schon gefällt, die Strafe schon beschlossene Sache.

„Robert Garvin!"

Garvins Kopf fuhr nach oben, und seine Augen richteten sich wieder auf Berendtsen.

„Du hast den Menschen persönlich Waffen gegeben", sagte Berendtsen. „Du hast ihnen verkündet, daß sie von diesem Tag an Waffen tragen dürften; daß sie ebenbürtig seien, gleich mit allen anderen. Daß in Zukunft kein Mensch dem anderen zu sagen habe, was ihm gehöre und was nicht, daß jeder unverletzlich sei und keiner Herr über den anderen."

Garvin nickte automatisch. Erst später wurde ihm klar, daß dazu keine Notwendigkeit bestand.

„Also gut, Bob", sagte Berendtsen leise, als unterhielten sie sich wieder am Eßtisch, „wer hat dir denn das Recht gegeben, dieses Recht zu verleihen?"

In Garvins Augen blitzte etwas.

„Wir haben einst Waffen getragen. Jeder einzelne von uns. Wir waren dazu gezwungen. Schritt für Schritt erreichten wir es, daß wir es nicht mehr mußten. Allen Theorien zum Trotz trugen manche von uns ihre Waffen mit Unbehagen und waren froh, als es auf den Straßen keine Heckenschützen mehr gab und sie diese Waffen niederlegen konnten. Manche von uns waren froh, sich friedlichen Beschäftigungen zuwenden zu können – wie zum Beispiel der Politik.“

Trotz der Zeit und des Ortes kam ein kurzes Gelächter auf, das Garvin auf die Nerven ging, bis es wieder erstarb.

Berendtsen lächelte dünn zu Garvin hoch. „Du bist heute an deinem Platz, weil du keine Waffen getragen hast – weil es eine Organisation von freien Männern gab, die bereit waren, die Waffen wieder aufzunehmen, falls dies nötig sein sollte, aber zur gleichen Zeit froh, daß sie sie niedergelegt hatten. Sie alle arbeiteten in einer Zivilisation zusammen, die die Zeit dazu hatte, Individuen wie dich zu unterstützen. Wer Waffen trägt, ist sein eigener Verwalter. Wer das nicht tut, benötigt andere, die es für ihn erledigen.

Hier stehst du also, ein Verwalter, den eine Organisation gewählt hat, und du hast den Leuten ihre Waffen zurückgegeben. Du hast sie ihnen praktisch aufgezwungen, sie an den Straßenecken ausgegeben. Aber – ich frage es noch einmal – wer hat dir das Recht dazu verliehen?“

Berendtsen lächelte sarkastisch. „Es sieht so aus, als hätte ich es getan. Ich habe die Organisation aufgebaut, die dich unterstützt. Ich habe sie aufgebaut, ohne zu wissen, welche Gesellschaft sich aus ihr entwickeln würde. Ich habe niemals auch nur einen Augenblick lang angenommen, daß ein einzelner Mensch so klug, so vorausschauend sei, daß er anderen sein Konzept einer idealen Gesellschaft aufzwingen könne. Ich habe einfach nur eine Gemeinschaft aufgebaut und ihre Struktur dem Willen des Volkes überlassen.“

Er sah Garvin fest in die Augen. „Du hast den Menschen Gewehre gegeben und geglaubt, du gäbest ihnen Waffen. Aber die Menschen verfügen über tödlichere Waffen, als irgendein Waffenschmied sie entwerfen könnte.

Die Menschen wollen sicher sein und in Bequemlichkeit leben. Wenn diese Sicherheit und Bequemlichkeit durch Gewehre erzielt werden kann, dann werden sie diese Gewehre aufnehmen – aus eigenem Antrieb, nach ihrem Bedarf. Und wenn Sicherheit und Bequemlichkeit in Büchereien zu finden sind, dann verrosten die Gewehre.“

Die ruhigen, besorgten und doch sicheren Augen sahen tief in das Innerste Garvins hinein.

„Du glaubst, daß Männer wie du das Volk regieren. Zweifellos billigst du diese Qualität auch mir zu. Du irrst dich. Wir existieren – und wir finden unseren Weg in jene schlechten Geschichtsbücher, die vom falschen Standpunkt aus geschrieben sind –, weil das Volk, wie lange oder wie kurz auch immer, eine Zeitlang glaubt, bei uns sei Ruhe und Bequemlichkeit zu finden."

Er lachte kurz auf und kam zum Ende. „Das Volk täuscht sich oft. Aber es berichtigt seine Irrtümer."

Garvin fühlte jedes Auge in dem Raum auf seiner Person haften. Er war wahrscheinlich etwas blaß geworden. Aber das war bei der Belastung, der er durch das, was er zu tun hatte, ausgesetzt war, wohl nur natürlich.

„Theodor Berendtsen, du bist des Hochverrats überführt. Die Bürger dieser Republik sind sich deiner Verbrechen bewußt. Wir verurteilen dich dazu, einer Beschäftigung deiner Wahl nachzugehen, ohne eine Waffe zu tragen."

Berendtsen neigte seinen Kopf. Garvin bemerkte zum erstenmal und zu seiner Verblüffung, daß er viel älter war, als er oberflächlich betrachtet aussah – daß sein Bauch ein wenig dicker geworden war und daß auf seinem Gesicht vollständige Erschöpfung geschrieben stand.

Dann sah Berendtsen zum letztenmal auf, und Robert Garvin erkannte den tiefer eingegrabenen Ausdruck auf seinem Gesicht, der immer da war, ganz gleich, welche oberflächliche Stimmung darüber hinweg huschte. Er verstand nun, was ihm ständig den Eindruck vermittelt hatte, Berendtsen sei noch immer der gleiche, irgendwie unangreifbare Mann, der auf der anderen Seite des Tisches so viele Mahlzeiten mit ihm eingenommen hatte.

Eine Reihe von Anweisungen erreichte die Kommunikationsstelle in New Jersey:

„An alle Einheiten, Interims-Militärführung, ZFAR:
Sie werden hiermit davon unterrichtet, daß die folgenden ehemaligen Offiziere der aufgelösten Vereinigungsarmee zu Volksfeinden erklärt worden sind:
Samuel Ryder – Randolph Willets – John Eisner.

Zur Ergreifung dieser Männer sollen alle Anstrengungen unternommen werden, gleiches gilt für die Ausschaltung der abtrünnigen Einheiten, die sie befehlen. Diese Männer sind geächtet. Sie repräsentieren in keiner Weise die ZFAR oder die verfassungsgebende Versammlung. Sie werden versuchen, diese Männer zu fangen und für den Transport zurück nach New York festzuhalten, wo sie vor ein Militärgericht gestellt werden. Jeder Bürger, Zivilist oder Milizionär, der versucht, diesen Männern Hilfe und Unterstützung zu gewähren, wird automatisch zum Volksfeind. Der obige Befehl trifft dann auch auf diese Leute zu. Jeder Bürger von zweifelsfrei zivilem Status, der über diese Männer aufrührerische Diskussionen führt, ist sofort festzunehmen und zur Aburteilung durch den Zivilgouverneur zu inhaftieren. Jeder Angehörige der Miliz, der so geartete Gespräche führt, ist sofort vor ein Standgericht zu stellen. Die Höchststrafe ist Tod durch Erschießen. Jeder Offizier der Miliz, der sich weigert, den obigen Befehl auszuführen, wird nach dem Ermessen des ranghöchsten loyalen Offiziers festgenommen, der dann den Befehl ausführt und das Kommando übernimmt."

gez. Hollis,
Oberbefehlshaber, ZFAR

Jim sah Holland ungläubig an. „Was glaubst du, was passiert ist?"

Holland schüttelte mit ernstem Gesicht den Kopf. „Ich bin mir nicht sicher — aber ich glaube, ich weiß jetzt, warum Ted Eisner dabeihaben wollte. Ich bin mir ziemlich sicher, daß Johns letzter Befehl war, mit den Panzern nach Westen aufzubrechen."

„Glaubst du, daß Ted dabei ist?"

Hollands Gesicht trug einen Augenblick lang einen seltsamen Ausdruck. „Nicht persönlich."

„An alle Einheiten, Interims-Militärführung, ZFAR:
Sie werden hiermit davon unterrichtet, daß die abtrünnigen Militäreinheiten unter der Führung der ehemaligen VA-Offiziere Eisner, Willets und Ryder unter energischer Verfolgung durch Einheiten der Volksmiliz New York aus dem Gebiet der ZFAR geflohen sind. Die Rebellen mußten schwere Verluste hinnehmen. Unsere Einheiten kehrten ohne Verluste zurück."

Holland und Garvin brachen in wildes Gelächter aus.

> „Sie werden weiterhin davon unterrichtet, daß jedes Anzeichen von Berendtsenismus in der Bevölkerung oder den Militäreinheiten rigoros zu unterdrücken ist."
>
> gez. Hollis
> Oberbefehlshaber, ZFAR

Der Ansager, der die Nachricht verlas, hatte eine nervöse Stimme.

Holland hob eine Augenbraue. „Berendtsenismus?"

Einen Augenblick lang leuchtete ein wildes Feuer in seinen und Jims Augen, das die dumpfe Verzweiflung hinwegwischte, die angefangen hatte, sich dort niederzulassen.

„Meinst du, Ted sei doch nicht so dumm gewesen, wie New York geglaubt hat?" fragte Jim. „Es hört sich doch ein ganz, ganz kleines bißchen so an, als würde dort oben alles auseinanderfallen. Nimm doch mal an, daß es ihm klargeworden ist, daß er vielleicht jemanden braucht, der ausbricht, und deshalb Eisner mitgenommen hat. Und vielleicht hat er uns nach hier verlegt, damit wir uns verkriechen, bis New York sich selbst zugrunde gerichtet hat?"

Holland schüttelte verblüfft den Kopf. „Ich weiß nicht. Bei Ted wußte man nie so recht, woran man war, da konnte man nur staunen."

Robert Garvin fuhr herum, als Bürgermeister Hammersby durch die Tür kam.

„Na?" schnappte er.

Hammersby zuckte die Achseln. „Noch nichts."

„Was ist bloß los mit denen?"

Hammersby sah ihn von der Seite an. „Nur Ruhe, Garvin. Das kommt schon."

Robert Garvin sah ihn durch einen Schleier von überwältigender Wut an. Es sah fast so aus, als würde selbst Hammersby eine Art Unverschämtheit aus der unmöglichen Situation ziehen.

„Wir können nicht mehr warten. Die Leute von der alten Armee haben uns mit ihrem Gerede schon in Verlegenheit gebracht. Wenn wir es noch lange hinauszögern, dann bricht hier eine Revolution aus."

„Soll das nicht der Theorie nach auch so sein?" fragte Hammersby trocken. „Bewaffnete freie Männer wählen sich ihre eigenen Führer. Was haben Sie denn dagegen?"

Die Worte brachen über Garvin wie eine kalte Brandung zusammen. Hammersby hatte natürlich recht. Das Volk hatte das volle Recht, selbst zu wählen, zu töten oder nicht zu töten.

„Berendtsen muß sterben!" brüllte er plötzlich. „Schicken Sie doch einen von Hollis' famosen Mob-Haufen los."

„Das Volk wird herrschen, was? Mit ein wenig Hilfe dann und wann."

„Verdammt noch mal, Hammersby!"

„Schon gut, schon gut. Ich habe genausoviel Angst um meinen Hals wie Sie." Der Bürgemeister drehte sich um und ging. Garvin starrte ihm wütend nach.

Er konnte natürlich niemanden in den Rücken schießen.

Die letzte Nachricht traf mit metallischem Klang in der Funkbude ein:

„Nach Ermessen an die Bevölkerung weiterzugeben:

Das Folgende sagte Theodor Berendtsen zu seinen Richtern. Es ist die einzige öffentliche Rede, die er je gehalten hat, und er hielt sie in der Umgebung von Männern, die einmal seine Freunde gewesen waren. Er hat niemanden angesehen, als er dies sagte. Seine Augen waren auf etwas gerichtet, das von uns in dem Zimmer niemand sehen konnte. Aber ich bin sicher, daß er es gesehen hat, so sicher wie ich bin, daß jemand, der dies in hundert Jahren liest, wissen wird, daß ein Mann, der zu unserer Zeit gelebt hat, groß genug war, über sein eigenes Leben hinaus zu planen."

Die Stimme war völlig unbekannt und zitterte vor Gefühl. Es mochte sentimental oder echt sein. Ziemlich sicher war jedenfalls, daß der Mann, der dort sprach, im Griff machtvoller Gefühle war und später, wenn er wieder daran dachte, vielleicht verlegen lächeln würde. Aber irgendein unbekannter Richter Berendtsens hatte seine Pflicht besser erfüllt, als man es von ihm erwartet hatte. Jim lief es kalt den Rücken hinunter, während er zuhörte, und –

nachdem er den Schalter umgeworfen hatte – die Außenlautsprecher ihr klagendes Echo hinzufügten.

Er stand auf und schwang sich sorgfältig zum Fenster. Er stützte sich schwer auf seine Krücken und sah in die Gesichter der Leute, die zuhörten. Und dann fing die Stimme auf dem Tonband an zu sprechen, und Garvin sah, wie die Menschen tief Luft holten.

„Ich bin nicht hergekommen, um mich zu verteidigen", sagte Berendtsen. „Ich kann mich nämlich nicht verteidigen. Ich habe gebrannt, getötet und geplündert, und meine Leute haben manchmal noch Schlimmeres getan.

Ich habe getötet, weil manche Menschen lieber zerstören als aufbauen – weil ihnen persönliche Macht süßer schmeckt als die Freiheit für alle Menschen. Ich habe auch getötet, weil ich in eine Gesellschaft hineingeboren wurde, die die Menschen nicht akzeptieren wollten. Daher bin ich doppelt schuldig – aber ich konnte nichts anderes tun. Manche Probleme sind nicht einfach zu lösen. Wie die Übel unserer Gesellschaft auch aussehen mögen, so kann ich doch nur eines sagen: Es war und ist meine feste Überzeugung, daß es für uns unerträglich gewesen wäre, wenn diese Gesellschaft durch Einflüsse von außen geändert worden wäre. Letzten Endes habe ich, bei Licht betrachtet, nicht viele Entscheidungen getroffen. Ich bin kein übermenschlicher Held. Ich bin ein Mensch. Ich habe als Arm des Krieges gebrandschatzt – aber es war nicht ein Krieg gegen einzelne, sondern gegen das, was mir als die Finsternis vorkam. Ich habe geplündert, weil ich die Ausrüstung zum Töten und Brandschatzen benötigte.

Ich habe diese Dinge getan, um Einigkeit in das Gebilde zu bringen, das nur aus versprengten Stämmen und einzelnen Stadtstaaten bestand. Wir standen hart am Rand des Dschungels, dem wir gerade wieder entkommen waren, und ohne Hilfe von außen hätte es Jahrhunderte gedauert, bis die einzelnen Fürstentümer sich einen blutigen Frieden erkämpft hätten, der uns dann endlich die Zivilisation zurückgegeben hätte – aber zu einem Zeitpunkt, da es zu spät gewesen wäre, weil die Bücher zerfallen und die Maschinen verrostet gewesen wären.

Was eine Organisation von Menschen zusammenhält, ist uninteressant. Politische Ideologien ändern sich. Ziele ändern sich. Die Herrschaft eines Menschen geht zu Ende. Aber die Tatsache der Organisation bleibt bestehen, ganz gleich, welche Veränderungen innerhalb dieser Organisation vor sich gehen.

Ich habe mein letztes Verbrechen gegen das Heute begangen. Ich überlasse euch eine Organisation, aus der ihr machen könnt, was ihr wollt. Ich habe meine Hand auf das Heute gelegt, aber das Morgen habe ich nicht angerührt."

Einen Augenblick lang herrschte noch rauschendes Schweigen, bis der Ansager aus New York ganz abschaltete. Den Namen, den er als Urheber der Nachricht schließlich noch genannt hatte, schmückte weder ein militärischer Rang noch ein Titel. Hollis, die ZFAR oder Robert Garvin erwähnte er nicht. Was auch immer sich in New York zusammengebraut hatte, es war vorbei, und das war es, nicht die leere, tödliche Stille, was das eigentliche Ende der Zeit von Theodor Berendtsen bedeutete.

„Was ist das eigentlich für ein Ding?" fragte Jim und sah mit zusammengekniffenen Augen in die Sonne.

„Ein Hubschrauber, denke ich. Sieht auf jeden Fall so aus wie auf dem Bild", antwortete Holland. „Siehst du das? Er hat einen blau-roten Streifen auf der Kabine."

Garvin nickte. „Stimmt, hab' ich gesehen." Er lehnte sich schwerer auf seine Krücken.

Um sie herum stand eine Menge von Dorfbewohnern, die gegen die Absperrung durch die Miliz drängte. Die Soldaten waren sich ihrer gegenwärtigen Autorität unsicher genug, um ihre Sperrkette unter dem Druck nachgeben zu lassen.

„Siehst du das?" sagte Holland und deutete mit der Hand auf das, was ihm aufgefallen war.

Jim sah sich die häßlichen Pockennarben auf der Kabine an, die von Gewehrkugeln stammten, und nickte. Dann stürmte der Hubschrauber über sie hinweg, hustete und spuckte seinen Weg nach unten, bis die Landekufen den Boden berührten und der Motor erstarb. Die Kabinentür öffnete sich.

„Das ist also aus Bob geworden", sagte Jim leise. Er lächelte schief und begann, sich zu der Maschine hinzuarbeiten. Holland ging im gleichen Tempo neben ihm her. Sie hatten sie fast erreicht, als Holland Jim plötzlich am Arm berührte.

Ein zweiter Mann war mit Bob ausgestiegen, und nun drehten sie sich um, um einem dritten Passagier herauszuhelfen. Jim stockte der Atem, als er seine Mutter erkannte. Dann aber hielt er an und richtete sich auf. Er war bereit, als seine Mutter ihn ansah und der Schock des Erkennens von Schmerz und Unsicherheit gefolgt wurde.

„Hallo, Mama", sagte er. „Keine große Affäre – in vierzehn Tagen ist es wieder in Ordnung." Sie sah ihn unsicher an, und schließlich hängte sie sich bei Bob ein.

„Hallo, Jimmy", sagte sie. Sie war viel älter geworden, als er sie in Erinnerung hatte. Nach dem langen Flug brauchte sie Bob zur Unterstützung. Jim lächelte und nickte wieder beruhigend.

„Hallo, Holland", sagte Bob und leckte sich nervös die Lippen. „Das ist Merton Hollis", fügte er hinzu und deutete auf den zweiten Mann, der unruhig zu der Menge hinübersah. Der arrogante Gesichtsausdruck verlor sich in schlaffer Unsicherheit.

Holland zog die Augenbrauen hoch.

„Können Sie ... kannst du vielleicht hier einen Platz finden, wo wir bleiben können?" fragte Bob.

Holland grinste schief. „Für immer, nehme ich an? Exil ist ein häßliches Wort, nicht?"

Garvin zuckte zusammen, sagte aber nichts.

„Hallo, Bob", sagte Jim.

„Hallo, Jim", antwortete sein Bruder, ohne ihn anzusehen.

„Ich denke, Platz haben wir jede Menge hier", sagte Holland. Er lächelte gefährlich. „Nur eines möchte ich klarstellen – ich bleibe in der Gegend hier. Hier wohnen drei Schwestern mit einem großen Bauernhof, ganz ohne Mann. Eine von ihnen hab' ich ganz gern. Wie ich schon sagte, nur diese eine: Zutritt verboten." Er tätschelte seinen Gewehrkolben.

„Was ist aus Mary geworden, Mama?" fragte Jim.

Langsam begannen Tränen über Margaret Garvins Gesicht zu fließen. „Sie ist tot, Jimmy. Sie und Ted. Die ... die Leute sind gekommen und ... und sie ... " Sie sah Jim völlig verwirrt an. „Aber jetzt sagen die gleichen Leute, daß es ihnen leid tut. Jetzt sagen sie, daß sie die beiden lieben, und dauernd erzählen sie mir, daß es ihnen leid tut ... Ich verstehe das alles nicht, Jimmy."

Jim und Holland sahen Bobs Gesicht an und fanden Bestätigung darin. Jim lachte über seinen Gesichtsausdruck. Dann schwang er sich nach vorn und schaute in die Kabine des Hubschraubers. „Ist da noch Platz für einen Passagier zurück nach New York?" fragte er den Piloten.

Der Mann zuckte die Achseln. „Ich habe nichts dagegen. Sie müssen allerdings ein paar Minuten warten." Er holte sich ein Klappmesser aus der Tasche und sprang auf den Boden, wo er begann, den blau-roten Streifen abzukratzen.

„Mensch, sei doch kein Idiot, Jim", rief Garvin. „Die fragen einen heutzutage, was für eine Sorte Garvin man ist."

Jim sah ihn müde an. „Wenn du es herauskriegst, dann laß es mich wissen, hörst du?"

Zufällig sah er zu der Menge hinüber und konnte Edith erkennen, die von den Dörflern nach vorn gedrängt wurde.

„Warum kratzt er den Streifen ab?" fragte sie den Milizsoldaten vor sich aufgeregt. „Warum macht er das? Das ist doch die Flagge der Freiheit! Das *kann* er doch einfach nicht machen."

„Ich habe einen kleinen Tip für dich, Bob", sagte Jim und lächelte dünn. „Einen Freund hast du jedenfalls noch hier." Er fragte sich, was daraus wohl noch werden würde.

Als der Hubschrauber nach Norden schaukelte, fragte er sich, was aus einer ganzen Menge von Dingen werden würde. Er fragte sich, welches Vermächtnis Ted Berendtsen eigentlich der menschlichen Rasse überlassen hatte.

War er gerade zur rechten Zeit gestorben oder zu früh?

Und Jim wußte, daß kein Historiker, der die Zeit untersuchte, dies jemals würde sagen können, genausowenig wie er oder Jack es sagen konnten. Selbst jetzt, selbst ganz zum Schluß, mußte man dem Urteil Berendtsens vertrauen.

Siebtes Kapitel

Dies geschah in New Jersey, eine Generation später. Robert Garvin und Merton Hollis waren beide in einem Duell umgekommen, das sie miteinander ausgefochten hatten. Robert Garvin hinterließ ein Vermächtnis. Dies ist daraus geworden:

Cottrell Slade Garvin war sechsundzwanzig Jahre alt. Er war seit drei Jahren ein Sexualverbrecher, als ihn seine Mutter in ihr Zimmer rief und ihm erklärte, warum sie ihm nicht das Mädchen vorstellen konnte, das er heimlich beobachtet hatte.

„Mein liebster Cottrell", sagte sie und legte ihre fein geäderte Hand auf seinen sonnengebräunten Arm. „Du kennst meine Meinung über Barbara. Sie ist ein entzückendes Mädel. Unter normalen Umständen müßte jeder junge Mann in deiner Stellung und Klasse geehrt sein, sie kennenzulernen und nach gebührender Zeit eine Verbindung mit ihr einzugehen. Du mußt dir natürlich auf der anderen Seite ihre Familie ansehen ..." – hier erfolgte ein dezenter Atemzug durch die zerbrechliche Nase – „... ganz besonders den männlichen Teil, der für unsere Familie nicht akzeptabel ist." Jetzt war ihr Gesichtsausdruck wirklich bedauernd. „Ganz offen gesagt, die Vorstellung, die ihr Vater davon hat, wie ein Haushalt zu führen ist ..." Ihr Schniefen war deutlicher hörbar. „Seine Handlungen in Verbindung mit dieser Vorstellung sind so geartet, daß unsere Familie in endlose Integritätsaffären verwickelt würde, und du selbst wärest gezwungen, die Hauptlast dieser Auseinandersetzungen zu tragen. Zusätzlich dazu wärest du gezwungen, den bekanntermaßen unhaltbaren Besitz zu verteidigen, den Mr. Holland als Barbaras Mitgift zu bezeichnen pflegt.

Nein, Cottrell, ich fürchte, so sehr dir diese Verbindung auf den ersten Blick auch zusagen mag, so würdest du doch merken, daß die Verpflichtungen, die aus ihr erwachsen würden, die Vorteile mehr als aufwiegen." Sie berührte seine Hand so leicht, als sei ein Herbstblatt darauf gefallen. „Es tut mir leid, Cottrell." In jedem ihrer Augenwinkel glitzerte eine Träne. Es war offensichtlich, daß die Unterhaltung eine große Belastung für sie gewesen war, denn sie liebte ihren Sohn wirklich.

Cottrell seufzte. „Na schön, Mutter", sagte er. Dieses Mal konnte er nicht mehr tun. „Wenn sich aber die Umstände ändern sollten, dann *wirst* du es dir noch einmal überlegen, nicht wahr?" fragte er.

Seine Mutter lächelte und nickte, als sie sagte: „Natürlich, Cottrell." Dann aber verblaßte das Lächeln etwas. „Obwohl das doch ziemlich unwahrscheinlich sein dürfte, oder?" Ihr Lächeln kehrte zurück, und ihre Stimme nahm einen beruhigenden Tonfall an, als sie seinen Gesichtsausdruck sah. „Gibt es denn keine anderen jungen Damen? Aber wir werden sehen. Wir werden sehen."

„Vielen Dank, Mutter." Soviel hatte er immerhin erreicht. Er erhob sich von seinem Stuhl und küßte sie auf die Wange. „Ich muß nachsehen, ob die Kühe alle im Stall sind." Sie tauschten ein letztes Lächeln aus, bevor er ging. Er eilte über den Hof zu der Scheune. Die Kühe waren natürlich alle versorgt, aber er blieb trotzdem ein paar Minuten in der Scheune. Dort trieb er seine von der Arbeit gehärtete Faust immer wieder in einen Hafersack. Auf seiner Stirn brach der Schweiß aus und lief über seine Schläfen an seinem Gesicht herab, der Atem kam stoßweise aus seinen Nasenflügeln, und er murmelte Flüche in sich hinein, die um so schrecklicher waren, weil er nicht vollständig wußte, gegen wen oder was sie gerichtet waren.

Mit einer leichten Übelkeit im Magen schloß er leise das Scheunentor hinter sich zu. Von der Farbe des Sonnenuntergangs und dem Gefühl des Winds konnte er ablesen, daß es eine schöne Nacht werden würde. Diese Erkenntnis erfüllte ihn zu gleichen Teilen mit Vorfreude und Schuldbewußtsein.

Die Luft hatte gerade die richtige Temperatur, und auch der Tau war gerade so gefallen, daß ein gleichmäßiger und perfekter Film von Feuchtigkeit alles bedeckte. Cottrell schloß die Hintertür leise und schlich geräuschlos in einem solchen Winkel über den feuchten Rasen, daß er die Lehmstraße genau an dem Punkt erreichte, wo sein Besitz aufhörte und der von Mr. Holland begann.

Als er durch die Dunkelheit lief, bewegte sich der Schotter geräuschlos unter seinen Mokassins, sein Patronengurt schlug sanft an seinen Körper, und dann und wann spürte er, wie geöltes Metall seine Wange berührte, als sein Karabiner, den er am Riemen um die Schulter trug, ihn mit seinem geschwungenen Magazin berührte. Es war ein beruhigendes Gefühl – sein Vater hatte es vor ihm gespürt und der Vater seines Vaters davor. Für sie alle war es das Zeichen des freien Mannes gewesen.

Als er so nahe an Mr. Hollands Haus gekommen war, wie er konnte, ohne die Hunde aufzuschrecken, ging er von der Straße herunter und glitt in den Graben, der neben ihr verlief. Er legte sich den Karabiner in seine gebeugten Arme und robbte lautlos und schnell, bis er so nahe an dem Haus war, wie der Graben es zuließ.

Er hob seinen Kopf hinter einem Büschel Unkraut empor, das er während eines Frühlingssturms dort eingepflanzt hatte. Von dieser Deckung aus konnte er die Vorderfront des Hauses genau überblicken. Der Wind mußte ganz genau richtig stehen, um all dies zu ermöglichen, ohne daß der Hund Witterung von ihm bekam. In solchen Nächten war das der Fall.

Das Wohnzimmerfenster – wahrscheinlich das einzige ebenerdige Wohnzimmerfenster in der Gegend, bemerkte er zu sich selbst – war erleuchtet, und sie war in dem Raum. Cottrell versuchte, das laute Geräusch seines Atmens zu beherrschen und biß sich auf die Unterlippe. Sorgfältig hielt er seine Hände vom Metall seines Karabiners fern, denn seine Handflächen waren naßgeschwitzt.

Er wartete, bis sie schließlich das Licht ausmachte und die Treppe hinab ins Schlafzimmer ging. Dann ließ er den Kopf herabsinken und legte ihn einen Augenblick auf seine verschränkten Arme. Seine Augen waren geschlossen, und sein Atem war außer Kontrolle, bis er sich leise herumdrehte, um in dem Straßengraben zurückzukriechen. Heute abend, so kurz nach dem, was ihm seine Mutter gesagt hatte, war er zwar schockiert, aber nicht wirklich überrascht, als er bemerkte, daß Tränen ihm die Sicht verschleierten.

Er erreichte die Stelle, an der es sicher war, den Graben zu verlassen, und richtete sich auf. Er setzte einen Fuß auf die Straße und sprang mit einer flüssigen Bewegung auf die Lehmdecke. Den dunklen Schatten zwischen den vereinzelten Büschen und Hecken, die am Straßenrand standen, bemerkte er nicht. Mr. Holland sagte leise: „'n Abend, mein Junge!"

Cottrell ließ seine Schulter sinken, bereit, den Karabiner, den er sich gerade wieder über die Schulter gehängt hatte, herunter und in seine Hand gleiten zu lassen. Er stand ohne Bewegung und schaute Mr. Holland an, der zu ihm herübergetreten war.

„Mr. Holland!"

Der Alte lachte. „Mich hast du wohl nicht erwartet, was?"

Cottrell stellte mit einiger Erleichterung fest, daß der Mann offensichtlich nicht voll berechtigten Zornes war. „Guten ... äh ... guten Abend, Sir", murmelte er. Allem Anschein nach würde er nicht sofort umgebracht werden, aber man wußte nie, was im Kopf des Nachbarn vor sich ging.

„Da habe ich also doch recht gehabt mit meiner Vermutung über das Unkrautbüschel, das da so plötzlich gewachsen ist."

Cottrell spürte, wie ihm das Blut in die Ohren schoß, aber er sagte: „Unkraut, Sir?"

„Ganz schön schlau. Aus dir könnte mal ein guter Kämpfer werden." Cottrell war für die Dunkelheit dankbar, denn der eine Grund für sein Erröten wurde durch einen anderen abgelöst. Der Mangel an Licht hinderte seine Stimme aber nicht, mehr zu verraten, als sie sollte. Die Andeutung von Mr. Holland war deutlich gewesen. „Meine Familie, Sir, zieht es vor, die Verwandten nicht anzuerkennen, die unter ihre angemessene soziale Stellung herabgesunken sind. Sie werden verstehen, daß Ihre Bemerkung unter anderen Umständen von mir zumindest als nicht schmeichelhaft empfunden würde."

Mr. Holland lachte, ein Geräusch, das in sich die angesammelten Bremsklötze gegen Übereifer trug, die er sich während seines Lebens angeeignet hatte, das bereits zur Hälfte vorbei war, als Cottrell geboren wurde.

„Ich wollte dich nicht beleidigen, mein Junge. Es gab mal eine Zeit, da wäre ein Typ wie du wegen einer solchen Bemerkung eine Woche lang herumgelaufen wie der Hahn auf dem Mist."

Cottrell spürte noch immer die Hitze in seinem Gesicht, und der Grund dafür übertönte das starke Gefühl, wie ungereimt diese mitternächtliche Diskussion doch war. Es war eine völlig unlogische Entwicklung von Umständen, in denen zwei beliebige andere Männer schon lange vorher das Problem in einer normalen zivilisierten Art und Weise geregelt hätten.

„Glücklicherweise, Sir", sagte er mit einer Stimme, der er mit einiger Anstrengung wieder ihren normalen Tonfall verleihen konnte, „leben wir nicht mehr in einer solchen Zeit."

„Du vielleicht nicht." Mr. Hollands Stimme war leicht verärgert.

„Das möchte ich doch sehr stark hoffen, Sir."

Mr. Holland machte ein ungeduldiges Geräusch. „Junge, dein Onkel Jim war der beste Schütze, der jemals eine Patrouille angeführt hat, verdammt noch mal. Jede Familie, die Rosinen im Kopf hat und meint, sie sei besser als er ..." Den Rest des Satzes schnitt er mit einem rauhen, bitteren Fluch ab.

Cottrell zuckte vor dem Ausdruck zurück. „Aber Sir!"

„Entschuldige schon", sagte Mr. Holland sarkastisch. „Ich habe ganz vergessen, daß du in feineren Zeiten lebst. So fein allerdings auch wieder nicht, daß ein Mann in Straßengräben herumkriecht, um heimlich ein Mädchen ansehen zu können. Ein Mädchen, das nur dasitzt und ein Buch liest!" fügte er etwas ärgerlich hinzu.

Cottrell fühlte, wie das Adrenalin sein Blut zum Singen brachte und seine Muskeln verkrampfte. Mr. Holland würde offensichtlich jeden Augenblick eine Integritätsaffäre ausrufen. Während er sich die verschiedenen Argumente für und gegen das Recht überlegte, sich selbst dann zu verteidigen, wenn er bei einer Handlung erwischt worden war, die so offensichtlich unmoralisch war, ließ er reflexartig seinen Karabiner ein wenig von seiner Schulter herabgleiten, so daß er nur noch ganz knapp am Riemen hing, der jetzt, trotz sorgfältigstem Ölen, leise quietschte. Cottrell biß verärgert die Zähne zusammen.

„Ich habe kein Gewehr auf dich gerichtet, mein Junge", sagte Mr. Holland leise. „Es gibt bessere Methoden, die Integrität zu schützen, als Leute zu erschießen."

Cottrell hatte schon vor langer Zeit entschieden, daß sein Nachbar, wie alle Leute, die in den Wilden Sechzigern geboren und in den Dreckigen Jahren aufgewachsen waren, unkonventionell war — um es höflich auszudrücken. Aber der schiere Mangel an Vernunft, in einer Situation, in der möglicherweise die Integrität bedroht war, keine Waffen zu tragen — das war mehr als Unkonventionalität.

Aber dies führte alles zu nichts. In einem solchen Fall lag die größere Verantwortung, die Angelegenheit auf schickliche Art durchzuführen, offensichtlich bei ihm.

„Darf ich vielleicht die Situation klar umreißen, Sir", sagte er, „damit keine Mißverständnisse aufkommen."

„Es gibt kein Mißverständnis, mein Junge. Jedenfalls nicht über die Situation. Mensch, als ich in deinem Alter ..."

„Nichtsdestoweniger", unterbrach Cottrell, der entschlossen

war, Mr. Holland keinen echten sozialen Patzer begehen zu lassen, „bleibt die Tatsache bestehen, daß ich Ihren Grund und Boden ohne Befugnis betreten habe – und das schon seit einigen Jahren – um ...“

„Um Barbara heimlich anzustarren“, führte Mr. Holland seinen Satz für ihn zu Ende. „Tust du mir einen Gefallen, mein Junge?“ In Mr. Hollands Stimme schwang leicht ein amüsierter Ärger mit.

„Aber selbstverständlich, Sir.“

„Können die ...“ Mr. Holland fing sich. „Ich meine, wie wäre es denn, wenn du dich mal ein bißchen weniger um die Umgangsformen sorgen würdest; mach dir mal ein paar weniger Sorgen darum, in jeder Situation unter allen Umständen das Richtige zu tun, und hör mir mal zu. Hier und jetzt. Setz dich mal her, damit wir uns über ein paar Sachen unterhalten können.“

„Es tut mir leid, Sir“, sagte er mit einer Stimme, die aus Nervosität härter und rauher klang, als er es beabsichtigt hatte, „aber das kommt gar nicht in Frage. Ich schlage Ihnen vor, daß Sie entweder Ihre Pflicht als Familienoberhaupt tun oder Ihre mangelnde Bereitschaft dazu eingestehen.“

„Warum?“

Die Frage war nicht so überraschend, wie sie es am Anfang dieser phantastischen Szene gewesen wäre. Sie diente jedoch dazu, einen Punkt deutlich zu machen. Cottrell war sich klar darüber, daß sie nicht als trotzige Beleidigung gemeint war. Sie war eine echte und ernstgemeinte Frage, und die Tatsache, daß Mr. Holland nicht in der Lage war, die Antwort zu verstehen, war der Beweis, daß der Rat seiner Mutter zu Recht gegeben worden war. Mr. Holland war kein Gentleman.

Ihm blieb ganz offensichtlich nur ein Weg offen, wenn er nicht alle Hoffnung auf Barbaras Hand aufgeben wollte. So unglaublich es auch scheinen mochte, bestand er darin, die Frage mit vollem Ernst zu beantworten und damit einen Versuch zu unternehmen, in die eingefahrenen und – offen gesagt – versteinerten Denkgewohnheiten von Mr. Holland etwas Verständnis hineinzuzwingen.

„Ich würde doch meinen, daß es kaum notwendig ist, Sie daran zu erinnern, daß die Integrität eines Individuums sein kostbarster moralischer Besitz ist. In diesem besonderen Fall habe ich die Integrität Ihrer Tochter verletzt, und damit, durch die Blutsverwandtschaft, auch die Ihrer Familie.“ Cottrell schüttelte im Dunkeln seinen Kopf. Er könnte es zwar erklären, aber seine Stimme zeigte den Grad seiner Empörung.

„Was ist das?" Hollands eigene Stimme wurde ungeduldig.

„Wie bitte, Sir?"

„Integrität, verdammt noch mal! Eine Definition will ich hören."

„Integrität, Sir! Also, *jedermann* ..."

Holland schnitt ihm mit einem Fluch, der Enttäuschung ausdrückte, das Wort ab. „Ich hätte es besser wissen und nicht fragen sollen! Du kannst es nicht einmal in Worten ausdrücken, aber ihr bringt euch um dafür. In Ordnung, sprich nur weiter, aber erwarte nicht von mir, daß ich dir dabei helfe, wie du aus dir selber einen Vollidioten machst." Er seufzte. „Geh nach Hause, meine Junge. Vielleicht kannst du in zwanzig Jahren oder so soviel Mumm zusammenkratzen, daß du dich näherst und an die Haustür klopfen kannst wie ein Mann, wenn du Barbara sehen willst."

Durch den Nebel seiner fast überwältigenden Wut erkannte Cottrell, daß er jetzt nichts mehr sagen konnte, was Holland verletzen könnte. „Ich bin sicher, daß Barbara mich nicht empfangen würde, wenn ich das tun würde", brachte er schließlich mit ruhiger Stimme hervor, dankbar darüber, daß ihm dies gelungen war.

„Nein, wahrscheinlich nicht", meinte Holland voll Bitterkeit. „Dazu ist ihre Scheiß-Erziehung, die sie ihren gottverdammten Tanten verdankt, zu gut!"

Bevor Cottrell darauf reagieren konnte, spuckte Holland auf den Boden, dreht ihm wie ein Feigling den Rücken zu und ging mit großen Schritten die Straße hinunter.

Cottrell stand allein in der Nacht. Seine Hände hatten den Patronengurt ergriffen, und er mahlte die Patronen aneinander. Danach drehte er sich um und trottete nach Hause.

Er stellte seinen Karabiner auf dem Waffenständer der Familie in der Eingangshalle ab und ging leise in Mokassins im Erdgeschoß herum, um das Alarmsystem wieder einzurichten und anzuschalten. Manchmal blieb er stehen, seine Muskeln verspannten sich, und er biß die Zähne aufeinander, weil er wieder daran dachte, was geschehen war. Das Problem war so unglaublich kompliziert, daß es ihn überwältigte, weil es kein klares Bild bot, das er angehen und logisch analysieren konnte.

Der Fehler lag natürlich in erster Linie bei ihm selbst. Er hatte einen vorsätzlichen Bruch von Integrität begangen. Erst in seiner weiteren Verästelung verlor das Problem seine Klarheit.

Er hatte Barbara Holland nachspioniert, und das wiederholt. Ihr Vater hatte diese Tatsache herausgefunden. Heute abend hatte Holland ihm aufgelauert, statt eine direkte Herausforderung auszusprechen. Dann, nachdem er Cottrell darüber informiert hatte, daß er über seine Handlungen Bescheid wußte, hatte er sich nicht nur nicht wie ein Gentleman benommen, sondern ihn auch noch lächerlich gemacht, weil er ein anderes Verhalten erwartet hatte. Der Mann hatte damit Cottrell und seine Familie beleidigt und dazu seine eigene Tochter in den Schmutz gezogen. Von seinen Schwägerinnen hatte er in einer Art gesprochen, die eine Abreibung mit dem Patronengurt durch jedes männliche Familienmitglied verdient hätte, wenn sie herauskäme.

Trotz alledem blieb die Tatsache bestehen, daß Cottrell sich einen ernsthaften Verstoß zuschulden kommen lassen hatte, ganz gleich, ob Mr. Holland ein Gentleman oder Holland keiner war. Und nach der Ansicht von Cottrell und jedem anderen Menschen war diese Sache, die eine quälende geheime Schande war, würde sie erst öffentlich, katastrophal und ekelhaft, ein Schrecken.

Da nun Holland sich einmal geweigert hatte, das Problem in einer Weise zu bereinigen, wie es jeder andere ohne Zögern getan hätte, stand Cottrell nun da und mußte sich gefallen lassen, daß dieses Problem an seinem Gehirn nagte und ihn zu Zeiten in besinnungslose Wut versetzte, in die sich kürzere Ausbrüche ruhigerer, aber tödlicherer Gefühle von Schande und Reue mischten.

Schließlich, nachdem er das gesamte Erdgeschoß inspiziert hatte, ging Cottrell geräuschlos zum Wohnbereich hinunter. Er war sich über das Ausmaß seiner Schuld und daher auch der Schande vollständig im unklaren. Er wußte, daß er nicht schlafen würde, wie lange er auch im Bett liegen mochte – und er bemühte sich, den Teil seines Bewußtseins niederzukämpfen, der ihm das Bild Barbara Hollands heraufbeschwor.

Er kämpfte – aber er verlor. Das Bild, an das er sich erinnerte, war so lebendig wie die anderen, mit denen er es verglich. Er begann mit dem ersten, das fünf Jahre zurücklag, als er im Alter von einundzwanzig Jahren von einer Wachübung zurückkam und an ihrem Fenster vorbeiging. Obwohl er sie fast jeden Tag in der Post oder im Laden sah, wurden diese speziellen Bilder nicht durch die kühle und schickliche Distanz verdunkelt, mit der sie sich umgab, wenn sie nicht – er zuckte zusammen – allein war.

Wiederum erstand vor ihm das gesamte Problem von Barbaras Vater. Der Mann war während der wilden Unmoral und den lässigen Lebensumständen der Dreckigen Jahre aufgewachsen. Er konnte offensichtlich nichts Schlimmes an dem finden, was Cottrell getan hatte. Er war zwar vernünftig genug, niemandem etwas davon zu erzählen, dafür sei dem Himmel Dank, aber wenn er auf seine tölpelhafte Weise versuchen sollte, „euch beiden jungen Leute zusammenzubringen" – oder wie auch immer er es nennen würde –, *was würde er dann Barbara erzählen?*

Es dämmerte, und Cotrell begrüßte das Ende der Nacht.

Als Familienoberhaupt seit dem Tod, den sein Vater vor zwei Jahren in einer Integritätsaffäre gefunden hatte – er war selbstverständlich der verletzte Teil gewesen –, war es die Pflicht Cottrells, jeden Tag jene Aktivitäten der Familie zu planen, die sich möglicherweise von der normalen Routine des Hofs unterscheiden könnten. Heute, da die Frühlingsarbeit getan und die Aufgaben, die der Sommer mit sich brachte, noch so leicht waren, daß sie nicht der Rede wert waren, wußte er nicht so recht, was er machen sollte, war aber froh, daß er sich mit einem Problem auseinandersetzen konnte, dessen Bewältigung er gelernt hatte.

Nachdem er aber eine Stunde lang versucht hatte, sich zu konzentrieren, sah er sich gezwungen, etwas zu wählen, das, rückschauend betrachtet, sein Vater in ähnlichen Situationen ebenfalls angewandt hatte. Wenn es sonst nichts zu tun gab, blieb immer noch die Übung.

Aus Rücksicht auf das Alter seiner Großmutter wartete er bis zwei Minuten vor acht, bis er den Alarm auslöste. Selbst der heftige Schlag, den die Läden hervorbrachten, als sie an ihren Platz in der Panzerung der Außenwand herabsausten, selbst das plötzliche Aufheulen des Generators, als die Radarantennen aus ihrem Halbschlaf zu heftig kreisendem Leben erwachten, selbst die kurzen Feuerstöße, die die Kinder im Haus zur Probe aus ihren MGs abgaben, selbst all dies reichte nicht aus, um das Feuer in seiner Seele zu löschen.

Die Übung dauerte bis zehn Uhr. Zu dieser Zeit war es offensichtlich, daß die Verteidigungsanlagen des Hauses alles das ausführten, wofür sie konstruiert waren, und daß die Mitglieder des Haushalts ihre Pflichten aufs beste kannten. Selbst das legendäre Geschick, das seine Großmutter mit dem Entfernungsmesser an den Tag legte, hatte noch nicht nachgelassen – obwohl es durchaus wahrscheinlich war, daß sie die Entfernung jedes möglichen Ziels in der Umgebung auswendig wußte. Das aber war, selbst wenn es stimmte, keine Verletzung ihrer Pflicht, sondern eine wertvolle Fertigkeit.

„Sehr gut", ließ er sich über die Sprechanlage des Hauses vernehmen. „Alle Mitglieder des Haushalts können jetzt zu ihren normalen Pflichten zurückkehren, mit Ausnahme der Kinder, die sich bei mir für die Schulung melden."

Der Gefechtsplatz seiner Mutter war am Radarschirm, der nur ein paar Meter von seinem Feuerleitstand entfernt war. Sie lächelte zustimmend, als sie wieder auf Automatik umschaltete. Sanft legte sie ihre Hand auf seinen Arm, als er aufstand.

„Ich bin sehr, sehr froh, Cottrell", sagte sie mit einem Lächeln.

Er verstand zuerst nicht, was sie meinte, und sah sie leer an.

„Ich hatte befürchtet, du würdest deine Pflichten verletzten, wie das so viele unserer Nachbarn tun", erklärte sie. „Aber ich hätte nicht an dir zweifeln sollen, nicht einmal so viel." Der Stolz auf ihn schwang stark in ihrer Stimme mit. „Dazu bist du zu stark. Ich hatte sogar Befürchtungen, daß deine Enttäuschung nach unserem kurzen Gespräch gestern dich ablenken könnte. Ich habe mich aber getäuscht, und du kannst dir nicht vorstellen, wie sehr ich mich freue, dich so zu sehen."

Er beugte sich herab und küßte sie rasch auf die Wange, um sie seine Augen nicht sehen zu lassen. Dann eilte er zu der Halle, wo sich die Kinder schon versammelt und ihre Waffen aus dem Ständer geholt hatten.

Am frühen Nachmittag hatten sich die jüngeren Kinder schon zurückziehen dürfen, und er war mit seinen beiden ältesten Brüdern allein auf dem Übungsgelände.

„Unten bleiben!" rief Cottrell Alister zu. „Du wirst deine Abschlußprüfung nie bestehen, wenn du es nicht lernst, dich auf einer Hügelkuppe niedriger zu halten!" Er riß seinen Karabiner an die Wange und zerschoß neben dem Hinterteil seines Bruders einen Zweig, um zu zeigen, was er meinte.

200

„Jetzt *du*", fuhr er zu Geoffrey herum. „Wie habe ich die Windgeschwindigkeit geschätzt? Schnell!"

„Gras", sagte Geoffrey lakonisch.

„Falsch! Du hast das Gelände seit zwei Wochen nicht gesehen. Du hast keine genaue Vorstellung, wieviel Wind dazu nötig ist, das Gras in seinem jetzigen Zustand zu bewegen."

„Du hast mich gefragt, wie *du* es gemacht hast", erinnerte ihn Geoffrey.

„Stimmt", gab Cottrell kurz zurück. „Der Punkt geht an dich. Also, wie würdest *du* es machen?"

„Mit Gefühl. Paß mal auf." Das leichtere Gewehr von Geoffrey krachte mit einem Geräusch, das ähnlich klang wie jener brechende Zweig, der nun fünf Zentimeter unterhalb der Stelle sich spaltete, an der Cottrells schwereres Geschoß ihn gebrochen hatte.

„Du hast also ein Gefühl dafür, meinst du?" Seltsamerweise war Cottrell froh darüber, ein Ventil für seinen Ärger zu finden. „Mach's noch einmal."

Geoffrey zuckte die Achseln und schoß zweimal. Der Ast zersplitterte, und von Alister kam ein lauter Protest. Cottrell fuhr herum und sah Geoffrey wütend an.

„Hab's neben seine Hand gesetzt", erklärte Geoffrey. „Wird wohl noch ein bißchen Dreck ins Gesicht gekriegt haben."

Cottrell sah zu der Stelle hinüber, wo sich das Gras wild bewegte, weil Alister versuchte, sich unter seinem Schutz wegzurollen. Er nahm sich noch die Zeit, sich das Ungeschick seines Bruders zu notieren, bevor er sagte: „Du konntest seine Hand doch überhaupt nicht sehen – oder sonst irgend etwas außer der Spitze seines Hinterns, da wir gerade davon sprechen."

Geoffreys Siebzehnjährigen-Gesicht zeigte eine geheime Belustigung. „Ich hab' mir nur überlegt: Wenn ich Alice wäre, dann hätte ich meine Hände dort. Ist doch einfach."

Cottrell merkte, wie die Bedrohung seiner Position als bester Kämpfer der Familie wie eine Gewitterwolke um ihn herum immer dicker wurde.

„Ausgezeichnet", sagte er beißend. „Du hast einen Instinkt für den Kampf. Nehmen wir aber mal an, deine Patrone wäre fehlerhaft gewesen, und zwar so schlimm, daß dein Geschoß ein wenig nach rechts abgekommen wäre. Dann hättest du deinen Bruder umgebracht. Und dann?"

„Die Patronen hab' ich selbst angefertigt. Meinst du, ich wäre so blöd, diesem Möchtegern-Waffenschmied mit zwei linken Händen im Laden zu vertrauen?" Geoffrey war unangreifbar. Cottrells schlechte Laune begann, sich dem Einfluß seines Willens zu entziehen.

„Wenn du so gut bist, warum gehst du dann nicht zur Miliz?"

Geoffrey steckte die Beleidigung ein, ohne das Gesicht zu verziehen. „Ich glaube, ich bleibe hier", sagte er ruhig. „Du wirst bald Hilfe brauchen — wenn der alte Holland dich mal bei einem deiner Mondscheinspaziergängen erwischt."

Cottrell spürte, wie ihm plötzlich das Blut in den Kopf schoß. *„Was hast du da gesagt?"* Er sagte es mit leiser und gefährlicher Stimme.

„Du hast es schon gehört." Geoffrey drehte sich herum und schickte eine Kugel auf jede Seite seines sich windenden Bruders Alister und dann noch eine unter und eine über ihn. Alisters Training brach vollständig zusammen. Er sprang aus dem Gras hoch und rannte mit erstickten Schreien in der Kehle weg. „Ein Kaninchen", meinte Geoffrey verächtlich. „Das reinste Kaninchen. Also ich, ich hab' Onkel Jims Blut in mir, aber unser Alice, der hat alles von der Mutter." Er schoß noch einmal, und von Alisters Schuh flog der Absatz weg. Als Alister zu Boden stolperte, klatschte Cottrells flache Hand in Geoffreys Gesicht.

Geoffrey ging zwei Schritte zur Seite und blieb mit vor Schock geweiteten Augen stehen. Sein Gewehr hing an seinem schlaffen Arm. Er würde noch ein paar Jahre zu wachsen haben, bevor er es instinktiv heben würde.

„Den Namen dieses Verwandten wirst du nie wieder erwähnen!" sagte Cottrell mit erstickter Stimme. „Mir gegenüber nicht, und jemand anders gegenüber auch nicht. Mehr noch, du wirst es als Integritätsverletzung betrachten, wenn jemand in deiner Gegenwart von ihm spricht. Ist das klar? Und was deine Phantasien über mich und Mr. Holland betrifft — wenn du *das* noch einmal erwähnst, dann wirst du lernen, daß es auch so etwas wie Integritätsverletzung unter Brüdern gibt!" Er wußte jedoch, daß alles, was er jetzt noch sagen konnte, einem laut herausgebrüllten Geständnis gleichkäme. Er fühlte, wie die Krankheit der Nacht wieder seinen Körper durchlief, seine Muskeln in Pudding verwandelte und das Blut in seinen Ohren rauschen ließ.

Geoffreys Augen verengten sich zu Schlitzen, und sein Mund formte ein verächtliches Grinsen.

„Für einen Typ, der Armeen und Soldaten haßt, führst du dich aber ganz erstaunlich wie ein Feldwebel auf", sagte er bitter. Er drehte sich um und ging weg, blieb aber dann stehen und drehte sich um. „Außerdem hätte ich dich erwischt, bevor du nur eine Patrone aus der Tasche gezogen hättest", meinte er noch.

Geoffrey weiß Bescheid, ging es ihm immer wieder im Kopf herum. *Geoffrey weiß Bescheid, und Mr. Holland hat mich erwischt. Wie viele wissen es noch?* Wie ein ekelerregender Refrain jagten die Gedanken durch seinen Kopf, als er mit schnellen, unbeholfenen Schritten die Straße hinunterging. Die Kontrolle, die er sonst über alle Muskeln in seinem geschmeidigen Körper hatte, war durch den zusätzlichen Schock zerstört worden, den er auf dem Übungsgelände erhalten hatte.

Er stellte sich Jeff vor, wie er ihm von seinem Fenster dabei zusah, als er durch den Straßengraben kroch, und wie ihn das zum Kichern brachte. Wie viele andere von seinen Nachbarn hatten ihn in den vergangenen drei Jahren beobachtet? Er konnte das trockene Lachen von Mr. Holland geradezu hören. Als er darüber nachdachte, schien es ihm unglaublich, daß nicht der Zufall allein dafür gesorgt hatte, daß die ganze Gegend über sein schamloses Benehmen unterrichtet war.

Aber er konnte nicht davor weglaufen. Was er nun machen mußte, war, in den Club zu gehen, um die Gesichter der Männer dort zu beobachten, wenn sie ihn ansahen. Wenn sie ihn begrüßten, müßte er auf einen kleinen Teufel der Verachtung schauen, der sich in ihren Augen zeigen würde.

Der Schaft seines Karabiners klatschte gegen sein Bein, als er die Treppen zum Club hinaufging.

Er konnte sich nicht sicher sein, ob er es herausgefunden hatte. Als er in seinen gerade nachgefüllten Rumbecher sah, war ihm das mit einiger Klarheit deutlich geworden. Er konnte nicht abstreiten, daß ihn vielleicht eine seltsame Art von perversem Wunschdenken in das Zwinkern von Winter eine tiefere Bedeutung hineinlegen ließ oder ihn veranlaßte, den Unterton von Heiterkeit, der in Olsens Stimme immer vorhanden war, anders zu interpretieren. Wenn

Lundy Hollis ein wenig verächtlicher als sonst grinste, dann hieß das wahrscheinlich nichts anderes, als daß der Mann in sich eine neue Qualität entdeckt hatte, die ihn in seinen Augen besser als seine Mitmenschen erscheinen ließ. Aber vielleicht, vielleicht ... und er konnte niemals sicher sein, es gab weder eine Bestätigung noch ein Abstreiten.

Seine Hand schloß sich um den Becher, und er verbrannte sich den Mund beim Trinken. Die Bilder, die er von Barbara noch im Kopf hatte, gewannen mit jedem Schluck größere Klarheit.

„Hallo, mein Junge."

Ach, du großer Gott! dachte er. Er hatte vergessen, daß Holland ein Clubmitglied war. Aber er war natürlich Mitglied, obwohl Cottrell nicht verstehen konnte, wie der alte Mann es fertigbrachte, nicht ausgeschlossen zu werden. Er sah zu, wie Mr. Holland in den gegenüberliegenden Sitz glitt und fragte sich, wieviel Gelächter wohl die Erzählungen des Mannes von den Ereignissen der letzten Nacht begleitet hatte.

„Guten Tag, Sir", brachte er hervor, weil er sich daran erinnerte, daß er die notwendigen Umgangsformen einhalten mußte.

„Macht dir doch wohl nichts aus, wenn ich mit dir an einem Tisch trinke, oder?"

Cottrell schüttelte den Kopf. „Das Vergnügen ist ganz auf meiner Seite, Sir."

Nun kam das Lachen, auf das Cottrell gewartet hatte. „Sag mal, mein Junge, du vergißt wohl deine vornehmen Reden auch nicht, wenn du was getrunken hast?" Wieder lachte Mr. Holland.

„Vielleicht bin ich gestern abend ein bißchen wütend auf dich gewesen", sagte er weiter. „Tut mir leid. Jeder hat das Recht, so zu leben, wie er es für richtig hält."

Cottrell starrte wortlos in seinen Becher. Er hatte angefangen, aus dem Rum etwas Klarheit zu gewinnen, aber sie war wieder weg, als genüge der bloße Hauch der Gegenwart von Mr. Holland, ihn wieder kopfüber in das geistige Chaos zu stürzen, das sein Denken die ganze Nacht und fast den gesamten Tag erstickt hatte. Er war sich inzwischen nicht mehr sicher, ob Mr. Holland die Geschichte für sich behalten hatte; er war sich nicht mehr sicher, ob Geoffrey vielleicht nur geraten hatte ... Er war sich überhaupt nicht mehr sicher.

„Jetzt hör mal zu, mein Junge ..."

Jetzt kam die Erkenntnis, daß Mr. Holland sich zum erstenmal, seit er ihn kannte, auf ebenso unsicherem Boden wie er selbst befand. Er sah auf und bemerkte das flackernde Licht der Unsicherheit im Blick des Mannes.

„Ja, Sir?"

„Mein Junge – ich weiß nicht. Gestern abend habe ich versucht, mit dir zu reden, aber da waren wir wohl beide etwas aufgebracht. Meinst du, du könntest mir vielleicht heute eher zuhören? Besonders, wenn ich mir Mühe gebe, meine Worte richtig zu wählen?"

„Selbstverständlich, Sir." Soviel war das mindeste, was man an Höflichkeit verlangen konnte.

„Also, sieh mal – ich war ein Freund von deinem Onkel Jim."

Sofort regte sich Cottrell auf. „Sir, ich ..." Er sagte nichts mehr. In gewisser Beziehung war er Mr. Holland verpflichtet. Wenn er es jetzt nicht sagte, dann würde er es eben später sagen müssen. „Tut mir leid, Sir. Bitte sprechen Sie weiter."

Mr. Holland nickte. „Sicher, wir haben zusammen mit Berendtsen die Feldzüge gemacht. Das schmeckt einigen Leuten hier gar nicht. Aber es ist wahr, und es gibt einen Haufen Leute, die sich daran erinnern, also kann auch eigentlich nichts falsch daran sein, wenn ich es sage."

Irgend etwas verzog Cottrells Mund reflexartig bei der Erwähnung der VA, aber er blieb ruhig.

„Wie hätte denn Ted sonst eine Zentralverwaltung für einen Haufen Bauern auf befestigten Höfen und einzelgängerische Nomaden einrichten sollen? Sie einzeln beim Damespielen abziehen? Wir haben eine Regierung gebraucht – und zwar schnell, bevor die Patronen für die Gewehre verbraucht waren und wir zu Speeren und Pfeil und Bogen hätten zurückkehren müssen."

„Man hätte es aber nicht so zu machen brauchen, wie man es gemacht hat", sagte Cottrell bitter.

Mr. Holland seufzte. „Wie denn sonst, zum Teufel noch mal. Woher weißt du außerdem so genau, wie sie es gemacht haben? Warst du dabei?"

„Mein Vater und meine Mutter waren dabei. Meine Mutter kann sich noch genau erinnern", kam es von Cottrell wie aus der Pistole geschossen zurück.

„Allerdings", sagte Mr. Holland trocken. „Dein Vater war dabei. Und deine Mutter hatte schon immer ein gutes Gedächtnis.

Weiß sie auch noch, warum sich dein Vater überhaupt hier niederließ?"

Cottrell runzelte wegen der seltsamen Andeutung über seinen Vater einen Moment lang die Stirn. „Sie weiß es noch. Sie weiß auch noch, daß mein Onkel die Gruppe angeführt hat, die ihre Familie ausgelöscht hat."

Holland lächelte rätselhaft. „Komisch, wie sich die Sachen in der Erinnerung der Leute verändern", murmelte er in sich hinein, redete aber dann lauter weiter. „So wie ich es gehört habe, kam ihre Familie aus Pennsylvanien. Was hatten die denn hier zu tun, warum besetzten sie Land in Jersey?" Er lehnte sich nach vorn. „Hör mal zu, mein Junge, das Land hat niemandem gehört. Sie hätten es ja auch behalten können, wenn sie nicht zuviel Angst gehabt hätten, um uns zu glauben, als wir ihnen sagten, das einzige, was wir von ihnen wollten, sei, daß sie sich der Republik anschlössen. Auf jeden Fall hat deine Mutter dies alles nicht davon abgehalten, Bob zu heiraten."

Cottrell holte tief Luft. „Sir, mein Vater hat nie unter Berendtsen gekämpft. Seine Integrität hat es ihm nicht erlaubt, von anderen Leuten Befehle anzunehmen oder für sie ihre Schlächterarbeit zu erledigen."

„Aha", sagte Mr. Holland. „Dein Vater hat gelernt, verdammt gut mit dem Gewehr umzugehen. Das mußte er wohl auch", fügte er mit leiserer Stimme dazu. „Und ich nehme an, das mußte er in seinem Kopf irgendwie zurechtbiegen.

Dein Vater hat das Hausverteidigungssystem hier aufgebaut", sagte er mit deutlicherer Stimme. „Da hat er sich wohl überlegt, daß ein gepanzerter Bunker seinen Besitz genauso schützen könnte, wie sein Gewehr ihn persönlich beschützt hat.

Das war auch keine schlechte Idee. Berendtsen hat das Land hier zwar vereinigt, aber so ganz gesäubert hat er es nicht. Soviel Zeit haben sie ihm nicht gegeben."

Holland hörte auf zu reden, leerte seinen Becher, setzte ihn ab und wischte sich über den Mund. „Aber meinst du nicht, mein Junge, daß diese Zeit so langsam vorbei ist? Meinst du nicht, es sei an der Zeit, daß wir aus unseren Igelhäusern herauskämen – und aus dieser Igel-Integritäts-Sache?"

Mr. Holland legte seine Hände flach auf den Tisch und sah Cottrell fest in die Augen. „Meinst du nicht, daß es an der Zeit sei, daß wir die Vereinigung zu ihrem Ende bringen und eine Gemeinschaft herstellen sollten, in der ein Junge am hellichten Tag zum Haus seines Nachbarn rübergehen, an seine Tür klopfen und guten Tag zu einem Mädchen sagen kann, wenn er das will?"

Beim Zuhören hatten sich Cottrells Gefühle so sehr verwirrt, daß er keine von ihnen mehr greifen und einordnen konnte. Aber jetzt erreichten ihn Hollands letzte Worte, und er dachte wieder dran, was gestern nacht passiert war. Der Gedanke daran war wieder aufgedeckt und sein Ekel vor sich selbst mit ihm.

„Es tut mir leid, Sir", sagte er steif. „Ich fürchte jedoch, über dieses Thema gehen unsere Ansichten auseinander. Das Haus eines Mannes ist seine Verteidigung, und seine und die Integrität seiner Familie ist es, die dieses Haus und seine Verteidigung stark und unverletzlich erhalten. Vielleicht sind andere Teile der Republik nicht auf dieses Prinzip gegründet, wie ich in letzter Zeit gehört habe, aber das Gesetz, nach dem wir hier leben, wurde für die Erfüllung dieser unabdingbaren Bestandteile der Freiheit entwickelt. Wenn wir dies alles aufgeben, dann kehren wir zu den Dreckigen Jahren zurück.

Und ich fürchte", schloß er mit der Erinnerung an die Empörung, die er in der vergangenen Nacht gefühlt hatte, „daß ich trotz Ihrer zweifelhaften Bemühungen entweder Ihre Tochter in Ehren heiraten werde oder überhaupt nicht."

Holland schüttelte seinen Kopf und lächelte in sich hinein, und Cottrell wurde es klar, wie dumm sein letzter Satz geklungen hatte. Trotzdem — auch wenn er sich gegen seine Impulse nicht wehren konnte, so kannte er doch den Unterschied zwischen richtig und falsch.

Holland stand auf. „Na gut, mein Junge. Dann bleib du eben bei deinem System. Nur — besonders gut scheint es ja für dich nicht zu funktionieren, oder?"

Und wieder drehte sich Mr. Holland herum und ging weg. Er ließ Cottrell zurück, der nichts sagen oder tun konnte, keine Grundlage für irgendeine Art von Sicherheit hatte. Es war so, als hätte Cottrell mit einem unbestimmten Alptraum zu kämpfen; eine dunkle und entsetzliche Silhouette, die ihm keine Angriffsfläche bot, die aber Fangarme und andere Auswüchse nach ihm ausstreckte, bis er ganz und gar verstrickt darin war — nur um dann wieder zu verblassen und ihn mit seinen Armen ein Nichts umklammern zu lassen.

Es war schlimmer, als es irgendeine Wut oder eine Beleidigung hätten sein können.

Als er durch den Club ging, waren seine Schritte nicht mehr sicher. Der Rum, den er getrunken hatte, hatte sich in Verbindung mit seiner schlaflosen Nacht wie ein Gewicht unten in seinem Schädel festgesetzt. Er wollte gerade die Tür öffnen, als ihm Charles Kitteredge die Hand auf den Arm legte.

Cottrell drehte sich herum.

„Hallo, Cottrell", sagte Kitteredge.

Cottrell nickte ihm zu. Charles war sein Nachbar auf der von Mr. Holland abgekehrten Seite. „Hallo."

„Du siehst ein bißchen müde aus", bemerkte Charles.

„Bin ich auch, Charles." Er grinste als Antwort auf das Lächeln seines Nachbarn zurück.

„Wundert mich nicht, wenn du morgens um acht eine Alarmübung machst."

Cottrell zuckte die Achseln. „Du weißt ja, man muß die Verteidigungsanlagen in Schuß halten."

Kitteredge lachte. „Warum, um Himmels willen? Oder hast du nur für den Vierten geprobt?"

Cottrell runzelte die Stirn. „Also – natürlich nicht. Ich hab' schon oft genug gehört, wie du Alarmübungen durchgeführt hast."

Sein Nachbar nickte. „Klar – immer, wenn eins von den Kindern Geburtstag hat. Aber das meinst du doch nicht ernst – daß du wirklich eine total echte Sache abgezogen hast?"

Cottrell hatte Schwierigkeiten, seine Konzentration aufrechtzuerhalten. Er kniff die Augen zusammen und schüttelte leicht den Kopf. „Was ist denn los damit?"

Kitteredge war in seiner Stimme und seinem Benehmen ernster geworden. „Also, jetzt hör mal zu, Cottrell, seit fünfzehn Jahren gibt es nichts mehr, wogegen man sich verteidigen könnte. Da wir gerade davon sprechen, ich denke daran, meine Artillerie auszubauen und an die Miliz zu verkaufen. Die bieten einen vernünftigen Preis."

Cottrell sah ihn verständnislos an. „Das kann doch nicht dein Ernst sein!"

Auch Kitteredge sah ihn an. „Doch."

„Aber das *kannst* du doch nicht. Sie würden außer MG-Schußweite bleiben und euch mit Mörsern und Feldgeschützen in Stücke hauen. Sie würden eure MG-Türme außer Gefecht setzen, unter Feuerschutz näher kommen und euch Handgranaten in den Wohntrakt werfen."

Kitteredge lachte laut. Er schlug sich auf die Schenkel, und seine Schultern zuckten. „Wer, zum Teufel, ist ‚sie'?" japste er. „Berendtsen?"

Cottrell spürte, wie der erste Hauch von Ärger die dämpfende Decke durchdrang, die sich um seine Gedanken gelegt hatte.

Kitteredge lachte ein letztes Mal. „Hör doch auf, Cottrell. Ich wollte es ja gar nicht erwähnen, aber das ganze Geknalle, was ihr heute morgen bei euch veranstaltet habt, hat mir eine von meinen Kühen praktisch ruiniert. Sie ist mit dem Kopf gegen einen Zaun gerannt. Das ist auch nicht das erste Mal, daß so etwas passiert ist. Der einzige Grund, warum ich noch nichts gesagt habe, ist der, daß es eurem Vieh wahrscheinlich genauso dreckig geht.

Sieh doch mal, Cottrell, wir können es uns einfach nicht leisten, unser Vieh nervlich fertigzumachen und unser Land zu vergiften. Solange dies der einzige Weg war, den man überhaupt beschreiten konnte, war das ja in Ordnung, aber das Feindseligste, was ich seit Jahren hier gesehen habe, war ein Hühnerhabicht."

Der Hauch von Ärger war inzwischen zu einem echten Gefühl geworden. Cottrell merkte, wie sich etwas in seinem Magen festsetzte und seine Fingerspitzen zum Kribbeln brachte.

„Du verlangst also von mir, daß ich keine Alarmübungen mehr durchführe, sehe ich das richtig?"

Kitteredge hörte den leisen Anflug von Zorn in Cottrells Stimme und runzelte die Stirn. „Nein, nicht *ganz*, Cottrell. Nicht, wenn du nicht willst. Aber ich wünschte mir, du würdest sie dir für Feierlichkeiten aufheben."

„Die Waffen in meinem Haushalt sind keine Feuerwerkskörper." Der Satz kam wie ein Peitschenhieb aus seinem Mund.

„Stell dich nicht so *an*, Cottrell!"

Cottrell war nun schon seit beinahe vierundzwanzig Stunden mit Situationen konfrontiert worden, für die sein Erfahrungsschatz keine Lösungen bereithielt. Er war verwirrt, frustriert und wütend. Der Karabiner sprang von seiner Schulter herunter und lag mit einer Geschwindigkeit und flüssigen Bewegung in seiner Hand, die sein Vater so lange mit ihm geübt hatte, bis sie außerhalb der Reichweite von Müdigkeit oder Alkohol war. Als er das Gewehr in der Hand hielt, wurde ihm erst klar, wie wütend er wirklich war.

„Charles Kitteredge, hiermit klage ich dich der versuchten Verletzung der Integrität meines Haushalts an. Lade und gib Feuer."

Auch die Formel war Cottrell so in Fleisch und Blut übergegangen wie seine ganze Lebensart. Chuck Kitteredge wußte das so gut wie er selbst. Er wurde blaß.

„Bist du verrückt geworden?" sagte eine neue Stimme, die aus einer Richtung leicht hinter und neben Charles kam. Cottrells überraschter Blick jagte kurz hinüber, und er erkannte Michael, den jüngeren Bruder von Kitteredge.

„Willst du ihm beistehen?" fuhr Cottrell ihn an.

„Mensch, Cottrell, hör doch mal...", begann Charles. „Das meinst du doch nicht ernst?"

„Steh deinen Mann oder dreh mir den Rücken zu."

„*Cottrell!* Ich hab' doch nur..."

„Darf ich das so verstehen, daß du versuchst, deine Worte zu *erklären*?"

Michael Kitteredge bewegte sich nach vorn. „Was ist denn eigentlich los mit dir, Garvin? Lebst du noch in den Dreckigen Jahren oder was?"

Der Knoten von Wut in Cottrells Magen zog sich noch dichter zusammen. „Das ist mehr als genug. Ich hab' dich schon mal gefragt: Willst du ihm beistehen?"

„Nein, das will er nicht!" sagte Charles Kitteredge heftig. „Und ich will auch nicht kämpfen, hörst du? Was geht in deinem Kopf eigentlich für blödes Zeug vor? Die Leute fordern sich inzwischen nicht mehr bei dem leisesten Furz zum Duell heraus!"

„Das muß jeder für sich selbst entscheiden", antwortete Cottrell. „Drehst du mir also den Rücken zu?"

Ein häßlicher roter Fleck erschien auf den Backenknochen von Kitteredge. „Eine Dreck werde ich." Sein Mund verkrampfte sich zu einem dünnen, weißen Strich. „Also gut, Cottrell, wer geht zuerst durch die Tür dort, du oder ich?"

„Niemand geht irgendwo hin. Du kämpfst, oder du drehst dich herum, wo du bist."

„Hier, *im Club*? Du bist *tatsächlich* verrückt!"

„Du hast dir den Platz ausgesucht, nicht ich. Lade und gib Feuer."

„Wir zählen also bis fünf", sagte Kitteredge und griff nach dem Gurt seines Karabiners.

Cottrell hängte sich den Karabiner wieder über die Schulter. „Eins", sagte er.

„Zwei." Er und Kitteredge zählten jetzt gemeinsam. „Drei." Wieder im Chor.

„Vier."

„Fü..." Cottrell hatte sich nicht mehr die Mühe gemacht, die Zahl laut zu nennen. Der Karabiner fiel in seine gekrümmten und wartenden Hände. Er zuckte einmal. Kitteredge wurde mitten in seinem letzten Wort unterbrochen und sank auf den Boden des Clubs.

Cottrell sah auf ihn herab und dann zurück auf Michael, der noch immer dort stand, wo er Cottrell ins Gesicht gesehen hatte.

„Willst du ihm beistehen?" Cottrell wiederholte die Formel noch einmal. Michael schüttelte sprachlos den Kopf.

„Dann dreh dich um."

Michael nickte. „Ich dreh mich herum. Klar, ich bin ein Feigling." Seine Stimme klang seltsam. Cottrell hatte schon vorher gesehen, daß Männer sich umgedreht hatten, aber es hatte nie so ausgesehen, als täten sie es aus freiem Willen. *Außer natürlich Holland*, fiel ihm plötzlich ein.

Cottrell sah auf Michaels breiten Rücken und hängte sich den Karabiner wieder über die Schulter. Er blieb an seinem Platz stehen. „Gut, Michael. Nimm deinen Toten mit in deinen Haushalt." Michael wuchtete sich die Leiche seines Bruders auf die Schulter. Nach dem Ritual hätte er den Jungen nun öffentlich einen Feigling nennen müssen, aber er tat es nicht. Seine nächsten Worte verrieten seinen Grund dafür. „Er war ein guter Freund von mir, Michael. Es tut mir leid, daß er mich dazu gezwungen hat, dies zu tun."

Als er an Mr. Hollands Haus vorbei nach Hause ging, drehte er seinen Kopf nicht um, um zu sehen, ob in einem der Fenster noch Licht brannte. Er hatte die Integrität seiner Familie unverletzt gehalten. Er hatte einen anderen Mann dazu gezwungen, sich umzudrehen. Er wußte jedoch selbst nicht, ob er hoffte, Barbara würde verstehen, daß er es in gewissem Sinn getan hatte, um für sie Buße zu tun.

Zwei Tage später kamen Geoffrey und Alister fünf Minuten zu spät zum Essen. Geoffrey hatte große Augen und ein betäubtes Gesicht vor Schock, und Alister glühte vor einer berstenden inneren Freude. Erst als sich Geoffrey umdrehte, sah Cottrell, daß dessen linker Ärmel mit Blut getränkt war.

„Geoffrey!" Cottrells Mutter stieß ihren Stuhl zurück und rannte zu ihm. Sie riß einen Erste-Hilfe-Kasten aus seiner Wandhalterung und begann, den Ärmel aufzuschneiden.

„Was ist passiert?" fragte Cottrell.

„Ich habe heute meinen Mann erwischt."

Seine Stimme war so betäubt wie sein Gesicht. „Obwohl er eigentlich von Rechts wegen Al hier gehörte." Ein Grinsen brach durch die Betäubung, und ein Sturzbach von Worten sprudelte aus ihm hervor, als der Schock durch die Verwundung sich in Hysterie verwandelte.

„Dieser verrückte Michael Kitteredge ist am Rande des Übungsgeländes auf einen Baum geklettert. Er hatte ein T-4 mit Zielfernrohr und sechs Zusatzmagazine. Der hat wohl den totalen Krieg geplant. Das erste, was ich gemerkt habe, war ein Gefühl, als würde mir jemand eine Baseballkeule auf die Schulter hauen, und da war ich auch schon unten, und um mich herum pflügten die Kugeln den Boden auf. Ich hab' versucht, mit meinem Gewehr etwas zu machen – war aber nichts drin. Kitteredge muß geschielt haben oder so was – nach *dem* ersten Schuß hätte er mit einer Haubitze kein Scheunentor getroffen ... so ein Schwachsinn, Zielfernrohr und Dauerfeuer ... *irgend jemand* hätte ihn besser trainieren sollen. Und ich ... ich bin jedesmal fast ohnmächtig geworden, wenn ich geschossen habe, wegen dem Rückschlag. Ein derartiges Gewehrduell zwischen zwei Blinden hab' ich mein Lebtag noch nicht gesehen!

Auf einmal kommt Al aus der Senke, in der er einen sich wälzenden Elefanten imitiert hatte. Reißt sich seinen alten Vorderlader an die Schulter, als sei er in einem Wettbewerb für Tontaubenschießen, und fängt an, auf den Baum von Kitteredge loszuballern, als seien da oben nichts als Tauben! Ich kann euch sagen, wie ich das gesehen habe ... das hätte mich beinahe eher umgebracht als die besten Schüsse von Kitteredge.

Also, der Typ war vielleicht verrückt, aber ein ganzes Magazin Weichblei konnte er trotzdem nicht ignorieren. Er reißt sein bescheuertes T-4 herum und zielt auf Al, und da hab' ich meine Chance gesehen. Ich habe in aller Ruhe zielen können, und dann hab' ich einen Glückstreffer auf einem der Blätter landen können, hinter denen er sich versteckt hatte. Er ist immer noch da draußen."

Cottrell biß sich auf die Unterlippe. Michael Kitteredge!

212

„Hat er aus dem Hinterhalt auf euch geschossen?"

„Also, mit der Fahne hat er nicht gerade gewinkt!"

„Aber das ist ja eine Schande!" rief Cottrells Mutter. Sie wickelte den Rest der Mullbinde um den Druckverband auf Geoffreys Oberarm.

Cottrell sah Alister an, der neben Geoffrey stand. Sein Gesicht glänzte noch immer. „Ist es so passiert, Alister?" fragte er.

„Klar ist es so passiert!" meinte Geoffrey indigniert. „Meinst du vielleicht, das hier sei ein Mückenstich?"

„Ihr wißt doch, was das heißt?" fragte er ernst.

Geoffrey begann mit der Achsel zu zucken, fuhr dann zusammen, und sagte: „Ein kleiner Spinner, der sich übernommen hat."

Cottrell schüttelte den Kopf. „Die Kitteredges sind vielleicht lax in ihrem Training, aber das hat Michael selbst am besten gewußt. Wenn er allein dort draußen war, dann wußte der Rest seines Haushalts vielleicht nichts davon, aber wenn sie es herauskriegen, dann müssen sie die Aktion unterstützen."

„Dann ist das also eine Kriegserklärung", sagte Alister plötzlich. Er imitierte in seinem Tonfall bewußt Geoffrey. „Wozu haben wir eigentlich die ganze Zeit geübt?"

Geoffrey riß seine Augen weit auf, und das versteckte Lachen lag wieder auf seinem Gesicht, als er seinen jüngeren Bruder ansah.

„Nicht dafür, einen Krieg anzufangen − oder uns in einen verwickeln zu lassen", sagte Cottrell. „Sie sind vielleicht schlampiger im Umgang mit den Waffen als wir, aber ihre Panzerung ist genauso dick."

„Was möchtest du denn tun, Cottrell?" fragte seine Mutter. In ihrem feinen Gesicht zeigte sich Angst, und sie hatte ihre Hände erhoben, als wolle sie ihre Frage unterstreichen.

„Wir müssen die ganze Sache stoppen, bevor eine Lawine daraus wird", sagte Geoffrey. „Das hab' ich vorhin nicht kapiert, aber Cottrell hat recht."

Cottrell nickte. „Wir müssen alle zu einer Versammlung zusammenrufen. Was man mit den Kitteredges anfangen kann, das weiß ich nicht. Vielleicht können wir uns alle zusammen etwas überlegen." Er schlug sich leicht mit der Faust auf den Schenkel. „Ich weiß es nicht. Das ist bis jetzt noch nie passiert. Aber die Kitteredges sind ja nicht die VA. Mit dem Problem werden wir nicht fertig, wenn wir einfach die Rolläden herunterlassen und als unabhängige

Einheiten kämpfen. Das würde damit enden, daß die ganze Gemeinde sich gegenseitig bekämpft. Wir müssen gemeinsam handeln. Wenn die Gemeinde sich zu einem Block gegen sie verbündet, können wir den Kitteredges vielleicht zuvorkommen."

„Die Gemeinde vereinigen!" sagte seine Mutter mit großen Augen. „Meinst du, du schaffst das?"

„Ich weiß nicht, Mutter", seufzte Cottrell. „Ich kann es wirklich nicht sagen." Er drehte sich wieder Alister zu. „Wir gehen jetzt zum Club hoch. Das ist der einzige natürliche Treffpunkt, den wir haben. Ich denke, du holst am besten den Kampfwagen heraus. Die Kitteredges haben vielleicht noch mehr Heckenschützen in ihren Reihen."

Er holte sich seinen Karabiner aus dem Gewehrständer und folgte Alister, der in eifriger Geschäftigkeit zur Garage geeilt war.

„Ich gehe mit dir", sagte Geoffrey. „Für die Waffen im Turm braucht man nur einen Arm."

Cottrell sah ihn unentschlossen an. Schließlich sagte er: „Na gut. Man weiß nie, was die Kitteredges auf der Straße so vorhaben." Er drehte sich um und sagte zu seiner Mutter: „Ich glaube, es wäre ratsam, den Haushalt auf die Gefechtsstationen zu berufen." Sie nickte, und er ging zur Garage hinunter.

Die Straße war frei. Sie leuchtete weiß im Sonnenlicht des frühen Nachmittags. Die Reifen des Panzerwagens holperten über die Spurrillen, die Lastwagen in die Straße eingegraben hatten, und ein Teil von Cottrell machte sich Gedanken, weil Geoffrey im Turm eingeschlossen war. Er sah durch die oberen Sehschlitze nach oben und konnte erkennen, wie das 35mm-Zwillingsgeschütz sich stetig gegen den Uhrzeigersinn drehte.

Wo hat es angefangen, und was hat es ausgelöst, dachte er mit dem größten Teil seines Bewußtseins. Die Kette der jüngsten Ereignisse bildete sich plötzlich klar ab. Von dem Augenblick an, als Mr. Holland ihn entdeckt hatte, in dieser Nacht vor vier Tagen, war Ereignis auf Ereignis so deutlich und unausweichlich gefolgt, als sei alles vorher geplant gewesen.

Wenn er nicht durch sein Treffen mit Mr. Holland aufgeregt gewesen wäre, dann hätte er am nächsten Morgen keine Alarmübung abgehalten. Wenn er Barbara nicht an ihrem Fenster gesehen hätte, dann hätte Geoffrey nichts gehabt, womit er ihn ärgern konnte, und die Angst vor Entdeckung hätte ihn nicht in den Club getrieben. Wenn er nicht getrunken hätte, dann hätte Mr. Hollands Erwähnung von Onkel James nicht so geschmerzt. Hätte keine Übung stattgefunden, dann hätte er sich auch nicht mit Charles Kitteredge gestritten. Und selbst wenn er die Übung hätte durchführen lassen, wäre seine Wut über die Äußerungen von Kitteredge nicht dermaßen groß gewesen, weil er normalerweise keinen Groll aus dem Gespräch mit Mr. Holland mitgebracht hätte.

Denn es war wahr, er war wütend gewesen. Wäre er das nicht gewesen, dann würden Charles und Michael jetzt nicht tot sein, und er und sein Bruder säßen jetzt nicht hier in dem Wagen, um eine Flut von Gewalt einzudämmen, die die gesamte Gemeinde zu überschwemmen drohte. Für seinen Ärger war aber nicht er verantwortlich gewesen. Eine Integritätsverletzung blieb eine Integritätsverletzung, ganz gleich, wie der verletzte Teil sich persönlich fühlte.

Wo aber hatte wirklich alles angefangen? Wenn seine Mutter ihn Barbara jemals vorgestellt hätte − wäre dann irgend etwas von alldem passiert?

Diese Möglichkeit verwarf er. Seine Mutter hatte in Übereinstimmung mit dem Gesetz gehandelt, das sein Vater und andere freie Männer entwickelt hatten, die sich in der Gegend niederließen. Und das Gesetz war ein gutes Gesetz. Es hatte das Farmland frei und friedlich gehalten. Kein Mann hatte das Joch eines anderen getragen − bis Charles Kitteredge das Gesetz gebrochen hatte.

Während er so in Gedanken versunken war, lenkte er den Wagen von der Straße herunter und hielt vor dem Club an.

Der Balkon des Clubs war schon gedrängt voll mit Männern. Als er aus der Luke kletterte, sah er, daß alle Familien der Gemeinde außer den Kitteredges vertreten waren. Olsen, Hollis, Winter, Jordan, Park, Jones, Cadell, Rome, Lynn, Williams, Bridges − sie waren alle da. Sogar Mr. Holland stand nahe der Mitte des Balkons. Sein faltiges Gesicht war ernster, als es Cottrell jemals zuvor gesehen hatte.

Er ging auf sie zu. Die Neuigkeit hatte sich sehr schnell verbreitet. Er erinnerte sich daran, daß viele Haushalte inzwischen Funkgeräte hatten. Er hatte bisher noch keinen Sinn darin gesehen. Wahrscheinlich würde er sich ebenfalls eines besorgen müssen. Wenn die Familien sich enger zusammenschlossen, war eine schnelle Nachrichtenverbindung eine nützliche Sache.

„Das ist weit genug, Garvin!" Er blieb stehen und starrte zu den Männern auf dem Balkon hoch. Lundy Hollis hatte sein Gewehr angehoben.

Cottrell runzelte die Stirn. Zwei andere Gewehre in der Menge hoben sich in seine Richtung.

„Ich verstehe das nicht", sagte er.

Hollis grinste verächtlich und schnaubte. Er sah an Cottrell vorbei den Wagen an. „Wenn jemand in deiner Karre irgend etwas probieren sollte, dann haben wir ein kleines Geschenk für ihn."

Die Männer auf dem Balkon traten nach zwei Seiten auseinander. Zwei Männer kauerten in der Tür. Einer hielt mit ruhiger Hand einen Panzerabwehr-Raketenwerfer auf seiner Schulter, und der andere, der die Rakete schon eingeführt hatte, stand bereit, durch ein Tippen auf den Kopf das Signal zum Feuern zu geben.

„Ich frage noch einmal ..."

„Sieht so aus, als hättest du die Gemeinde vereinigt, mein Junge", sagte Mr. Holland. „Gegen dich."

Cottrell spürte, wie das vertraute Gefühl der Wut sich in Wellen durch seinen Körper ausbreitete. „Gegen mich? Warum?"

Ein Chor von rauhem Gelächter war die erste Antwort.

„Wie war das mit Chuck Kitteredge?" fragte Hollis.

„*Charles Kitteredge!* Das war eine Integritätsaffäre!"

„So? Wessen — deine oder seine?" fragte Hollis.

„Genau, und was ist mit Michael Kitteredge?" brüllte jemand aus der Menge heraus. „War das vielleicht auch eine Integritätsaffäre?"

„Wie steht es denn mit deinen beiden Brüdern, die den Jungen aus einem Baum geschossen haben?" wollte jemand anders wissen.

„Geoffrey sitzt hier im Wagen mit einem verwundeten Arm!" brüllte Cottrell zurück.

„Aber Mike Kitteredge ist tot!"

Ein Stimmengewirr entstand. Das Geräusch erreichte Cottrells Ohren, und er kauerte sich nieder und ballte die Fäuste. Der Knoten von Wut in ihm brach in seiner Antwort heraus.

„Na gut", brüllte er. „Na gut! Ich bin hierhergekommen, weil ich euch darum bitten wollte, mit mir zusammen die Kitteredges aufzuhalten. Wie ich sehe, waren sie zuerst hier. Na gut! Dann nehmen wir es eben allein mit ihnen auf, und ihr könnt alle zum Teufel gehen!"

Irgendwie kam Mr. Hollands ruhige Stimme durch den Sturm von Antworten, die von dem Balkon herabprasselten. „So einfach ist das nicht. Als ich sagte ‚gegen dich‘, habe ich das auch so gemeint, verstehst du. Hier geht es nicht darum, daß sie dir nicht helfen wollen – es geht darum, daß sie in zwei Stunden damit beginnen, euer Haus mit Artilleriefeuer zu belegen, ob ihr darin seid oder nicht."

„Nein!" Das Wort brach aus ihm heraus, und sogar er selbst war zunächst unfähig zu sagen, was darin mitschwang. Es war weder ein Befehl noch der Ausdruck einer Tatsache oder von Erstaunen. Es war einfach ein Wort, und er wußte besser als jeder andere, wie wirkungslos es war.

„Also wäre es das beste, wenn du deine Familie dort herausholst, mein Junge." Die anderen Männer auf dem Balkon waren still geworden. Sie alle beobachteten Cottrell – abgesehen von den beiden Männern am Raketenwerfer, die alles außer dem Panzerwagen ignorierten.

Mr. Holland kam vom Balkon herunter und ging auf ihn zu. Er legte ihm die Hand auf die Schulter. „Laß uns zurückfahren, mein Junge. In meinem Haus ist noch eine Menge Platz für deine Familie."

Cottrell sah noch einmal zu den Männern auf dem Balkon hoch. Sie waren völlig still und starrten ihn an, als sei er eine seltsame Menschenart, die sie noch nie zuvor gesehen hatten.

Er schüttelte sich. „In Ordnung."

Mr. Holland kletterte durch die Luke, und Cottrell folgte ihm. Er knallte sie hinter sich zu und setzte sich auf den Fahrersitz. Er gab Gas, blockierte die linken Hinterräder und zog den Wagen herum. Dann gab er Vollgas, und der Panzerwagen fuhr mit röhrendem Motor, eine Staubwolke hinter sich zurücklassend, die Straße hinunter.

„Das meiste hab' ich gehört, Cottrell", ertönte Geoffreys gepreßte und bittere Stimme aus der Gegensprechanlage. „Sehen wir zu, daß wir so schnell wie möglich zum Haus zurückkommen. Wir können denen eine Tonne Splitterbomben auf den Balkon hindonnern, bevor sie überhaupt wissen, was gespielt wird."

Cottrell schüttelte den Kopf, bis es ihm einfiel, daß Geoffrey ihn nicht sehen konnte. „Inzwischen sind die alle weg, Jeff. Die haben sich in ihre Häuser begeben und machen sich bereit."

„Dann beschießen wir eben die Häuser", sagte Alister, der in der Kuppel des Wagens hinter dem MG saß.

„Ihr hättet keine Chance, mein Junge", sagte Mr. Holland.

„Er hat recht. Die haben uns in der Zwickmühle", stimmte Cottrell zu.

Was war bloß mit dem Gesetz geschehen? Sein Vater hatte danach gelebt. Alle Menschen in der Gemeinde hatten danach gelebt. Er selbst hatte danach gelebt – er unterbrach sich. Er hatte versucht danach zu leben und war gescheitert.

Cottrell stand in dem Hof vor Mr. Hollands Haus. Er hatte anderthalb Stunden von der Zeit, die Hollis ihm gegeben hatte, dazu gebraucht, zu seinem Haus zurückzufahren, ein paar Habseligkeiten zu packen und diese und seine Familie zum Haus von Mr. Holland zu bringen. Ein seltsames, unbehagliches Wiedersehen zwischen Mr. Holland und seiner Großmutter hatte stattgefunden. Gerade eben hatte er seine Mutter geküßt und seine Hand gehoben, als sie sich zur Tür zurückwandte. „Mir passiert schon nichts, Mutter", sagte er. „Da gibt es noch ein paar Sachen, um die ich mich kümmern muß."

„Ist gut, mein Sohn. Bleib nicht zu lange."

Er nickte, obwohl sie schon hineingegangen war.

Geoffrey und Alister waren schon vor ihr ins Haus gegangen, um sich um die Großmutter und die kleinen Kinder zu kümmern. Alister würde es schon schaffen. Er hoffte, daß Geoffrey nicht schon zu alt war, um sich der neuen Lage anzupassen.

Mr. Holland kam heraus.

„Ich möchte mich bei Ihnen bedanken, daß Sie uns aufgenommen haben", sagte Cottrell zu ihm.

Mr. Hollands Gesicht verdüsterte sich. „Das bin ich euch schuldig, mein Junge. Ich denke dauernd, daß dies nicht passiert wäre, wenn ich dich nicht so aufgeregt hätte."

Cottrell schüttelte den Kopf. „Nein. Auf die eine oder andere Art wäre es sowieso passiert. Heute kann man das ziemlich leicht erkennen."

„Kommst du rein, Cottrell? Ich möchte dich meiner Tochter vorstellen."

Cottrell sah zur Sonne empor. Nein, ihm blieb nicht genug Zeit.

„Ich bin gleich zurück, Mr. Holland. Da gibt es noch ein paar Kleinigkeiten zu bereinigen."

Holland sah über das niedrige Dach von Cottrells Haus, das kaum zu erkennen war. Von der anderen Seite her raste eine kleine Staubwolke darauf zu. Er nickte. „Ist klar, ich sehe, was du meinst. Na, da beeilst du dich am besten. Mehr als ungefähr zwanzig Minuten bleiben dir nicht."

Cottrell nickte. „Bis später." Er ließ seinen Karabiner in seine Hand fallen und trabte über den Hof. Jetzt brauchte er sich ja um den Hund nicht mehr zu kümmern. Er kämpfte sich durch das Gebüsch, bis er sich gerade unter dem Kamm eines Hügels befand, von dem aus man das Haus überblicken konnte. Er legte sich in dem hohen Gras flach auf den Boden und robbte nach vorn, bis Kopf und Schultern über den Hügelkamm ragten, zugleich aber noch vom Gras verborgen wurden.

Er hatte recht gehabt. Dort waren drei Männer, die gerade aus einem leichten Kampfwagen kletterten.

So etwas waren unsere Großeltern, dachte er. *Plünderer*! Er legte den Sicherungshebel um. *Und unsere Eltern hatten ein Gesetz.* Seine Brüder hatten jetzt eine Gemeinschaft. *Aber ich bin mein ganzes Leben einem einzigen Weg gefolgt, und ich glaube, ich habe Integrität.*

Er schoß, und einer der Männer griff sich an den Bauch und fiel zu Boden.

Die beiden anderen fuhren auseinander. Ihre eigenen Gewehre hielten sie in der Hand. Cottrell lachte und warf mit ein paar Schüssen Dreck in ihr Gesicht. Als der Dreck in seine Augen flog, hob einer unwillkürlich seine Schulter. Cottrell schoß wieder, und die Schulter sank zu Boden. *Vielen Dank für diesen Trick, Jeff.*

Der andere Mann schoß zurück. Er verbrauchte ein halbes Magazin, um das Gras einen halben Meter rechts von Cottrell umzumähen. Cottrell glitt unter die Kuppe, rollte sich ein Stück weiter und kam drei Meter von seinem alten Standort wieder hoch.

Der verbliebene Mann bewegte sich unten am Haus. Cottrell setzte ihm eine Kugel drei Zentimeter über den Kopf.

Es blieben ihm noch ungefähr zehn Minuten. Na ja, wenn er den Mann festnagelte, dann würde die erste Salve die Angelegenheit ebenso gründlich erledigen wie der beste Schuß aus seinem Karabiner.

Der Mann bewegte sich wieder — ein wenig verzweifelt dieses Mal —, und Cottrell zupfte mit einem Schuß an seinem Ärmel.

Fünf Minuten noch, und der Mann bewegte sich wieder. Er rief etwas. Cottrell dreht seinen Kopf, um das Sausen des Windes auszublenden, konnte aber die einzelnen Worte nicht verstehen. Er zwang den Mann wieder herunter in die Deckung.

Als ihm noch eine Minute Leben blieb, versuchte der Mann einen Ausbruch. Er sprang plötzlich auf und rannte von dem Wagen weg, und daher verfehlte Cottrell ihn auch. Als der Mann zurückrannte, schoß er ihn in das Bein.

Verdammt! Jeff hätte das besser gemacht!

Der Mann kroch zurück zu dem Wagen.

Drüben bei den Kitteredges waren die ersten Mündungsblitze zu sehen, und der Kanonendonner rollte über die Hügel.

Cottrell schoß dem kriechenden Mann durch den Kopf.

Er hatte recht gehabt. Die Kitteredges schossen schlecht. Die erste Salve ging hundert Meter zu weit nieder – auf den Hügelkamm, auf dem er mit seinem Gewehr in der Hand stand.

Achtes Kapitel

Dies geschah viele Jahre nach der Seuche, ungefähr zu der Zeit, als in der Gegend der Großen Seen alles zu verkommen begann und die Siebte Republik dort versuchte, sich mit einer Legende Zeit zu kaufen.

Dies aber geschah weiter im Süden:

1

Jeff Garvin glitt wie ein noch dunklerer Schatten in der Nacht durch das gelockerte Fenster. Seine Füße machten keinen Laut, als sie den Boden berührten. Er lachte lautlos in sich hinein und schloß das Fenster wieder hinter sich. Mit fast animalischer Leichtigkeit stellten sich seine Augen auf die Dunkelheit ein, als er in das Zimmer sah.

Er befand sich im Eßzimmer. Mit einem schnellen Blick versicherte er sich der Lage der Türen und wählte jene, die am wahrscheinlichsten zur Küche führte. Er ging ohne Zögern darauf zu. Sein Gewehr hielt er in der rechten Hand, der Zeigefinger lag am Abzug, als er die Tür sanft aufstieß. Er hatte recht gehabt – es war die Küche, und er ging lautlos hinein. Er fand einen Vorratsschrank und fing an, seinen Rucksack zu füllen. Er verzog sein Gesicht, weil der größte Teil des Essens Selbsteingemachtes in Gläsern war. Im Falle eines Kampfes würde er sich damit vorsehen müssen. Er verpackte sie so sorgfältig wie möglich. Jedesmal wenn sie sich berührten und ein kaum hörbares Klicken erzeugten, erstarrte er und horchte sorgfältig auf ein verräterisches Geräusch. Als er eine volle Ladung verpackt hatte, setzte er sich den Rucksack wieder auf und nahm sein Gewehr in die Hand. Er ging durch die Tür der Küche und kam wieder in das Eßzimmer.

„Hallo, Freundchen", sagte die Stimme, und das Gewehr wurde ihm aus der Hand gerissen. Er sah das Glitzern eines schwachen Lichts auf dem Lauf eines Schrotgewehrs und blieb regungslos stehen. Die Spannung seiner Muskeln löste sich. Er sah mit zusammengekniffenen Augen zu der schattenhaften Figur hinüber, und Verzweiflung schlug über ihm zusammen. Er wußte, das war es, das war das Ende, tausend Meilen und fünf Jahre von daheim entfernt. Er hatte sich seinen Weg so weit gesucht und erkämpft, über die kalten Ebenen und durch die langen Nächte. Die ganze Zeit hindurch hatte er mit Männern zu kämpfen gehabt, und hier war er nun endlich am Ende seines Wegs angekommen.

Ein Mädchen hatte ihn erwischt. Ein Mädchen mit einem Schrotgewehr. Er grinste bei dem Gedanken, und ließ sie, die inmitten eines Halbkreises von Leuten saß, die ihn anschauten, dieses Grinsen sehen. Die Art, wie sie nicht versuchte, ihm auszuweichen, sondern ihn weiter ansah, gefiel ihm. Sie sah ihn an, aber nicht so wie die anderen Frauen, die den wilden Banditen anstarrten.

„Wie heißt du, Mac?" fragte der Mann, der hier die Führung zu haben schien.

„Jeff Cottrell", sagte er mit dem richtigen Ausmaß von Zögern in seiner Stimme. Er hatte schon vor langer Zeit herausgefunden, daß der Name Garvin in manchen Städten wenig populär war. Er hatte keine Ahnung, ob es hier genauso war, aber es hatte keinen Zweck, mit einem stumpfen Messer oder einem müden Feuer die letzte Spur einer Chance zu verschenken.

„Was hast du in dem Haus in Boston gemacht?"

Er sah den Mann ausdruckslos an und fragte sich, welche seltsame Art lokaler Rechtsprechung es verlangte, Einzelheiten von einem Mann wissen zu wollen, den man sowieso gleich umbringen würde.

„Vorräte aufgefrischt", sagte er. Er war bereit, das Spiel mitzumachen.

Der Mann nickte. „Warst du lange in der Ebene?"

Die Frage war schwierig. Niemand konnte dort lange sein, ohne eine Menge Städte zu plündern, und ein Mann, der eine Menge Städte geplündert hatte, hatte sicherlich auch Zeiten erlebt, in denen er nicht kommen und gehen konnte, ohne einen Teil der Einwohner zu verletzen. Wenn er ihnen auf der anderen Seite eine lächerlich kurze Zeit nennen würde, würden sie einfach die Geduld mit ihm verlieren und die Sache zu einem Ende bringen.

„Mit der Antwort bist du vorsichtig, was?" sagte der Mann. „Na gut, dann lassen wir das erst einmal." Es schien ihn nicht sonderlich zu stören.

„Wie viele Menschen hast du umgebracht?"

„Meinen Teil", antwortete er sofort. Das war sowieso klar. Der Mann nahm die Antwort ohne Erstaunen auf und setzte zu einer anderen Frage an, aber das Mädchen unterbrach ihn.

„Ich sehe keinen Sinn darin, die Sache hier noch weiterzuführen", sagte sie und stand auf.

Mensch, das hätte ich nicht gedacht, daß du als erste nach Blut schreien würdest, dachte Jeff.

„Vielleicht hast du recht", gab der Mann zu. Er wandte sich dem Rest der Menge zu − wahrscheinlich war es die gesamte erwachsene Bevölkerung der Stadt − und richtete seine nächste Frage an sie.

„Was denkt ihr darüber, Leute?"

Einige nickten, während andere „Pat hat recht" oder ähnliche beipflichtende Äußerungen von sich gaben. Jeff verkrampfte sich. Der Mann sah ihn an. „Wir haben einen Vorschlag."

Jeff spürte, wie die Luft aus seinem Brustkasten sauste. „Ihr habt *was*?" fragte er völlig erstaunt.

Der Mann lächelte dünn. „Das ist etwas, das wir vor einiger Zeit beschlossen haben. Das ist hier eine Bauernsiedlung", erklärte er. „Jeder von uns hat genug zu tun, um den ganzen Tag und die halbe Nacht auf Trab zu sein. Wir können gegen Leute wie dich nicht in ausreichendem Maße Wachen aufstellen, aber Leute wie du stören. Deshalb machen wir jedem von euch, der in der kleinen mündlichen Prüfung nicht durchfällt, ein Angebot. Es sieht folgendermaßen aus: Du erhältst Essen und Kleidung aus den Vorräten der Stadt, und wir teilen dir eine Wohnung zu. Als Gegenleistung hältst du die Nachbarschaft frei von Landstreichern, die solche klebrigen Finger wie du haben."

„Angenommen", sagte Jeff.

Der Mann hob seine Hand. „Nicht so hastig, mein Bester. Was dich betrifft, gibt es noch einen Haken. Jemand von uns geht mit dir, wo du auch in der Stadt hingehst. Er hat ein Gewehr. Du nicht. Wenn du hinaus auf die Jagd gehst, lösen wir uns ab, und *zwei* Leute werden mit dir hinausgeschickt. Außerhalb der Stadtgrenze darfst du dein Gewehr tragen, aber bevor du wieder hineinkommst, gibst du es wieder ab. Wenn wir dich dabei erwischen, wie du zu fliehen versuchst, schießen wir dich als eine Art Gefälligkeit den anderen Städten in der Gegend gegenüber nieder."

„Trotzdem angenommen."

„Komisch", sagte der Mann, „sie akzeptieren es alle — anfangs."

Durch die Menge lief eine Welle kühlen Lächelns, aber Jeff verschwendete keinen Gedanken darauf, sich zu fragen, warum die Stelle zur Zeit nicht besetzt war.

Der Mann kam auf ihn zu und streckte seine Hand aus. „Wir können uns eigentlich gleich namentlich bekannt machen. Ich heiße Pete Drumm!"

Jeff nickte nachdenklich. Es war eine harte, zähe Hand.

„Schon mal auf einem Pferd gesessen?" fragte Pat.

Jeff schüttelte den Kopf und sah sorgfältig zu dem Braunen hinüber, der am Balkongeländer angebunden war.

Das Mädchen seufzte. „Also gut, Freund, das ist ein müdes Pferd. Es ist schon seit fünf Jahren müde. Wenn du also lügst, dann brauchst du nicht zu erwarten, sehr schnell sehr weit zu kommen. Steig auf."

Jeff zuckte die Achseln und ging zu dem Tier hinüber. Er löste die Zügel und kletterte vorsichtig in den Sattel. Er fühlte, wie seine Muskeln sich in ungewohnte Längen zogen und fand sich insgeheim mit erheblicher — wahrscheinlich lächerlicher — Schmerzentwicklung ab, falls er dies länger beibehalten würde. Glücklicherweise machte das Pferd nicht mehr, als mit seinem Schweif zu wedeln.

Pat sah hoch und lächelte. „Nein, du hast noch nie auf einem Pferd gesessen", sagte sie. „Du siehst aus, als wäre jeden Augenblick zu erwarten, daß du in die Hosen machst."

Er sah einen Augenblick mit grimmigem Gesicht auf sie herab. Dann aber brach er in der ersten echten Heiterkeit, die er seit Wochen empfunden hatte, in Gelächter aus. Verdammt, er *mochte* das Mädchen.

Sie schwang sich selbst in den Sattel, und sie ritten langsam durch die Stadt, während Pat laufend Erklärungen abgab. „Das ist das Haus von Becker. Hat eine Frau und vier Kinder. Die Kinder schlafen unten, können sich also einigermaßen selbst versorgen und aufpassen. Das Haus daneben gehört Fritch. Der alte Fritch lebt allein, aber er ist ein listiger Mensch. Er hat das ganze Haus mit Fallen vollgestopft. Könnte aber trotzdem nichts schaden, wenn du hier ab und zu mal vorbeischauen würdest."

Am Ende des Nachmittags wußte er in der Stadt schon recht gut Bescheid. Sie sah ähnlich wie alle anderen Städte in der Ebene aus — die Häuser standen zum gegenseitigen Schutz eng beieinander und nach außen verliefen Felder in allen Richtungen. Es war jetzt Spätherbst, und die Felder waren kahl, aber er konnte es sich vorstellen, wie es im Sommer aussehen würde: grün und wohlhabend und so zäh wie das Gras, das in ständigem Kampf mit dem Wind der Prärie lag. Eine Reihe von kahlen Pfählen fiel ihm auf, die sich in einer Reihe bis zum Horizont erstreckten. Er machte eine Kopfbewegung zu ihnen hin.

„Die Telefonleitung", erklärte das Mädchen. „Im letzten Juli waren hier ein paar Leute aus dem Osten und haben uns mit dem Netz von St. Louis verbunden. Im Frühjahr wollen sie die Kabel ziehen. Das ganze alte Zeug ist natürlich längst hinüber." Sie drehte sich abrupt in ihrem Sattel um und sah ihn an. „Wie ist es denn da unten im Osten?" fragte sie und lachte. „Eigentlich komisch. Wir sitzen alle im gleichen Dreck, und trotzdem gibt es diesen großen Unterschied zwischen den Stadtleuten und den Bauern in den Dörfern. Aber Pete hat mir erzählt, daß es schon immer so war."

Sie schien wirklich interessiert zu sein. Am Anfang, um Konversation zu machen, dann aber, als er sich vergaß, aus einer seit langem eingedämmten Quelle von Mitteilungsbedürfnis heraus, fing er an, ihr von seinem Leben in New Jersey und davon, wie die Leute dort waren, sowie über seine Familie zu erzählen. Sie hörte gespannt zu, hakte an der einen oder anderen Stelle nach und machte manchmal erstaunlich einsichtige Bemerkungen. Als die beiden vor ihrem Haus die Pferde anhielten, wußte sie eine ganze Menge über ihn. Selbst seine protestierenden Muskeln und schmerzenden Knie brachten es nicht fertig, das Gefühl von Zufriedenheit in ihm zu übertönen.

Aber eines ließ er nie ganz aus seinem Bewußtsein entschwinden: Irgendwie würde er eines Tages einen Weg finden, von hier zu entkommen.

Als er eine Woche in Kalletsburg war, wußte er, wie er es fertigbringen würde. Es war der einzige Weg, der bei diesen Leuten Erfolg haben würde. Es mochte ein Jahr dauern, vielleicht auch zwei. Wenn aber die Zeit kam, würde er verschwinden. Er spielte jetzt schon mit dem Gedanken, ob es vielleicht möglich wäre, Pat mitzunehmen.

Es hatte keinen Sinn, an dem Überwachungssystem vorbeizukommen, das sie ausgearbeitet hatten. Selbst wenn nur Pat bei ihm war, so hatte sie eine Pistole im Gürtel, und Drumm hatte das, was er gesagt hatte, ernst gemeint. Er blieb unbewaffnet, was am Anfang ein äußerst unangenehmes Gefühl gewesen war, das er kaum abschütteln konnte. Sein Gewehr war so sehr ein Teil von ihm geworden, daß er sich an dieses Gewicht gewöhnt hatte und es für sein Gleichgewichtsgefühl benötigte. Er erwischte sich dabei, wie er sich in der Höhe seiner Schulter verschätzte oder sich in der Muskelkraft, die nötig war, um seinen Arm zu heben, verkalkulierte. Ohne sein Gewehr fühlte er sich linkisch und unbeholfen, und in der kurzen Zeit war es ihm noch nicht gelungen, dieses Gefühl ganz abzulegen.

Aber er würde sich daran gewöhnen können, und wenn es soweit war, würde er sich auch wieder umgewöhnen. Die Schwachstelle der Stadt nämlich war ihre Überschaubarkeit. Er hatte ständigen Kontakt mit allen. In einiger Zeit würden sie sich an seinen Anblick vollständig gewöhnt haben. Wenn er mit ihnen reden und sie ihm zuhören würden, würde er mit der Zeit einer von ihnen werden. Mit der Zeit könnte er vielleicht auch anfangen, selbst ein eigenes kleines Feld zu bestellen. Vielleicht würde er ein Haus bauen. Er würde ihnen hundert Anzeichen geben, daß er für immer bleiben wollte – genauso wie sie an die Stadt gebunden.

Und dann würde er eines Nachts verschwinden, und sie würden sich einen neuen Sheriff suchen müssen. Und wie er es sich schon überlegt hatte, bestand die entfernte Möglichkeit, daß Pat es sich überlegen würde, mit ihm zu kommen, wenn es soweit war.

Er lächelte still in sich hinein.

„Worüber bist du denn so froh?" fragte Drumm. Jeffs Grinsen wurde breiter. Im Augenblick akzeptierte jeder, nach Art einer kleinen Stadt, daß Pat Drumms Mädchen war, ohne daß es offen ausgesprochen wurde.

„Ach, nichts Besonderes", sagte er. Er lag noch ein paar Minuten wach und schlief dann ruhig ein.

Der Winter kam. In seinen ersten Wochen war Jeff Tag und Nacht beschäftigt, weil die Banditen aus der Ebene gezwungen waren, ihre kümmerlichen Unterkünfte, die sie sich zusammengeschustert hatten, mit Vorräten auszustatten. Er hatte seinen letzten Winter in einer Höhle verbracht, die er sich in einen Bachrain gegraben hatte, und er kannte die Gedanken, die aus einem solchen Leben erwuchsen. Im Oktober hatte er schon vier von diesen Leuten erwischt, und dann blockierte der Schnee alles, bis Mitte Dezember die verzweifelten, halbverhungerten Männer begannen, in die Stadt einzufallen. In der Zwischenzeit verbrachte er seine Zeit damit, sich mit Pat oder Drumm zu unterhalten.

Drumm war an seiner Vergangenheit ebenso interessiert wie Pat, aber aus einem anderen Grund. Er zeigte Jeff die Schachteln voller Papier, das in der genauen, sparsamen Schrift seines Vater beschrieben war.

„Eine Untersuchung der Auswirkungen persönlicher Bewaffnung auf konventionelle Theorien modernen Regierungswesens — von Harvey Hagard Drumm, mit einer Verbeugung vor Silas McKinley", las Jeff und sah Pete verwundert an. *„Eine Geschichte des Nord-Feldzugs Theodor Berendtsens",* las er auf einer anderen Schachtel „mit zusätzlichen persönlichen Notizen."

„Da war mein Vater selbst dabei", erklärte Pete. „Er war Obergefreiter unter einem der Söhne von Matt Garvin."

Mensch, ich werd' verrückt, dachte Jeff. Er schaute sich noch eine weitere Schachtel mit Manuskripten an, auf der stand: *„Pflege und Fütterung des militanten Intellektuellen."*

„Und die Sachen hier hebst du auf, weil du hoffst, daß sie mal irgendwann gedruckt werden?" fragte er.

„Mehr noch", sagte Pete. „Ich versuche, noch etwas dazuzuschreiben. Deshalb bin ich so interessiert an deiner Geschichte. Ich will sie aufschreiben. Ich möchte erreichen, daß andere Leute davon lernen. Du siehst ja, uns geht es hier unten ganz gut. Es geht aufwärts, obwohl Berendtsen mit seinen Leuten hier nicht durchgekommen ist. Weil mein Vater hier durchgekommen ist."

„Und er hat nur Bücher geschrieben?"

„Nur Bücher geschrieben und den Leuten erzählt, was in ihnen stand, und daß die Lage im Osten sich *tatsächlich* verbesserte. Das macht einen ganz schönen Unterschied, wenn man weiß, daß jemand einen Weg aus dem Schlamassel gefunden hat, auch wenn man es selbst noch nicht geschafft hat. Dann sucht man weiter, statt sich hinzulegen und einzugehen. Ich glaube, das ist die beste Entschuldigung für Berendtsen und seine Kumpane. Sie mußten leben, damit mein Vater davon erzählen konnte, wie die Dinge angepackt worden sind. Aber die Zeiten sind jetzt vorbei, und ich bin verdammt froh drüber." Pete sah Jeff mit kühl abschätzendem Blick an. „Deshalb will ich auch nicht, daß in der Gegend hier noch mehr Banditen ihr Unwesen treiben."

„Das kann ich verstehen."

„Allerdings."

„Was ist eigentlich aus deinem Vater geworden?" fragte Jeff. Die Richtung, die die Unterhaltung nahm, gefiel ihm nicht.

Pete lächelte leicht. „Das weiß ich nicht. Ich schätze, ich war zehn oder zwölf, als Ryder mit seinen Leuten auf dem Weg nach Texas hier durchkam. Meine Mutter war gerade gestorben, und Jim, mein älterer Bruder, war alt genug, mit meiner Hilfe den Haushalt hier zu versorgen. Mein Vater war sowieso als Bauer eine Niete, und so hat er die Sache mit uns durchgesprochen. Als Ryder und sein Haufen wieder abzogen, packte er alles unbeschriebene Papier ein, das er finden konnte, und ging mit ihnen. Ich wollte eigentlich auch mit, aber da hat Vater schnell einen Riegel vorgeschoben. Wahrscheinlich hatte er recht. Ryder hat zwar nur gekämpft, wenn er mußte, aber es war trotzdem ein hartes Leben.

Mein Hierbleiben hat sich zum Schluß auch sonst als richtig erwiesen, als Jim von einem von euch Burschen getötet wurde. Wenn ich mitgegangen wäre, wäre niemand mehr da gewesen, der die Sache hier macht."

„Das wäre doch egal gewesen, wenn du nicht hiergewesen wärst, um es zu sehen, oder nicht?"

Drumm zuckte unsicher die Achseln. „Ich weiß. Ich *bin* aber hier. So denke ... ich weiß nicht, so denke ich eben."

Jim versuchte, sich diesen Charakterzug vorzustellen, der einen Mann dazu brachte, so von einem Stück Land zu denken, das doch wie irgendein anderes Stück Land irgendwo auf der Welt war. Er mußte es aufgeben.

Stück für Stück erzählte er Drumm die Geschichte, wie sein Leben verlaufen war. Er fing mit dem Tod seines Vaters an und hörte vorsichtig mit der Heirat von Alister und Barbara auf, der sein Aufbruch von daheim folgte. Er mußte sorgfältig aufpassen, daß er seinen wirklichen Namen nicht herausrutschen ließ, aber sonst konnte er die Geschichte fast automatisch abspulen lassen.

Aus irgendeinem Grund ließ ihn ein Kommentar nicht los, den

Pete zum Tod von Cottrell abgegeben hatte. An den unmöglichsten Plätzen und zu den unpassendsten Zeiten mußte er daran denken.

„Tut mir leid, daß er gestorben ist", sagte Pete, „weil es mir immer leid tut, wenn jemand stirbt. Um seinetwillen bin ich aber auch froh, daß es so kam. Ein Mensch sollte nicht über seine Zeit hinaus leben." Er sah auf und durchbohrte Jeff mit seinem Blick. „Wenn er sich erst einmal ganz darüber klargeworden ist, welcher Zeit er angehört."

Jeff konnte diese Worte nicht abschütteln.

Sein geduldiger Plan erreichte sein erstes Ziel, als er ein Jahr am Ort war. Er hatte sorgfältig seine Pflicht getan. Von den Leuten, die das Telefonkabel verlegten, hatte er sich ferngehalten und nur mit ihnen gesprochen, wenn er zufällig auf sie stieß, und er hatte nicht versucht, irgendwelche Botschaften oder Hilferufe abzuschicken. Es wäre sowieso ein völlig sinnloses Manöver gewesen, denn Männer wie er hatten keine Freunde und konnten nicht auf Hilfe hoffen – und, was noch wichtiger war, er hatte gewußt, daß die Leute aus der Stadt ihn beobachtet hatten.

Sie gaben ihm ein kleines Stück Land auf Kredit, und tagsüber blieb ihm genug Zeit, es zu bestellen. Er mußte fast die ganze Nacht aufbleiben, aber er bestellte sein Land so sorgfältig wie sie, nachdem Pat ihm gezeigt hatte, was zu tun war. Sein Gesicht wurde dünner, und seine Schultern wurden breiter, und die dünne Schicht Winterspeck lief an ihm herunter wie ein Schweißfilm. Als er einen Plünderer dabei erwischte, wie er ihm seinen frühen Mais stehlen wollte, schoß er ihm durch den Ellenbogen des Armes, mit dem er das Gewehr hielt.

Diese völlig ungeplante Aktion war das entscheidende Gewicht in der Waagschale, wie ihm später klarwurde. Der einzelne Mann, der immer noch mit ihm ausritt, war vertrauensvoll und kümmerte sich nicht sehr darum, ob die ursprünglichen Regeln eingehalten wurden. Wenn ihm zu dieser Zeit Pat nicht schon so wichtig gewesen wäre, hätte er ihn erschießen und jederzeit weggehen können. Er überlegte es sich kurz, machte sich dann aber klar, daß unter diesen Umständen Pat nie mit ihm gehen würde, und so blieb er bei seinem ursprünglichen Plan.

Warte noch ein Jahr, sagte er sich. In einem Jahr würden sie es zulassen, daß er praktisch mit der Stadt auf dem Rücken weggehen konnte.

Im Herbst fing er an, sein Haus zu bauen. Wenn er allein gewesen wäre, hätte er wahrscheinlich einen Schuppen mit einem einzigen Raum zusammengezimmert, aber er hatte inzwischen so viele Hilfsangebote, daß er ein größeres Projekt ins Auge fassen konnte. Wenn er ein Haus baute, das groß genug für eine Familie war, dann war das außerdem so gut wie eine Garantie für die anderen. Seine Absicht hierzubleiben stand damit allen sichtbar vor Augen. Wie recht er mit dieser Einschätzung gehabt hatte, wurde ihm klar, als er Pats Mutter und Vater beim Eßtisch dabei beobachtete, wie sie erst ihn und dann Pat ansahen, um sich dann selbst geheime Blicke zuzuwerfen.

Der Hausbau schien auch bei seiner breit angelegten Kampagne zu helfen, Pat auf seine Seite zu ziehen. Und als endlich der nächste Frühling kam, wußte er, daß es Zeit war. Er schlief allein im Haus und ritt mit der Flinte am Sattel, wann und wie und wo immer er es wollte. Er nannte jedermann in der Stadt beim Vornamen und mußte nur selten selbst kochen. Die Leute in Kalletsburg hatten vergessen, daß er ein Plünderer, ein Bandit war.

Sogar Pete Drumm hatte es vergessen, denn er war so sauer auf ihn, wie er es auf jeden Gleichberechtigten gewesen wäre, der in dem Kampf um Pat Sieger blieb.

Nur ich, dachte er, *ich habe es nicht vergessen.*

Er wartete bis zum Neumond und suchte sich eine Nacht aus, die wolkig genug war, um Regen erwarten zu lassen. In der Nacht belud er eines seiner beiden Pferde hoch mit allerlei Packen, bearbeitete sein Gewehr, bis der Lauf, der langsam altersschwach wurde, keine Rostnarbe mehr zeigte, und wartete dann geduldig, bis er sicher war, daß Pats Eltern schliefen. Er saß in seinem dunklen Haus und zählte die Minuten, die verstrichen. Schließlich machte er sich auf den Weg.

Er führte seine Pferde ohne Geräusch zu einem kleinen Gehölz bei dem Haus der Bartons. Dort band er sie an und ging den Rest des Wegs zu Fuß. Als er in die Scheune eindrang, um Pats Pferd zu satteln, schien er nichts von seinem alten Geschick verloren zu haben. Als er dies erledigt hatte, schlich er um das Haus.

Unausweichlich kam er zu dem Eßzimmerfenster, das sich immer noch am ehesten für den Einstieg anbot. *Na ja*, dachte er, *damit habe ich den Kreis geschlossen.*

Er lächelte in kühler Belustigung, als er durch das zu locker befestigte Fenster glitt und zum zweitenmal in dem dunklen Eßzimmer der Bartons stand.

In einem Reflex, der inzwischen automatisch geworden war, schäumte er innerlich. Er hatte Arnold mindestens ein dutzendmal gesagt, daß er das Fenster reparieren solle. Aber der alte Mann hatte nur gelächelt und gesagt, daß er nicht mehr Schutz als Jeff benötige.

Er schüttelte ärgerlich den Kopf. Das hier würde ihm eine Lehre sein.

„Hör mal zu, mein Junge", sagte Pat aus der Dunkelheit, „das einzige Klo hier im Haus ist *immer noch* neben dem Eßzimmer. Kapierst du das denn nie?"

Er sank gegen die Wand.

Pat kam zu ihm herüber und nahm ihn bei der Hand. „Du scheinst irgend etwas sehr dringend nötig zu haben, wenn du dich so hier hereinschleichst. Ich hoffe, daß ich das bin."

„Ich ..." Und plötzlich konnte er es nicht sagen. Er fühlte sich blamiert, hier erwischt zu werden, und fehl am Platze und völlig lächerlich.

„Ich ...", fing er wieder an und merkte, wie etwas in ihm aufbrach. „Verdammt noch mal", sagte er verwirrt, „ich wollte dich eigentlich fragen, ob du mit mir verschwinden willst. Aber ich *bringe es nicht fertig*! Ich kann aus dieser verdammten Stadt nicht *weg*!"

Pat nahm ihn in die Arme und fuhr ihm mit einer Hand zärtlich durch das Haar. „Du dummer Junge", sagte sie, „natürlich nicht! Du bist zivilisiert."

2

Und dies geschah im Norden:

Joe Custis trat aus der Hütte des toten Kommandanten in die hüpfenden Schatten der Lagerfeuer. Ein Schütze stand zehn Meter entfernt Wache. Joe sah ihn nachdenklich an. Dann rief er so laut, daß es gerade noch der Posten hören konnte, aber sonst niemand: „Hallo – der Chef will Licht hier drinnen haben!"

Der Mann knurrte etwas in sich hinein und ging zum nächsten Feuer, um ein brennendes Holzscheit zu holen. Er deckte es sorgfältig mit der Hand ab und trug es hinüber. „Erst kein Licht, dann doch Licht", brummelte er, als eı durch die Tür trat. Er langte nach oben, wo eine Petroleumlampe auf einem Brett stand. Als er Henley auf dem Boden liegen und den Kommandanten über den Tisch ausgestreckt sah, hielt er abrupt an. „Wer, zum Teufel, ist denn so verrückt, den Kommandanten direkt hier im Lager umzubringen ..."

Custis schlug mit ausgestreckter Hand dem Mann seitlich an den Hals. Er fing sorgfältig das brennende Licht auf und löschte es aus. Danach ging er wieder hinaus und schloß leise hinter sich die Tür. Er ging langsam von der Hütte weg, bis er fünfzig Meter entfernt im Schatten stand. Dann suchte er das Feuer, wo er Jody arbeiten sehen hatte. Das Messer hatte er unter sein Hemd in seinen Gürtel gesteckt, und nun wickelte er sich die blutgetränkten Hemdsärmel hoch. In der kühlen Nachtluft bekam er eine Gänsehaut.

Als er ziemlich nahe am Feuer war, veränderte er sein Schrittempo, bis er nur noch schlenderte. Er ging zu dem Feuer hin, horchte aber die ganze Zeit, ob aus der Hütte auf der anderen Seite des Lagers ein Laut zu hören war. „Jody."

Sie sah auf und wischte sich mit dem Handrücken das nasse Haar aus der Stirn. „Hallo, Soldat! Willst du zu Abend essen?"

Er schüttelte seinen Kopf. „Willst du immer noch nach Chicago mitkommen?"

Sie richtete sich auf. „Einen Augenblick."

Sie rührte das Essen in dem Topf um und ließ den Löffel wieder hineingleiten. Sie nahm die Wasserschöpfkelle auf und sagte: „Fertig."

„Also los."

Sie gingen zu der Quelle hinüber. Als sie aus dem Feuerschein heraustraten, berührte sie ihn am Arm. „Du machst dich doch nicht über mich lustig?"

„Nein. Weißt du, wie man da hinunterkommt, wo der Wagen steht?"

„Ja." Sie setzte die Kelle ab. „Na komm."

Als sie den Eingang des Tals erreichten, packte sie seine Hand. „Stimmt irgend etwas nicht, Joe? Bist du verletzt?

„Nein."

„Du hast Blut auf deinem Hemd."

„Von Henley."

„Bist du sicher?"

„Er hat es vergossen, es ist von ihm."

Sie holte tief Luft. „Dann ist ja gleich die Hölle los."

„Ich kann nichts daran ändern. Es ist eben passiert." Er versuchte, sich an die genauen Stellungen der Grenadiere zu erinnern.

Sie erreichten den Punkt, wo die beiden MG-Nester den Eingang zum Tal bewachten. Einer der Posten hörte sie sprechen. „Wer ist da?"

„Ich, Jody."

Der Mann lachte.

„Hallo, Jody! Bringst du mir mein Abendessen?" Der zweite Posten lachte ebenfalls aus der Dunkelheit.

„Jetzt nicht, Sam", gab Jody zurück.

„Ich habe noch jemanden dabei."

Aus den Schatten bei den Felsen kam noch mehr Gelächter, und dann waren sie vorbei. Sie gingen langsam den Berg hinunter und versuchten, auf dem Geröll so leise wie möglich zu sein. Dann hörte Joe das Kratzen eines Schuhs, als sich ein Mann bequemer hinsetzte.

„Wir sind da", flüsterte Jody.

„In Ordnung." Custis orientierte sich. Nach einer Minute war er sich ziemlich sicher, wo sich ihr Standort in Beziehung zu seinem Wagen befand und wo die anderen Posten standen.

„Was jetzt, Joe?"

„Geh du weiter runter. Laß dich hören. Rede mit ihnen."

„Bist du sicher, Joe?"

„Ja, das geht in Ordnung."

„Du fährst doch nicht ohne mich weg?"

„Ich habe dir doch gesagt, daß ich dich mitnehme, oder?"

„Schon gut, Joe." Ihre Finger glitten über seinen Unterarm. „Bis später."

„Gib mir zwanzig Minuten", sagte er und verschwand im Schatten der Felsen.

Er bewegte sich so lautlos wie er konnte. Das Messer hielt er in seiner Hand bereit. Einmal stolperte er über einen Mann.

„'tschuldigung, Kumpel", murmelte er.

„Schon in Ordnung, Freund", antwortete der Mann. „Nimm einen für mich mit."

Er hörte, wie jemand weiter unten den Berg hinab laut sagte: „Hallo, da ist ja Jody! Komm doch mal rüber, Jody, mein Schätzchen." Er spürte, wie eine Welle von Aufmerksamkeit durch die Männer zwischen den Felsen lief. Ausrüstungsgegenstände klapperten, als sich Männer, die den Wachdienst satt hatten, nach vorn lehnten und froh waren, wenn es etwas zu sehen und vielleicht sogar zum Mitmachen gab.

Er war jetzt hinter einem der Granatenteams. Er kroch nach vorn, fand sein Ziel und schlich nach einer Minute weiter.

Die Männer, bei denen Jody stand, lachten und warfen sich Bemerkungen zu. Er hörte sie kichern.

Er fand die nächste Mannschaft, die sich nach vorne beugte, um in eine Senke sehen zu können, wo hinter ein paar Felsen auf der von dem Wagen abgewandten Seite ein kleines Feuer brannte. Als er hindurch war, sah er über die Kante. Jody stand dort unten inmitten von einem Haufen Männer. Sie hatte den Kopf zurückgeworfen und lachte.

Als er die dritte Stellung hinter sich gebracht hatte und sich an die vierte heranarbeitete, hörte er das Klatschen einer Ohrfeige. Ein Mann rief: „Hör mal, Mädchen, so kannst du mit mir nicht umspringen!" Die übrigen Männer lachten rauh.

Mit der vierten Mannschaft wurde er leicht fertig.

Als er sich mit der fünften beschäftigte, verpaßte er den letzten Mann. Es war eine schwierige Aufgabe, den ersten mit einem Schlag zu erwischen und dann den zweiten zum Schweigen zu bringen, bevor er rufen konnte. Dieses Mal rollte sich der Mann zur Seite, und Joe konnte nichts tun, als ihn gegen den Kopf zu treten. Er traf den Mann zwar, aber dieser wurde davon nicht bewußtlos. Der Mann glitt von dem Felsen herunter und brüllte laut los. Joe kroch zu ihm hin, so schnell er es vermochte, warf die Kiste Granaten in die eine Richtung und das Gewehr in die andere und rannte auf den Wagen zu.

„Lew! Aufmachen! Ich komme rein!" bellte er, als die Hölle in der Dunkelheit losbrach.

Gewehrfeuer hämmerte auf ihn ein, und Querschläger prallten kreischend von den Felsen ab. Der Motor des Wagens begann anzuspringen. Es war noch immer stockdunkel, bis Hutchinson vom Wagen aus eine Leuchtkugel abfeuerte. Die Welt färbte sich grün.

Custis prallte gegen die linke Kettenabdeckung, warf sich auf sie und kletterte verzweifelt an der Kuppel hoch. Er klopfte schnell an das Turmluk, und Robb warf es zurück. Custis schwankte einen Augenblick auf der Kante. Die MGs des Wagens eröffneten das Feuer und hämmerten auf die Felsen ein. Custis hörte, wie ein Mann brüllte: „Wo sind die verdammten Granaten?"

Dann hörte er, wie das Mädchen rief: „Joe."

Er hielt inne und sah zu der Stelle, von der der Klang ihrer Stimme gekommen war. „Mist!" murmelte er. „Ist ja egal", seufzte er dann und rief in den Kampfraum hinunter: „Gebt mir Feuerschutz!"

Er sprang von dem Kampfwagen herunter. Seine Stiefel gaben auf der Panzerung einen metallischen Klang ab, bevor er auf den Boden sprang. Er stolperte nach vorn und fiel auf den Kies, sprang aber sofort wieder hoch und rannte zu der Stelle hin.

Überall um ihn herum schlugen Geschosse ein. Er stolperte über die Felsen, sprang von der einen Richtung in die andere und versuchte, Haken zu schlagen, um dem Feuer auszuweichen. Hutchinson schoß die nächste Leuchtkugel ab. Nun färbte sich die Nacht rot, unterbrochen von dem hellen Schein der Leuchtspurgeschosse, die die suchenden MGs aus ihren Kuppeln versprühten. Er hörte, wie die Ketten auf dem Kies rutschten und dann Halt fanden. Der ganze Wagen stöhnte, als die Motoren ihn nach vorn schoben.

Das Mädchen rannte auf ihn zu. Hinter den Felsen saßen Männer, die nun sorgfältig zielten.

„Joe!"

„Schon gut, verdammt noch mal!" Er nahm sie auf und schleuderte sie in Richtung des Wagens vor ihm. Auf seinem Rücken spürte er die heiße Spur einer Kugel, aber dann war der Wagen praktisch über ihnen. Lew hatte das Fahrerluk aufgemacht, und Custis stieß das Mädchen hinein. Danach kletterte er an der Seite des Wagens hoch und in die Kommandantenkuppel hinein. „Alles klar!" keuchte er in das Mikrophon. „Ab geht's nach Hause."

Über ihm schlug die Kuppel zu. Er fiel in den Kampfraum und landete sehr hart auf der Seite. Lew blockierte eine Kette und ließ den Wagen auf der Stelle drehen. Der Krach im Kampfraum hörte sich an, als säßen sie in einem Waschkessel, gegen den jemand von außen Steine wirft.

Robb sah ihn an und schlug mit der flachen Hand leicht auf die Verschlüsse der 75er. „Feuer eröffnen, Joe?"

„Nein! Nein – laß die armen Schweine in Ruhe."

Er sah zu dem Mädchen hinüber. „Hallo, Jody", sagte er und grinste.

Der Halbkettenkampfwagen holperte den letzten Hang hinunter. Unter seinen Ketten schleuderte er Steine weg und biß Fladen aus dem Präriegras. Custis stemmte die Hände gegen die Kante des Luks und schaute finster über die Ebene, die vor ihm lag. Jenseits des grünen Horizonts lag Chicago. Die Berge hatte er satt.

Er war auf dem Weg nach Chicago. Er dachte an die tiefen Löcher im Asphalt der State Street. Es fröstelte ihn ein wenig.

Nachwort

In den letzten Jahren war, abgesehen von einem einzigen neuen Roman, *Michaelmas*, im Jahre 1977 von Algis Budrys so gut wie nichts mehr in der Science Fiction zu vermelden. Dabei galt und gilt Budrys, Sohn litauischer Einwanderer und 1931 noch in Europa geboren, als einer der wichtigsten Autoren der fünfziger und frühen sechziger Jahre, der mit vielen Kurzgeschichten sowie mit Romanen wie *Who?* (1958, *Zwischen zwei Welten*) und vor allem *Rogue Moon* (1960, *Projekt Luna*) Furore machte. Der vorliegende Roman, *Some Will Not Die* (*Einige werden überleben*) wurde 1961 erstmals in voller Länge veröffentlicht, basiert aber auf Kurzgeschichten, die auf die Jahre 1954 und 1957 zurückgehen und gilt deshalb als erster Roman des Autors.

Was wäre, wenn …? In der einen oder anderen Form offen, versteckt, als Haupt- oder Randthema, dem Autor bewußt oder unbewußt, steht diese Frage hinter jedem Stück SF-Literatur. Was wäre also, wenn eine Seuche die Bevölkerung eines großen Landes drastisch dezimierte und die Überlebenden vereinzelte, wenn Produktion und Distribution zusammenbrächen und von außen keine Hilfe zu erwarten wäre? Ja, was wäre dann?

Algis Budrys' Antwort kennen Sie, wenn Sie diesen Roman gelesen haben: Die Menschen kämpfen bis aufs Blut um die verbliebenen Vorräte, jeder ist sich selbst der nächste, jeder Fremde ein Feind, zu trauen ist allenfalls den Mitgliedern der eigenen Familie. Das ist bei Budrys die erste Phase.

Die zweite Phase besteht in der Stammesbildung: Alle einsamen Wölfe oder Kleingruppen des riesigen Apartmenthauses mitten in New York werden mehr oder weniger durch Zwang zu einer Zweckgemeinschaft – will heißen: Plündererbande – zusammengeschweißt.

In der dritten Phase kommt es zu Bandenkriegen, als deren Folge die Zwangsvereinigung aller Banden/Stämme im Umkreis zu einem großen Stamm, einer neuen Stadtgemeinschaft, angesagt ist.

Vierte Phase: Nach der Säuberung auch der letzten von anderen Gruppen beherrschten Stadtteile wird ein Heer aufgestellt, um präventiv Krieg zu führen, eventuellen Überfällen anderer Stadtgemeinschaften zuvorzukommen, die Errungenschaften des eigenen *way of life* gegenüber anderen durchzusetzen. Am Ende steht eine Republik, schwach zwar, wieder ohne Polizisten und Soldaten, die den Willen der Zentrale durchsetzen könnten, aber doch Vorbild und ordnende Hand im Chaos.

Ein herausforderndes, ein zwiespältiges Konzept, auch nach der Einschätzung des Autors. Denn Budrys macht die Vereinigungsstrategie des Ted Berendtsen nicht nur zum zentralen Thema des Romans, sondern zeigt auch, daß es Gegnerschaft gibt. Hurra-Patriotismus, Militarismus oder gar Propagierung einer Militärdiktatur liegt dem Autor fern. Berendtsen glaubt einen Auftrag der Geschichte zu erfüllen und sieht das Ende seiner Vereinigungsarmee und den eigenen Tod nicht als Scheitern an. Sein Ziel war es, durch den einen großen Feldzug die vielen blutigeren Feldzüge zu vermeiden, die er als Folge eines totalen Rückfalls in die Barbarei voraussah. So glaubt er letztlich die Grundlage für eine Gesellschaft zu legen, in der *nicht* der Stärkere das Sagen hat. Sein Gegner hingegen, Bob Garvin, auch ein Idealist, haßt Berendtsens Eroberungspolitik, will kein Militär und keinen Zwang, denkt aber nicht weit genug. Sein Konzept des freien Bürgers, der sein Recht mit der Waffe in der Hand verteidigt, bringt nicht die Demokratie, sondern den Wilden Westen zurück, läßt jenen recht haben, der am besten schießen kann.

Der Roman bemüht sich um Realismus. So ist die Entwicklung bis zum Großstamm durchaus folgerichtig, einer inneren Logik, einem Sicherheitsbedürfnis verpflichtet. Denn die historische Situation ist neu, erstmals müssen sich erwachsene Menschen ohne den Rückhalt einer schon vorhandenen Gemeinschaft zu verbindlichen neuen Regeln des Zusammenlebens durchringen. Schon die Eroberung der restlichen Stadtbezirke, aber erst recht die Einnahme anderer Städte, ist jedoch nicht länger mit einem Sicherheitsbedürfnis, sondern nur noch mit den übergeordneten Idealen eines Berendtsen zu vertreten — was in dem Roman dankenswerterweise auch problematisiert wird.

Was *Some Will Not Die* von anderen Katastrophen- bzw. *post doomsday*-Romanen unterscheidet, ist das kleine Pflänzchen Utopie inmitten von Utopielosigkeit. Die beiden Charaktere, die hier in den Lauf der Geschichte einzugreifen versuchen, mit welchen fragwürdigen Mitteln auch immer, haben beide die Utopie vor Augen, angesichts der Katastrophe Demokratie und Selbstbestimmung des Menschen zurückzubringen, das Zeitalter der Barbarei abzukürzen. Das versöhnt ein wenig mit dem a priori utopielosen Thema, das Alternativen menschlichen Zusammenlebens, die nicht auf Gewalt und Gegengewalt beruhen, keine Chance gibt und damit hoffnungslos und bitter Zeitgeist widerspiegelt.

Hans Joachim Alpers